Ravin Noow

MoreThanOneSees

Band Nr. 1 „Erwachen“ (**Deutsch**)

Ravin Noow

MoreThanOneSees (Deutsch)

Young and Adult Fantasy, Urban Paranormal

FSC
www.fsc.org
MIX
Papier aus verantwortungsvollen Quellen
Paper from responsible sources
FSC® C105338

Bibliografische Information der Deutschen Nationalbibliothek: Die Deutsche Nationalbibliothek verzeichnet diese Publikation in der Deutschen Nationalbibliografie; detaillierte bibliografische Daten sind im Internet über http://dnb.dnb.de abrufbar.

Verlag: BoD · Books on Demand GmbH, In de Tarpen 42, 22848 Norderstedt, bod@bod.de

Druck: Libri Plureos GmbH, Friedensallee 273, 22763 Hamburg

ISBN: 978-3-7693-4042-6

Inhaltsverzeichnis

Kapitel 1 - FAMILIE

»Gott sei Dank«, dachte Kaito, die Schulglocke entließ ihn ins Wochenende. Der Stundenplan am Freitag war die Hölle und dann noch den ganzen Tag mit diesem Pedanten, »alles völlig sinnlos, für heute, für morgen und für den Rest der Ewigkeit«, dachte er, morgen hatte er es sowieso wieder vergessen.

»Jetzt beende die Stunde, du Nervensäge!«

»Macht am Wochenende keinen Ärger, verstanden, Schüler!«, der Lehrer schaute ein letztes Mal in die Klasse und ging. Die Klasse rief dann noch das obligatorische »Auf Wiedersehen Herr Lehrer.« Fast alle packten eilig ihre Sachen und verschwanden nach Hause oder sonst wohin.

Kaito packte langsamer ein, er hat ja noch Zeit bis zu seiner Verabredung mit ‚Vater', dachte er. Aber er musste sich eingestehen, dass er gespannt darauf war, was er von ihm wollte. Es war das erste Mal, dass ‚Vater' ihn um Hilfe bat. Während er darüber nachdachte, sah er seinen Klassenkameraden nach, die nach und nach den Raum verließen. »Klassenkameraden, soll er sie wirklich so nennen?«, fragte er sich. Er konnte an einer Hand abzählen, wie oft er mit ihnen gesprochen hatte, bis heute, in der zweiten Klasse der Oberschule. Die Hälfte hier in der Klasse schienen sogar ganz nett zu sein, aber er kannte sie nicht. Die Interessen waren einfach zu verschieden. Er gehörte zu den Außenseitern hier an dieser Schule und er wusste, dass das so bleiben würde.

»Die verschiedenen Typen in der Klasse sind deutlich zu erkennen«, dachte er.

Die Extrovertierten fielen immer zuerst auf. In den Pausen brüllten sie immer zuerst, um ihre Arroganz gepaart mit Dummheit zu zeigen. Viel und laut redeten und wenig sagten, das war ihre Devise. »Würden gute Politiker werden, wenn sie es so weit bringen«, dachte er und lachte in sich rein. Der Typ da drüben, immer gut gestylt, soll ein erfolgreicher Influencer sein, hatte er gehört. »Ist bei den gutaussehenden Männlein auch nicht so schwer, die müssen nur Scheiße labern, die hübschen Weibchen hingegen müssen noch mit anderen Argumenten wackeln, dafür bekommen sie aber auch mehr Likes«, lachte Kaito in sich hinein. Hätten sie was in der Birne, könnten sie in zehn Jahren ausgesorgt haben, aber die meisten hatten das nicht. »Tja, so ungerecht ist das Leben.«

Auf der anderen Seite die etwas ruhigeren Charaktere, klug und intelligent zugleich, manche noch selbstbewusst, »Yuma ist da nah dran«, dachte er. Manche würden sogar Außenseitern oder Mobbingopfern helfen, wie damals dem schmächtigen Jungen mit der Brille da drüben, der sich jetzt wieder in die Schule traute. Noch 1,5 Jahre bis zum Abitur. Der Junge hatte nun wieder eine reelle Chance, das durchzustehen. »Tja«, dachte Kaito, »man kann sie zwar alle in Gruppen einteilen, aber keiner gleicht dem anderen, jeder hat mindestens eine Eigenschaft, die ihn einzigartig macht.«

Er erinnerte sich an seinen ersten Tag an der Oberschule, als die Hackordnung von den Schlägern bestimmt wurde. Lustigerweise verbreitete sich bald ein Gerücht, dass ein Mitschüler, der ihn fast zwei Jahre lang schikaniert hatte, von einem Tag auf den anderen verschwand und nie wieder gesehen wurde. Zum Zeitpunkt seines Verschwindens war Kaito etwa 13 Jahre alt. Heute so viel später, war es komisch, so etwas zu erzählen, erinnerte er sich. Seit Beginn der Schule hatte er nicht herausgefunden, wer das Gerücht verbreitet hatte, er hätte etwas damit zu tun. »Was hat sich die Person dabei gedacht?« Offensichtlich wollte sie ihm schaden, aber es hätte nicht besser laufen können. Seit der Mittelschule hatte ihn niemand mehr geschlagen. »Stärke ist alles, egal wie man sie erlangt«, sagte er sich und lächelte.

Er wusste, dass seine Zukunft sowieso schon in Stein gemeißelt war. Der Grund dafür war der Grund für alles in seinem bisherigen Leben, dass er nie Freunde hatte, dass seine Eltern nicht mehr existieren, dass er mehrmals fast gestorben wäre, dass sein ‚Vater' eher ein Vormund war und, und, und. Wenn man es logisch betrachtet, war alles ganz einfach zu verstehen. Denn seit er denken konnte, hatte er die Fähigkeit spirituelle Lebensformen zu sehen. Umgangssprachlich einfach ‚Geister'. Das Problem hierbei war, wie immer, das gleiche in einer modernen Welt des 21. Jahrhunderts, oder sogar des dritten Jahrtausends. Was die Mehrheit nicht sehen kann oder nicht sehen will, existiert eben nicht.

Glück haben die Kinder, die in einer Familie aufwachsen, in der diese Fähigkeiten ein Teil ihrer Gemeinschaft sind und in der ihnen erklärt wird, wie sie damit umzugehen haben, vor allem in der Gesellschaft der normalen Menschen.

Nämlich in einer ‚normalen' Familie mit dieser Fähigkeit aufzuwachsen, konnte nur schief gehen, wusste er aus Erfahrung. Vor allem, wenn man sie einem Erwachsenen anvertraute, in der Hoffnung auf Hilfe. Und fatal wurde es schließlich, wenn diese Person einen dafür so sehr hasste, dass sie versuchte, einen umzubringen. Entweder man ist klug genug, es nicht zu tun, oder man stirbt. Vor etwa elf Jahren war er dumm genug, genau dies zu tun, aber das Glück war auf seiner Seite. Sieben Jahre später hatte er wieder Glück und bekam einen neuen ‚Vater', Hiroshi Tanaka. Ihm verdankte er viel, sehr viel, er hatte ihm sein jetziges und vor allem selbstbestimmtes Leben ermöglicht, dafür würde er ihm immer dankbar sein, wenn möglich sogar über den Tod hinaus.

Auf Grund seiner angeblichen spirituellen Fähigkeiten hatte ihn sein ‚Vater' eines Tages zu einem Orden geschleppt, der ihn untersuchte und zu seiner Überraschung gleich behalten wollte, was ‚Vater' natürlich lachend ablehnte. Sein neuer Vater, der durch seinen Beruf an Merkwürdigkeiten gewöhnt war, begann Kaitos Sichtweise seiner Welt zu akzeptieren, auch wenn er selber nicht daran glaubte.

Mit den vielen Leuten im Orden, den er eine Zeitlang regelmäßig besuchte, kam er leider nicht klar, weshalb er irgendwann dem Orden fernblieb und stattdessen dank Vater ein eigenes kleines Geschäft aufbaute, mit dem er, wenn auch mit Anlaufschwierigkeiten, ein mageres Einkommen erzielte, das ihn gerade so von Vater unabhängig machte, was Vater wiederum wurmte.

Er wohnte schon lange nicht mehr bei Vater, also Herrn Tanaka im Haus. Frau Tanaka war eine sehr liebevolle Frau, aber sie hatte Angst vor Kaito und um ihre Tochter, die 10 Jahre jünger war als er. Deshalb war sie immer dagegen, ihn aufzunehmen, aber sie tat es trotzdem und war in dieser Zeit immer für ihn da. Mit 15 Jahren, auch wenn es gegen das Gesetz war, hatten sich alle darauf geeinigt, dass Kaito ausziehen und von nun an alleine leben sollte, wobei Herr Tanaka, im Gegensatz zu Frau Tanaka, ab und zu vorbeikam und nach dem Rechten sah, was ihm, Kaito, eher nicht gefiel, denn ihm gefiel die Situation sehr gut, so wie sie war.

Aber er hatte Größeres im Sinn, das wusste er, als er unten am Tor ankam und aus der Schule trat.

Jetzt musste er erst einmal Dawn abholen und dann zu seinem Vater, Herrn Tanaka, ins Café gehen. Er hoffte, dass Dawn dort war, wo er ihr gesagt hatte, dass sie warten sollte, nämlich vor dem Schulgebäude, aber sie war nicht da und ihm war nun klar, dass er sie im Park suchen musste.

»Kätzchen muss man eben richtig erziehen«, dachte er, wissend, dass es mit diesem Kätzchen schwierig werden würde und lächelte.

Am Anfang des Parks war sie nicht, hinter dem Park war schon das Café, in dem er mit Herrn Tanaka verabredet war. »Verdammt du kleines Biest, wo zum Teufel steckst du wieder, soll ich Shy fragen?«, überlegte er und lief weiter in Richtung Ausgang des Parks.

Als der Ausgang schon in Sichtweite war, fragte er sich, warum ihm dieser unangenehme Besuch vom Anfang des Jahres immer wieder in den Sinn kam. Dieser überhebliche angebliche Regierungsvertreter mit seiner Arroganz und seinen lächerlichen Sprüchen, dass Kaito helfen sollte, die Welt vor dem Bösen zu bewahren und er deshalb mit dem Orden vereinbart hatte, dass er mit ihnen die spirituelle Welt erforschen sollte. »Natürlich, du Abschaum, als ob der Orden sich auf so etwas wie dich einlassen würde«, dachte er und war eigentlich froh, dass es so gekommen war. Jetzt wusste er, dass er vorsichtiger sein musste.

»MIAU!«, riss es ihn aus seinen Gedanken und er sagte zu sich selbst »Gefunden, du Biest« und lächelte. Er blickte nach rechts zu den Bäumen. Es war so klar, dass Dawn die Menschen im Park beobachtete. »Komm her, sofort!«, rief er und streckte den Arm aus.

Als Dawn in seine Richtung sprang, bemerkte er, dass unter dem Baum drei Mädchen auf einer Parkbank saßen. »Oh Mann, die haben das bestimmt falsch verstanden«, dachte er, als Dawn auf seinem Arm landete. Die Blicke der Mädchen trafen ihn und das Gezeter begann. »Was sollte denn das eben?«

»Keine Zeit, mit euch Dumpfbacken zu diskutieren«, dachte er und versuchte, die Sache schnell und freundlich zu klären. »Ich meinte meine Katze und nicht euch, also keine Panik, ich bin schon weg.«

»Klar, was denkst du dir eigentlich?«, sagte das aggressive Biest rechts. »Ach verdammt? Die in der Mitte ist doch aus meiner Klasse, Sato..., Mato... Moto... oder so ähnlich, egal. Ich nenne sie einfach Dumpfbacke Nr. 2.« »Hast du ein Problem?«, fragte er energisch in ihre Richtung und sah das Biest rechts böse an. Das Mädchen in der Mitte zuckte leicht zusammen. Erst jetzt sah er, dass dort die drei Schulschönheiten seiner Schule zusammen auf einer Parkbank saßen. Gerade als das Mädchen rechts zum nächsten Satz ansetzen wollte, flüsterte ihr das etwas nervös wirkende Mädchen in der Mitte etwas zu. Sofort erstarrte das Mädchen rechts und es wurde still. Wahrscheinlich die alte Geschichte, »ich hab's ja gesagt, perfekt«, dachte er. Er ging weiter und aus der Ferne hörte er das dritte Mädchen sagen, »Habe ich mich erschrocken, ich dachte, da springt ein Mensch vom Baum auf uns herunter.«

»Sieh einer an, wenn du wüsstest«, dachte Kaito und ging weiter zum Ende des Parks.

Dawn sprang Kaito 100 Meter weiter von der Schulter auf die Straße und lief wie immer rechts von ihm. 200 Meter weiter war er am Ausgang.

»Ich kenne niemanden der Menschen, die dumme Sachen machen, so verachtet wie du Kaito. Wie heißt der erste Satz des Ordens? Schaut euch um, wenn ihr mit Spirits redet, sonst halten die Menschen euch für total verrückt! Und jetzt passiert es dem Streber Kaito selbst«, sagte Dawn und sah Kaito mit dem spöttischen Ausdruck einer Katze an.

»Du kleines Biest, ich gebe dir gleich 'Streber' und heute Abend gibt's was auf ...«, weiter kam Kaito nicht. Das laute »Miau«, was für normale Menschen hörbar war, war für Kaito ein deutlich höhnisches Lachen und ein spöttischer Kommentar »Heute bist du der Trottel, schau nach links, Miau.«

»Nee oder«, dachte Kaito. Ein Pärchen, etwas älter als er, sah ihn grinsend an. »Wahrscheinlich aus der dritten Klasse unserer Schule. Also kein Problem, die drei Weiber von vorhin wären schlimmer gewesen«, dachte Kaito und ging schnell weiter zu einem Café auf der anderen Straßenseite.

»Hallo, Herr Tanaka«, begrüßte Kaito den stämmigen Mann, der freundlich und sympathisch aussah und etwa 40 Jahre alt war. »Die kräftige Statur passt gut, ansonsten ist er viel zu freundlich für einen Polizisten«, dachte Kaito, wusste aber, dass dieser Mann mit seiner Art sehr erfolgreich war und Kontakte zu vielen einflussreichen Leuten hatte. »Ich bin gespannt, was er will.«

»Wann wirst du mich endlich Vater nennen, mein Sohn?«, fragte Herr Tanaka.

Etwas überfordert antwortet Kaito, »Verzeih mir, aber bis mir bei dem Wort ‚Vater' nicht mehr übel wird, wird es noch dauern.

»Eine Familie mit einer Frau, einer Tochter und einem Sohn wie dir, das habe ich mir immer gewünscht«, sagte Herr Tanaka und sein Gesichtsausdruck zeigte, dass er es auch so meinte. »Verdammt, er weiß doch, wie sehr ich solch sentimentales Geschwafel hasse«, dachte Kaito. Er vermied den direkten Blickkontakt, schaute Dawn an, streichelte ihr über den Kopf und sagte, »Es tut mir leid.«

»Nimm Dir Zeit, mein Sohn und lass uns zu dem Thema kommen, um das ich dich bitten möchte.«

»Danke«, dachte Kaito.

»Aber zuerst!« Er machte eine Pause und erklärte, »In meinem Beruf passieren so viele seltsame Dinge. In der Zeitung stehen immer nur die gelösten Fälle, von den vielen ungelösten und seltsamen Vorkommnissen bekommt niemand etwas mit. Warum sollten dann nicht spirituelle Wesen wie Yokais dafür verantwortlich sein? Ich werde mich wohl damit abfinden«, sagte er und grinste.

»Bitte schieb die Unfähigkeit der Polizei nicht auf die Yokais«, dachte Kaito.

»Was ich dir aber nicht abnehme, ist, dass Dawn in Wirklichkeit ein Katzen-Ayakashi ist, deren menschliche Gestalt nur mit spirituellen Fähigkeiten wie deinen gesehen werden können. Bist du schwul oder ist das nur eine Ausrede, weil du keine Freundin hast?«

Kaito schaute ‚Vater' ins Gesicht, »er scherzt, da bin ich mir sicher« und er glaubte, es an seinem Gesicht ablesen zu können, sonst wäre er jetzt aufgestanden und gegangen.

»Also ein letztes Mal für den begriffsstutzigen Polizisten vor mir. Dawn sieht für mich aus wie ein Manga Catgirl«, sagte Kaito leise und sehr genervt, »und du weißt, dass ich dir das im Vertrauen gesagt habe.«

Herr Tanaka grinste und sprach etwas lauter als sonst, »Wie sehen dann später eure Kinder mal aus?«

Kaito schaute sich verlegen um und zischte, »Bist du heute nur gekommen, um mich zu ärgern? Dawn ist kein Yokai und somit auch kein Ayakashi, das habe ich dir schon mehrmals gesagt.«

»Was ist sie dann?«

»Sie ist kein Gott, auch wenn sie es gerne wäre und sich manchmal wie von Gottes Gnaden benimmt, aber sie gehört zur Klasse der göttlichen Wesen, also hab etwas Respekt.«

Kaito schaute Dawn an und sagte dann, »Sie ist im Rang vergleichbar zwischen einem Nekomata und einer niederen Gottheit.«

Plötzlich musste Kaito Dawn abwehren, als sie plötzlich versuchte, ihn anzugreifen.

Herr Tanaka beugte sich vor und grinste über das Schauspiel, das sich ihm darbot. Erst leicht verdutzt, dann lachend sagt er, »Ich glaube es nicht, als hätte sie uns verstanden und jetzt ist sie sauer, dass du ihr ihren göttlichen Status aberkannt hast.«

Dawn fauchte Herrn Tanaka an, der zurückwich.

»Du interpretierst richtig, Herr Polizist. Genug Dawn, die Leute schauen schon zu uns«, sagte Kaito, während er versuchte, den Krallen auszuweichen. Akzeptiere, was du bist, schließlich gehörst du zur Klasse der Götter und bist mir wichtiger als alles andere.«

»Idiot«, sagte Dawn, wendete sich beleidigt ab und legte sich hin. Herr Tanakas Augen weiteten sich und er dachte, »Ich fasse es nicht, was war das gerade?«

»Bevor ich zu meinem Punkt komme, kläre bitte deinen ungläubigen Vater auf und erkläre mir, mit welchen spirituellen Lebensformen wir angeblich zusammenleben.«

Kaito schaute ihn an, »Ist das ein normales Familiengespräch?«, dachte er und überlegte, warum er das tun sollte, kommt aber zu dem Schluss, dass es keinen Sinn macht, mit Polizisten zu diskutieren.

»Nun, grob gesagt gibt es in der spirituellen Welt folgende Formen von Spirits.

Da sind zunächst die einfachen Geister, wie ich sie nenne, diese können aus dem spirituellen Echo eines jeden Lebewesens entstehen, das zurückbleibt, wenn es stirbt. Sie bleiben dann im Bereich des Echos und wandern in diesem Bereich umher, bis sie erreicht haben, was sie wollten. Wenn das Echo erlischt, bewegen sie sich frei. Wenn sie nicht von Yokai oder Dämonen gefressen werden, werden sie nach langer Zeit selbst zu Yokais. Eine Interaktion bis dahin mit Menschen ist selten und wenn, dann meist harmlos.«

»Warte, warte«, sagte Herr Tanaka, »du kannst sehen, wo ein Mensch gestorben ist. Habe ich das richtig verstanden?«, fragte er.

»Oh je«, dachte Kaito, »das hätte ich besser nicht erwähnen sollen.«

»Nun ja, solange das Echo nicht verklungen ist, weiß man, dass an dieser Stelle ein Lebewesen gestorben ist.«

»Erklär mir das genauer, kannst du das Echo von Menschen und Tieren unterscheiden und wie lange kannst du das erkennen?«

»So ein Mist, will er mich jetzt vielleicht für die Polizei abwerben?«, dachte er.

»Das Echo eines Menschen unterscheidet sich von dem eines Tieres oder einer Pflanze, auch die Dauer seiner Existenz bis zum Verlöschen, also ja.«

»Dann könntest du einen Tatort identifizieren!«

»Das könnt ihr doch auch, oder seid ihr ins Mittelalter zurückgefallen?«

»Wir können sehen, ob ein Mensch am Fundort gestorben ist oder abgelegt wurde, aber wir können nicht so einfach einen Ort finden, an dem ein Mensch gestorben ist, es sei denn, wir finden eindeutige Hinweise.«

»Na, dann ist ja alles in Ordnung. Das kriegt ihr schon hin. Denn Rechnungen an den Staat zu schreiben ist immer etwas stressig!«, sagte Kaito und kann seinen Sarkasmus nur mit Mühe unterdrücken.

Herr Tanaka schaute etwas irritiert, lachte dann aber und sagte, »Ich komme auf dich zurück, aber jetzt weiter mit den Geistern.«

Eine Ausnahme bilden die Geister aus positiver Energie. Diese sind den Menschen noch sehr ähnlich und abgesehen davon, dass sie Geister sind, ist es für jemanden, der sie erkennen kann, schwierig, sie von Menschen zu unterscheiden. Sie können wie du und ich aussehen. Ihr Ziel ist es, diejenigen zu beschützen, die ihnen zu Lebzeiten wichtig waren. Wenn dieses Ziel erreicht ist, steigen sie auf oder werden nach sehr langer Zeit selbst zu dem, was wir Schutzgeister oder Engel nennen.

Geräusche, herunterfallende oder verschwindende Dinge sind übliche Anzeichen für ganz normale Geister mit negativer Energie. Geister werden auch von Dämonen gefressen, die dann die Eigenschaften oder sogar Emotionen und

Gefühle dieser Geister gegenüber anderen Menschen übernehmen können. Dann wird es gefährlich für die Menschen, besonders für die, die der Geist kannte.

Dass ein Dämon einen Menschen befällt, passiert aber recht selten. Bei der Menge der Menschen in der Welt fällt sowas in keiner Statistik auf, trotzdem endet es für den Betroffenen in der Regel nach einigen Wochen tödlich. Normalerweise holen sich aber die Dämonen die negative Energie von den Ayakashi. Sie sind schwach und weniger aggressiv als Yokais. Dadurch haben sie selbst im Kampf gegen einen niederen Dämon keine Chance. Die Herkunft vor allem der höheren Dämonen ist bis heute nicht geklärt. Viele sagen, dass sie durch den Hass der Menschen oder durch einen tragischen Tod entstanden sind. Aber dann gäbe es Unmengen von ihnen, so viel Hass und Tragödien wie es jeden Tag gibt. Glücklicherweise ist das nicht der Fall. Denn Dämonen könnten im Gegensatz zu einem Geist einen Menschen direkt töten, was für den Dämon aber selbst mit Gefahren verbunden ist und daher ziehen sie es vor, einem Menschen hinterhältig und langsam seine Lebensenergie auszusaugen und diese dann in negative Energie umzuwandeln. Das tun sie aber nur, wenn dieser Mensch für sie ‚vorzüglich' aussieht. Wann das der Fall ist und was genau dazu führt, dass ein Dämon einen Menschen befällt, um ihm die Lebensenergie zu entziehen, ist leider immer noch unbekannt. Man glaubt nur zu wissen, dass Menschen mit einer besonderen Art von Aura eher gefährdet sind.

Die große Klasse der Yokai und damit auch der Ayakashi entsteht dagegen nicht durch das Echo, sondern durch die Ansammlung hoher Konzentrationen negativer spiritueller Energie. Meist hervorgerufen durch Schwankungen oder Überlagerungen spiritueller Energieströme, die permanent von Menschen oder Tieren ausströmen.

Für die Klasse der Götter gilt dasselbe, nur dass sie aus positiver spiritueller Energie entstehen und da positive spirituelle Energie, aus welchen Gründen auch immer, viel seltener ist, gibt es viel mehr Yokai als göttliche Wesen. Dawn ist aus positiver Energie entstanden. Das ist selten und deshalb ist sie etwas Besonderes.«

Kaito streichelte Dawn.

»Die Schwester von Dawn ist übrigens ein reiner Ayakashi und mag Menschen gar nicht. Es gibt Ayakashi, die mit Menschen zusammenleben. Sie nehmen deren ausströmende Energie auf, wachsen dadurch und werden mit der Zeit größer und stärker, was wie bei Geistern irgendwann auch zu Unfällen führen kann. Der Rest der Yokai, vor allem die mächtigen, können wie Dämonen auch direkt Lebensenergie von den Menschen absaugen und das kann für Menschen tatsächlich gefährlich werden, wenn sie ihnen zu viel Energie entziehen.«

»Wie mächtig sind all diese starken Wesen?«, fragte Herr Tanaka und hörte interessiert zu.

»Göttliche Wesen haben die Macht und die Aufgabe ihr Territorium, also zum Beispiel einen Schrein vor Dämonen zu schützen und dort mit ihrer positiven Energie Reinigungen durchzuführen, außerdem vernichten sie eindringende Dämonen, sonst wären sie keine Götter. Daher stehen sie auf einer Stufe mit hochrangigen Dämonen und beide über den Yokais.«

»Positive und negative Energie, das klingt nach Physik«, grinste Herr Tanaka und kratzte sich am Kopf.

»Nun, das ist meine Bezeichnung, aber so falsch liegst du da nicht. Bezeichnungen ändern sich mit der Zeit und der Kultur. Nenn es wie du willst. Licht und Schatten, hell und dunkel, gut und böse oder göttlich und dämonisch.

Die spirituelle Energie von Lebewesen wird übrigens als neutral angesehen, sie wird in positive oder negative Energie umgewandelt, wenn sie den Körper verlässt. Genau das tue ich, wenn ich Dämonen bekämpfe, ich mache aus meiner spirituell neutralen menschlichen Energie positive

Energie und zerstöre damit den Dämon, der aus reiner negativer Energie besteht. Ich löse ihn sozusagen auf. Hattest du nicht letztlich einen Fall, wo jemand in Säure aufgelöst wurde, so kannst du dir das vorstellen«, sagte Kaito und grinste Herrn Tanaka an.

»Hey lass solche Scherze, das war echt eklig damals, ich will nicht mehr daran denken«, grinste aber zurück.

»Gibt es etwas Mächtigeres als Dämonen und Götter, mit dem du nicht fertig wirst?«

Kaito schaute Herrn Tanaka etwas länger an und sagte, »Du stellst heute komische Fragen. Ist das ein Verhör?«

»Nein, reine Neugierde«, sagte Herr Tanaka. Kaito schaute ihn direkt an und sagte nach fünf Atemzügen »Ja, das gibt es, aber relevante Berührungspunkte zwischen einem Menschen und diesen Wesen sind äußerst gering.«

»Wie gering?«, fragte Herr Tanaka.

Kaito schaute zu Dawn hinunter, die wiederum zu Kaito schaute, streichelte Dawn, drehte seinen Kopf zu Herrn Tanaka und sagte, »Ich würde sagen 1:100 Milliarden, wenn du eine Zahl willst.«

Herr Tanaka lachte »bei nur 8 Milliarden Menschen auf der Welt kann das wohl nicht die Ursache des Problems sein, das ich dich untersuchen lassen möchte, dann bin ich ja beruhigt.«

»Jetzt sag schon. Was soll das. Was willst du?«, fragte Kaito leicht genervt.

»Okay, erinnerst du dich noch an Herrn Kato, der Mann mit den leicht grauen Haaren, so um die 60, der Arzt, der Mika-chan damals bei uns zu Hause behandelt hat, als es ihr so schlecht ging. Gestern hat er mir von seiner Nichte und ihrem Sohn erzählt, dem es sehr schlecht geht. Er ist übrigens davon überzeugt, dass es solche Wesen, wie du sie beschrieben hast, wirklich gibt, deshalb ist er zu mir gekommen, als er von dir gehört hat.«

»Wenn er Arzt ist, sollte er sich doch zuerst um seinen Enkel kümmern, oder ist das in Familien nicht üblich?«, sagte Kaito immer noch etwas genervt.

»Kaito!«, sagte Herr Tanaka, »das war unnötig, lass mich ausreden. Was meinst du, was bei dem armen Kind schon alles untersucht wurde?«, fuhr Herr Tanaka fort. »Ergebnis. Er ist kerngesund, nichts, außer dass er sich kaum auf den Beinen halten kann. Er hat nicht mal viel abgenommen!«

Jetzt schaute Kaito Herrn Tanaka direkt in die Augen. »Seit wann ist das so?«, fragte er.

»Ich sehe, ich habe dein Interesse geweckt! Es hat vor zwei Monaten angefangen. Kannst du überprüfen, ob es ein Geist ist?«

»Wenn es ein Spirit ist, dann ist es ein Dämon, ein Geist hat nicht eine solche Wirkung auf Menschen. Was genau willst du von mir?«

Herr Tanaka schaute Kaito direkt an »Hilf dem Kind so gut du kannst! Kannst du das? Oder nein, tu es einfach, das erwarte ich von meinem Sohn!«

»Wenn das Problem spiritueller Natur ist, kann ich etwas tun, aber es sollte schnell gehen. Wenn man nicht einmal mehr aufstehen kann, ist es schon knapp, sehr knapp«, antwortete Kaito.

»Danke, das habe ich von dir erwartet, aber jetzt zum eigentlichen Problem.«

»Das eigentliche Problem?«, sagte Kaito fragend.

»Frau Kato, sie ist wieder geschieden und eine bekannte Wissenschaftlerin und glaubt, oh Wunder, genau 0,00% an Geister oder Dämonen. Ich weiß genau, was du nun sagen willst. Aber geh hin und hilf dem Kind, mach es trotzdem, um jeden Preis, das ist meine Bitte an dich. Ich muss jetzt zur Arbeit, sonst wäre ich mitgekommen.«

Herr Tanaka schaute Kaito freundlich, aber bestimmt an, »Wachse an solchen Aufgaben, mein Sohn.«

Herr Tanaka gab dem Kellner ein Zeichen, dass er bezahlen wollte, zog eine Visitenkarte aus seinem Mantel und schob diese über den Tisch zu Kaito, »hier ist die Adresse. Bis bald«, stand auf und ging.

Kaito schaute zu Dawn, dann auf die Straße, wo Herr Tanaka in ein Taxi stieg.

»So dumme Sprüche kann nur ein Polizist von sich geben«, dachte er und schaute auf die Visitenkarte. Es war die billige Standardvisitenkarte von Herrn Tanakas Büro mit einer handgeschriebenen Adresse auf der Rückseite. Kaito stand auf, schaute zu Dawn und sagte »Also Dawn, lass uns einen Dämon abmurksen.«

Dawn miaute zustimmend.

Kapitel 2 - DÄMONEN

«Das kann doch nicht wahr sein, zwei Stunden für acht Kilometer, sind wir im Mittelalter?«, dachte Kaito, drückte auf die Klingel und wartete, dass sich etwas tat. Es dauert eine Weile, bis sich etwas bewegte. Als die Tür aufging, schaute ihn eine Frau Mitte 30 an. »Was willst du, Junge?«, fragt sie wirsch.

»Herr Tanaka hat mich geschickt, er hat gesagt, dass ich ...« »Komm rein und schrei nicht so laut«, sagte die Frau und lässt nach ihm die Tür laut ins Schloss fallen. Kaito wollte sich gerade eine Meinung bilden, kam aber nicht so weit.

»Du bist also der Geisterjäger. Mein Onkel ist auch so ein Spinner, hat zu viel Fantasy-Schund gelesen und ist darin hängengeblieben.« Zu ihrer Überraschung ging Kaito nicht darauf ein, während er sich im Inneren des Hauses umsah. »Hey was genau ...« diesmal unterbrach Kaito. Das hier ist übrigens Dawn, meine Katze und ich bin nicht freiwillig hier, sondern es ist der ausdrückliche Wunsch ihres Onkels und von Herrn Tanaka, dass ich mir ein Bild mache und genau dies«, er betont es sehr deutlich, »dauert eine Sekunde, dann kann ich Ihnen sagen, ob ich helfen kann oder nicht«, sagte Kaito zu ihr, die ihn leicht verdutzt ansah.

»Eine Sekunde dauert alles?«, fragte sie ungläubig.

»Nein, eine Sekunde brauche ich, um zu sehen, ob etwas Spirituelles ihrem Sohn schaden will.«

»Und wenn das der Fall ist?«, fragte sie etwas hämisch.

»Dann kann ich, ihr Einverständnis vorausgesetzt, eine Art Reinigung durchführen.«

»Dafür wollen Sie dann wie viel, 1 Million? 10 Millionen?«

»Da es der Wunsch von Herrn Tanaka ist, habe ich nicht mit Geld gerechnet«, antwortete Kaito.

»Was für ein Mensch sind Sie?«, fragte sie ihn.

»Jemand, der von einem Freund Ihrer Familie, dem Sie und Ihr Sohn sehr wichtig sind, den Auftrag bekommen hat, Ihnen zu helfen, sonst wäre ich schon wieder gegangen«, sagte Kaito leicht verärgert und versucht ruhig zu bleiben.

Die Frau schaute ihn an, dann zur Treppe, die nach oben führte, dann wieder zu Kaito. »Eine Sekunde?«, fragte sie wieder.

»Eine Sekunde, dann kann ich mehr sagen.«

»Komm mit«, antwortete sie, ging zur Treppe und stieg sie hinauf.«

»Auch wenn ihr Freaks seid, wenn ich meinen Onkel mit einer Sekunde zufriedenstellen kann, ist es mir recht. Mein Sohn wird immer schwächer, auch wenn sie im Krankenhaus nichts gefunden haben, morgen bringe ich ihn wieder hin«, sagte sie und drückte langsam die Türklinke zum Kinderzimmer im Obergeschoss nach unten.

»Eine Sekunde«, sagte die Frau, öffnete die Tür und schloss sie kurz darauf wieder.

Kaito schaute zu Dawn, die auf dem Boden saß. »Ihre Katze ist seltsam anhänglich! Und was haben Ihnen die Geister gesagt?«, fragte sie spöttisch. »Oder wird es noch eine Weile dauern, bis Sie sich etwas ausgedacht haben?«

»Sie hatten doch gesagt, dass nichts gefunden werden konnte.«

»Ja, hören Sie mir überhaupt zu?«, fragte sie.

»Ihr Sohn hat ihnen doch bestimmt gesagt, dass er Schmerzen oder einen Druck in der Herzgegend hat, oder?«, fragte Kaito.

Stille kehrte ein. --- Ganze zehn Sekunden schaute Frau Kato ihn an und sagte nichts. --- »Miau« Frau Kato erschrak, schaute hinunter zur Katze, von der der Laut kam, dann wieder hinauf zu Kaito, »Woher wissen Sie das?«

»Gott sei Dank, richtig geraten, sonst wäre es vorbei gewesen. Jetzt nur noch die richtigen Worte finden, also Kaito zurückhalten«, dachte er.

»Ein Dämon hat sich ihres Sohnes bemächtigt und entzieht ihm seine Kraft«, sagte Kaito, während er dachte, er hätte auch sagen können »Ein riesiger Panzerdämon schwebt über ihrem Sohn und hat seinen langen, mit Widerhaken besetzten Stachel in sein Herz gebohrt und saugt langsam und genüsslich seine Lebensenergie aus ihm heraus, während der Dämon darauf wartet, dass er qualvoll stirbt, um sich daran zu ergötzen. Das wäre wissenschaftlich korrekter«, dachte Kaito, während er auf die Reaktion von Frau Kato wartete.

»Und was…«, weiter kam sie nicht, Kaito unterbrach sie.

»zehn Minuten brauche ich. Dann wird es ihrem Sohn besser gehen. Ich muss ihn nicht untersuchen oder anfassen. Ich muss nur eine Art Bannkreis mit Kreide auf den Boden malen.«

Es wurde wieder ruhig im Flur und Kaito hoffte, dass er die richtige Wortwahl getroffen hat.

»Geh!«

»Verdammt, Wissenschaftler sind so eine nervige Brut«, dachte Kaito.

»Wenn ich jetzt gehe, stirbt Ihr Sohn!«

»Jetzt ist die Wahrheit raus, es gibt kein Zurück mehr«, dachte Kaito.

Frau Katos Arm hob sich und ihre Hand zeigte zur Tür. Sie will sich gerade wiederholen, als Kaito sagte, »Wenn Sie mich machen lassen, haben Sie im schlimmsten Fall zehn Minuten zugesehen, wie sich ein Idiot vor Ihnen und Ihrem

Sohn zum Affen macht. Ist es Ihnen das nicht wert? Sind Eltern so?«

»Gehen Sie, was hat sich Ihr Vater Herr Tanaka dabei gedacht?«

»Er ist nicht mein Vater.«

Sie schaute Kaito an, »was ist er dann«, fragte sie leicht verwundert.

»Mein Vormund«

Und wieder schaute sie Kaito an, »wo ist Ihr Vater?«

»Irgendwo in der Hölle«, antwortete Kaito und dachte, »Das war's jetzt, morgen ist der Junge tot.«

Kaito machte einen Schritt auf die Treppe zu.

»Warte, Junge«, sie schaute ihn an, »zehn Minuten, keine Minute länger, was soll ich machen«, sagte sie.

»Okay, keine Zeit darüber nachzudenken, warum sie ihre Meinung geändert hat. Nicht, dass sie es sich anders überlegt«, dachte Kaito, als er das Zimmer betrat.

»Setzen Sie sich zu ihrem Sohn aufs Bett, ich zeichne schnell den Bannkreis.«

»Mama, was macht der Mann hier?«, fragte eine schwache Stimme vom Bett.

»Er will böse Geister vertreiben, Yuto-chan, er ist gleich fertig und geht dann wieder.«

»Das ist gut, dann vertreibe bitte auch diese Stimmen«, sagte Yuto.

Kaito lächelte leicht, »Tja, Eltern halt«, dachte er und sagte zu Dawn »geh in Position, der Mistkerl wird nervös.«

Kaito stand auf, ging zur Tür, dreht sich um und stand am Rand des etwa zwei Meter großen Kreises, den er gezeichnet hat.

»Bis zum Bett sind es vier Meter, das sollte passen. Aus dieser Entfernung schöpft der Dämon keinen Verdacht. Jetzt wollen wir doch mal sehen, wie sehr sie ihren Sohn liebt«, dachte sich Kaito.

»Frau Kato, legen Sie Ihre Arme um Ihren Sohn, halten Sie ihn fest. Egal was in der nächsten Minute passiert, lassen Sie ihn nicht los«, sagte er.

»So war das nicht abgemacht«, sagte sie.

»Lass uns die Stimmen zum Schweigen bringen, die du hörst, und deiner Mutter beweisen, dass du Recht hattest«, sagte Kaito zu Yuto.

Yuto schaute seine Mutter an. Sie sah ihn an.

»Wenn Sie ihn lieben, dann lass Sie ihn nicht los, in jeder Hinsicht, verstanden Frau Kato!«, sagte Kaito und umgriff sein Amulett, das er um den Hals trug.

Gerade als Frau Kato antworten wollte und ihn ansah, sah sie, wie sich Kaitos Hand um das gezackte Amulett legte und ihre Augen weiteten sich, als sie sah, wie Blut zwischen seinen Fingern hervorquoll.

»JETZT SHY!«

»Diese Wortgewalt, kam die wirklich von dem Jungen? Nein. Doch. Von wem denn sonst? Was für ein Befehlston, kaum zu glauben, dass dies von dem Jungen kam. So etwas hatte sie schon lange nicht mehr … was ist da los!« Panik brach in Frau Kato aus.

Das Bett, auf dem sie mit ihrem Sohn saß, beschleunigte plötzlich, wodurch sie leicht nach hinten kippte, während sich das Bett immer schneller über den Boden in Richtung der Tür bewegt, an der Kaito stand. Vor Schreck schlang sie augenblicklich die Arme um ihren Sohn und schrie »Was zum Teufel passiert hier«, nein es waren nur Gedanken, Worte brachte sie nicht heraus, nur Schreie. Sie sah Kaito direkt in die Augen, während das Bett immer weiter in seine Richtung rutschte und sie ihm immer näher kam.

Etwa ein Meter trennte Kaito noch von Frau Kato. Sie versuchte noch einmal zu schreien, während das Bett etwa ein Meter vor der Tür plötzlich stehenblieb. Noch wie gelähmt vor Schreck blickte sie Kaito an und bemerkte, dass sich sein Gesichtsausdruck verändert hat. »Grinst er«, dachte sie, »nein, er lächelt leicht, was sollte das?«

»DISINTEGRATION!« rief Kaito ruhig, aber befehlend, während er Frau Kato neben sich in die Augen sah und gleichzeitig seine blutige Hand auf den Kreidekreis am Boden drückt, über dem das Bett nun stand.

Es wurde hell im Zimmer, »die Lichter sind doch gedämpft und die Fenster verdunkelt, wo kommt das Licht her«, dachte Frau Kato, während sie ihre Arme noch fester um ihren Sohn legte und Kaito ansah. »Wo schaut der Junge hin, nicht zu mir, nein zur Lichtquelle« und drehte langsam ihren Kopf in diese Richtung.

Schock! Wie ein Stromschlag durchfuhr es sie. Sie zuckte zurück, »Nein, meinen Sohn kriegst du nicht, du Monster«, schrie sie innerlich aus. Ein leuchtendes Etwas, riesig, gewaltig mit Muskelplatten am ganzen Körper, abstrus surreal wie ein Dali, saß, nein schwebte über dem Bett, einen halben Meter von ihr und ihrem Sohn entfernt.

»Geh dahin, wo du hergekommen bist und verrecke«, sagte Kaito ruhig aber befehlend mit einem Lächeln im Gesicht in Richtung des Dämons.

Erst jetzt bemerkte sie, wie ihr Sohn schrie, sich windete und etwas versuchte, ihn von ihr wegzureißen. Automatisch, ohne nachzudenken, schrie sie, »Es will mir meinen Sohn entreißen.«

»Ich sagte doch, halten Sie Ihren Sohn fest, sonst stirbt er«, antwortete Kaito, ohne den Dämon aus den Augen zu lassen. Frau Kato umklammerte ihren Sohn fester. Das Ziehen wurde heftiger, das Kind schien sich aus den Armen der Mutter losreißen zu wollen, während es vor Schmerzen immer lauter und lauter schrie.

Frau Kato schloss die Augen, umklammerte ihren Sohn noch fester und schrie »Verrecke du Biest, verschwinde von hier, lass meinen Sohn in Ruhe«, wie lange sie das machte, wusste sie nicht. Irgendwann merkte sie, dass sich etwas verändert hatte.

»Ja, das Schreien und Zappeln von Yuto hat nachgelassen«, erkannte sie. Erschrocken schaute sie runter zu ihm, das Kind schaute seine Mutter an und lächelt ein wenig, »Nein mit Yuto ist alles in Ordnung«, Sie schaute zu dem Dämon der immer noch direkt über ihnen schwebte.

»Schrumpft der Dämon, wird er schwächer oder bilde ich mir das nur ein?«, dachte Frau Kato.

»Noch zehn Sekunden«, rief Kaito, wohl wissend, dass zehn Sekunden in dieser Situation für Frau Kato eine Ewigkeit waren.

»Er wird schwächer, er zerfällt und die herabfallenden Partikel beginnen zu leuchten, jetzt kann man es deutlich sehen«, dachte sie und verstand die Worte von Kaito, der Dämon stirbt gerade, der Junge, Kaito, war dabei ihn hier und jetzt auszulöschen.

»Stirb, du Abschaum, in zehn Sekunden bist du bei deinem Vater«, schrie sie das Vieh an, das im Licht goldener Partikel sichtbar wurde, die sich von ihm lösten und im Raum hin und her schwebten, während der Dämon gleichzeitig versuchte, mit ihrem Sohn zu entkommen.

»Dawn, nein, noch nicht«, schrie Kaito und dachte, »Verdammt, das Vieh war größer als gedacht, das wird tatsächlich knapp.«

Erst jetzt sah Frau Kato die Katze, wie sie fauchend auf das leuchtende Etwas über dem Bett zielte, »wie hieß sie noch gleich, Dawn? Was macht sie da? Worauf wartet sie?«

Die Katze drehte den Kopf, sie schaute Kaito an. Automatisch schaute auch Frau Kato ihn an, die Arme immer noch fest um ihren Sohn geschlungen.

»Verdammt, nicht nachlassen, Junge, der Dämon sieht fertig aus«, dachte sie.

»Jetzt, Dawn«, aber die Katze war schon gesprungen und tauchte nun über dem Dämon in die glitzernden, strahlenden Partikel ein, die den Raum erhellten.

Die Augen von Frau Kato wurden groß, größer als beim ersten Schock von diesem Monster. Die Katze verzerrte sich. Das gedämpfte Licht der Lampen im Raum, das vorher eine Katze sichtbar gemacht hatte, wurde nun von den hellen goldenen Partikeln überstrahlt und dort, wo die Katze in den Bereich der Partikel eintauchte, verwandelt sie sich wie aus dem Nichts in eine wunderschöne junge Frau, die sich wie eine Katze im Sprung durch die Luft bewegte. Sie glich einem Raubtier, das sich dem Dämon mit hoher Geschwindigkeit von hinten näherte.

Erschrocken und fasziniert zugleich, wie gelähmt vor Schreck über die ganze Situation, sah sie, wie die junge Frau ausholte und mit einem gewaltigen Schlag ihre Hände, nein, Pranken mit Krallen oder doch Hände, durch den sichtlich geschwächten Körper des Ungeheuers durchschlug, das in einem Meer von Myriaden leuchtender Partikel verschwand, die den Raum taghell erleuchteten.

Die junge Frau kam wie eine Katze nach einem Sprung direkt vor Frau Kato auf, ihre Gesichter waren nur etwa einen halben Meter voneinander entfernt, als sie Katzenohren und einen buschigen Schwanz hinter dem Wesen auftauchen sah. Sie wusste nicht, warum, aber sie musste das Wesen, das ihren Sohn gerettet hatte, berühren und langsam löste sich ihre Hand von ihrem Sohn und streckte sich dem seltsamen Wesen entgegen. Das Wesen lächelte sie an, schüttelte leicht den Kopf und zeigte auf ihren Sohn. Sie begriff sofort, zog den Arm zurück und hielt ihren Sohn wieder mit beiden Armen fest umschlungen.

»Mama, was ist passiert?«, fragte Yuto seine Mutter mit Tränen in den Augen.

Mit einem Satz sprang das Wesen über sie hinweg und landete als normale Hauskatze auf dem Boden.

»Du hast geträumt, einen Albtraum und deine Mutter hat dich geweckt«, sagte Kaito mit schnaufender Stimme.

»Wo ist die Küche?«, fragte Kaito.

Mutter und Sohn schauten sich an. »Wie geht es dir«, fragte sie.

Der Sohn weinte, »Mir tut alles weh.« »Wo tut es weh?«, fragte sie hektisch.

»Überall«, schrie er laut, weinte und fuchtelte. Aber Frau Kato merkte, dass ihr Sohn viel mehr Kraft hatte als vorher und dass das Weinen mehr aus Angst als aus Schmerz stammte. Sie lächelte ihn an und er lächelte zurück.

Frau Kato blickte zu Kaito, der gerade aus der Tür ging. »Das ist normal nach so einem Traum. In einer Woche ist alles wieder beim Alten. Dawn, pass noch ein bisschen auf, dann kommst du nach«, sagte Kaito und ging die Treppe hinunter.

Frau Kato streichelte langsam über den Kopf ihres Sohnes und fragt dann, »Was zu essen?«

»Ja, ich bin sehr hungrig, Mama.«

»Dann mache ich dir was.« Sie schaute zur Tür, die Katze saß regungslos da, ihr Blick war auf Yuto gerichtet.

Frau Kato ging aus dem Zimmer, schaute hinunter zur Katze, schaute wieder hinauf und sagte »Danke dir Kätzchen« und ging die Treppe hinunter.

In der Küche angekommen, saß Kaito mit einem Bier in der Hand auf dem Boden.

»Plündern Sie nach so einer Aktion immer den Kühlschrank Ihrer Auftraggeber?«, fragte Frau Kato.

»Als Oberschüler sind Sie doch nie und nimmer 20«, sagte sie.

»Kann schon sein«, antwortete Kaito knapp.

Frau Kato verdrehte die Augen, »Ich habe nichts gesehen und will es auch gar nicht wissen, was sagt Ihr, hmm, ... Herr Tanaka dazu?«

»Ich habe mich ein wenig übernommen, der Panzerdämon hatte seinem Namen alle Ehre gemacht. Alkohol hilft einfach besser bei der Regeneration als ein Softdrink, das sollte eine Wissenschaftlerin verstehen. Besonders gut ist ihr Bier allerdings nicht, Frau Kato.«

»Und in die Spüle haben sie auch noch gekotzt, prima. Soll ich ihnen einen Notarzt rufen?«

»Ganz die Alte, wie schnell das geht«, dachte Kaito.

»Panzerdämon heißt das Vieh also und warum konnte ich es sehen, ich dachte, nur so erhabene Menschen wie sie können diese Viecher sehen«, spottete sie und betonte das Wort ‚erhaben' besonders.

»Sternenstaub, die goldenen Partikel, die entstehen, wenn ein spirituelles Wesen wie dieser Dämon zerfällt, reflektiert Licht in beide Dimensionen, glauben Sie es oder nicht. Ist mir egal. Meine Arbeit ist erledigt.«

»Zwei Dimensionen? Ist das eine Art Paralleluniversum oder was?«

»Nein, ich interpretiere das als eine weitere Raumdimension zu unseren drei, also eine Wissenschaftlerin sollte das auch dies verstehen, Frau Kato«, sagte Kaito mit einem leicht spöttischen Lachen auf den Lippen.

»Und Sie glauben selbst, was Sie hier von sich geben?«

»Bei wie vielen Raumdimensionen ist die Stringtheorie gerade angekommen Frau Kato?« und nahm einen großen Schluck aus der Dose. »Eine Dimensionen mehr macht doch nicht viel aus, oder?«

»Was bekommen Sie von mir?«

»Ich sagte doch, ich nehme kein Geld dafür.«

»Was hätten Sie genommen, wenn es ein normaler Auftrag gewesen wäre?«

»Ich nehme 100.000 Yen pro Stunde.«

»Ein heftiger Stundenlohn, sie haben sicher nicht viele Kunden«, sagte sie etwas verächtlich, während sie zu einem Schrank ging und etwas herausnahm.

»Ich reduziere so die nervigen Kunden und damit auch meine Arbeit. So habe ich mehr Zeit für die wirklich wichtigen Aufträge.«

»Hier, damit Sie nicht die Kühlschränke anderer Kunden plündern müssen«, sagte Frau Kato und legte Kaito einen Umschlag auf den Schoß.

»Sie werden das, was heute passiert ist, vertraulich behandeln und ich erreiche Sie über Herrn Tanaka, falls ich noch Fragen habe!«

»Natürlich und vielen Dank. Ihr Sohn hat übrigens nur eine schwache spirituelle Aura, was insofern gut ist, da Dämonen solche Menschen normalerweise ignorieren. Dass ausgerechnet ein Panzerdämon Ihren Sohn angegriffen hat, ist schon ungewöhnlich. Es gibt nur wenige Situationen die ich mir vorstellen kann, die so etwas zur Folge haben und alle haben etwas mit einer unschuldigen Seele zu tun, die durch den Verrat eines Vertrauten einen enormen Hass aufgebaut hat.«

»Junge, jetzt hast du genug geredet, es scheint dir besser zu gehen, deine Katze wartet an der Tür auf dich!«

Kaito stand auf, sagte »Auf Wiedersehen« und ging Richtung Haustür, wo Dawn tatsächlich auf ihn wartete.

»Auf Wiedersehen und sollten wir uns wirklich wiedersehen, dann hoffentlich nicht wegen so etwas!«, sagte sie kühl.

»Was ist heute wirklich passiert, welche Konsequenzen hat das für meinen Sohn, für unsere Familie, für das Leben der Menschen überhaupt? Kann ich jemandem davon erzählen? Nein, wem soll ich davon erzählen, ohne mich und mein Team bei der Arbeit lächerlich zu machen?«, dachte sie und sah zu, wie Kaito die Tür schloss.

»Der Dämon ist Geschichte, die Partikel schienen aus dem Nichts gekommen zu sein, als der Dämon zerfiel und haben sich wieder in Nichts aufgelöst. Alles dauerte nicht länger als ein paar Sekunden, obwohl es mir wie eine Ewigkeit vorkam. Am Ende gibt es keinen einzigen Beweis für den getöteten Dämon, erschreckend, was das bedeutet«, dachte sie, während sie die Treppe zu ihrem Sohn hinaufging und sagte, »Was ist das für ein Monster, das Monster jagt!«

»Puh, was für eine Zicke und jetzt auch noch den ganzen Weg zurück«, dachte Kaito und ging zur Bushaltestelle. Es war schon dunkel, als er seine Einzimmerwohnung im zehnten Stock eines alten Hochhauses mit defektem Aufzug betrat.

»Klein, aber fein, und dank der Zicke kann ich die Miete wieder bezahlen, sie war am Ende sehr großzügig und ich muss Herrn Tanaka nicht wieder anpumpen«, dachte er.

»Dir scheint es wieder besser zu gehen«, sagte Dawn, die vor ihm am Tisch lehnte.

»Na ja, die zwei Bier ...« Weiter kam er nicht, Dawn machte einen Schritt auf ihn zu und schlug ihm ins Gesicht, dass es krachte.

»Du Arsch, willst du mich alleine zurücklassen, oder was war das heute? Ein Panzerdämon, unvorbereitet, wo du seit zwei Tagen kaum geschlafen hast und nebenbei noch eine riesige Menge Schutzsiegel mit deiner spirituellen Energie für den Orden hergestellt hast. Das war wirklich knapp heute, weißt du das? Verstehst du das? Oder soll ich dir noch mal erklären, was passiert wäre, wenn wir ihn nicht komplett ausgelöscht hätten«, schrie Dawn ihn an.

Kaito setzte sich hin, schaute nach unten und dann wieder zu Dawn

»Es tut mir leid, ich habe einen Fehler gemacht. Mit so etwas habe ich wirklich nicht gerechnet, das war ein Fehler, der mir nicht noch einmal passieren wird. Aber das Kind hätte wirklich jederzeit sterben können, deshalb habe ich Leben über die Logik gestellt. Das passiert mir in Zukunft nicht mehr, versprochen.«

»Miau, wehe wenn nicht, du bist mir wichtiger als jeder andere Mensch.«

Kapitel 3 - EXPANSION

»Mein Sohn, ich bin so stolz auf dich«, sagte Herr Tanaka. »Der alte Herr Kato hat mich angerufen und sich tausendmal bedankt, dem Jungen geht es wieder super, er geht sogar am Montag wieder in die Schule. Komm, wir bestellen uns was richtig Gutes zu essen. Herr Kato kommt übrigens auch nochmal vorbei und ...«

»Oh bitte nicht«, unterbricht Kaito, »außerdem habe ich mir schon was aufschwatzen lassen, das muss wirklich nicht sein.«

»Ach verdammt, wolltest du das Geld erst gar nicht annehmen? Ich habe in der ganzen Hektik vergessen zu sagen, dass die Familie sehr wohlhaben ist, da kannst du ruhig eine dicke Rechnung schreiben.«

»Was hat sie dir denn gegeben, nur wenn du es sagen willst.«

»300.000 Yen, das ist sehr gut, auch wenn die Fahrt dorthin ewig gedauert hat. Aber das war ja nicht ihre Schuld.«

»Wow, wenn du zufrieden bist. Hast du noch genug andere Kunden?«

»Die werden schon noch kommen, ich habe eine Abmachung mit Herrn Nakamura vom Orden und außerdem bekomme ich noch Geld für die Herstellung der Schutzsiegel.«

»Du bist ein richtiger Jungunternehmer geworden«, lachte er ihn fröhlich an, »mach weiter so.«

»Also deine Frage Kaito, warum Frau Kato dann doch zugestimmt hat, kann ich dir auch nicht beantworten, schon komisch wie das gelaufen ist. Aber vielleicht weiß sie, dass meine Kinder einfach alle spitze sind«, sagte Herr Tanaka lachend zu Kaito.

»Verwandte wie Vater, Mutter, Kinder kann man sich nicht aussuchen. Jemanden wie mich schon. Vielleicht bist du näher dran, als du dir eingestehen willst«, dachte Kaito und sagte »Vielleicht war die Verzweiflung größer, als es den Anschein hatte.«

»Übrigens, was du zu Frau Kato über den ‚Verrat eines Vertrauten' gesagt hast, vergiss das bitte schnell wieder. Ihr Mann kam mit der Situation der reichen Familie Kato nicht klar, hatte sich aus männlichem Stolz und Ehrgeiz heraus übernommen, was zu starken Verwerfungen führte und aus Wut über die eingereichte Scheidung dann das Kind entführt. Bei einer Verfolgungsjagd mit der Polizei kam es zu einem Unfall, der Sohn überlebte, der Vater starb. Juristisch ist das alles geklärt, moralisch geht uns das nichts mehr an. Der Vater war jedenfalls nicht unschuldig.«

Kaito schaute zu Dawn, die neben ihm saß. »So haben sie es dir wohl erzählt«, dachte Kaito und sagte, »Natürlich, Schnee von gestern, morgen haben wir einen Test, der ist wichtiger.«

Die schon hoch stehende Sonne, die sein Zimmer erleuchtete, ließ ihn aufwachen, »Montag, ich hasse Montag. Nein! Ich liebe Montag, aber nur in diesem Semester«, dachte Kaito grinsend und richtete sich auf. »Mann, habe ich gut geschlafen. 9 Uhr perfekt, dann komme ich pünktlich zur dritten Stunde und muss mir nicht das Geschwafel von der Hexe von Englischlehrerin anhören, also diese Montage sind echt super. Wenn ich im Test weiter im Mittelfeld lande, ist das völlig ausreichend, mehr würde nur Aufmerksamkeit erregen.«

»Dawn, willst du aufstehen?«, fragte er und blies ihr vorsichtig in ihre Katzenohren, die daraufhin leicht zuckten.

»MIAU!«, Dawn zog sich die Decke über ihre Katzenohren.

»Ich habe zwar nur ‚Miau' verstanden, aber das war wohl ein klares Nein«, dachte Kaito.

»Dawn, ich muss los, bis später.«

Kaito ging aus der Tür, drehte sich um und schaute zu Dawn, die friedlich im Bett lag.

»Mein persönliches Catgirl. Nur für mich. Wie ihr mich beneiden würdet. Ich werde für dich sorgen, für immer. Für dich würde ich töten, Dawn!«, dachte Kaito, schloss die Tür und machte sich auf den Weg zur Schule.

Die Schulglocke hatte zum Ende der Mathestunde geläutet. »Nicht, dass ich es nötig hätte, aber Mathe ist interessant und der Lehrer ist überdurchschnittlich gut und nett. Zum Glück bin ich nicht auf die Schreckschraube gestoßen. Ein perfekter Tag. Dann werde ich mal essen gehen.«

»Wo sitze ich heute am Besten? Ach, da hinten sitzen heute die Außenseiter.« Kaito setzte sich in die Nähe, als einer der Schüler am Tisch aufstand und ging.

»Hä, war das Zufall?« Von hinten kam ein leises Gemurmel, so etwas wie, »Habt ihr gehört, der Typ soll bei der Yakuza sein.«

»Aha, daher weht der Wind, ein neues Gerücht über mich und viele dumme Leute, die es glauben und in einem Jahr dürft ihr auch noch wählen. Wenn man diesen Hohlbirnen das Wahlrecht entziehen würde, sähe unser Land bestimmt anders aus.«

»Jetzt bin ich wohl der Außenseiter der Außenseiter«, lachte Kaito in sich hinein.

»Da hinten sitzt auch das bissige Mädchen von Freitag, aber sie rührt sich nicht, obwohl sie mich gesehen hat.«

»Hey Mio-chan komm, ich zeig dir auch meine Geistersammlung«, kommt es etwas lauter von einem Nachbartisch.

Kaito schaute rüber und sah das dritte Mädchen von Freitag aus dem Park mit zwei Jungs am Tisch sitzen, die offensichtlich mehr von ihr wollen. »Was für eine blöde Anmache, aber wenn es klappt, hat er den Jackpot geknackt«, dachte Kaito.

»Hör zu, Kleiner, ich komme nicht mit auf die Party und schon gar nicht mit dir zusammen und über Geister sollte man sich nicht lustig machen.«

»Aber, aber, so unhöflich und zickig auf einmal, wenn du Geister sehen willst, können wir die Party auch auf dem Friedhof feiern und etwas früher gehen, damit Mama sich keine Sorgen macht.«

»Idiot, es reicht!«, sagte das Mädchen, stand auf und ging. Die Jungen lachten ihr nach.

»Versucht es doch einfach bei der nächsten, das Biest von Freitag ist auch noch da. Das wäre bestimmt lustig. Bei irgendeiner wird es schon klappen«, dachte Kaito, schaute auf sein Tablett und aß weiter.

Kaito stellte gerade sein Tablett zurück in den Wagen, als er einen sich bewegenden Schatten zwischen den zurückgestellten Tabletts sah. Seine Hand fuhr fast automatisch dazwischen, griff zu, zog etwas heraus und blickte auf einen kleinen Ayakashi, der aussah wie eine Mischung aus Fellknäuel, Ratte und Igel.

»Ich habe euch doch gesagt, dass ihr euch von der Schule fernhalten sollt«, fauchte er leise, kaum hörbar für alle anderen, als er aus der Kantine ging.

»Soll ich dich einäschern? Totstellen bringt nichts, sonst bist du es gleich.«

»Bitte, bitte, großer Schöpfer aller Dinge, lass mich gehen, ich werde es nicht noch einmal tun«, sagte der Ayakashi.

»Am südlichen Ende der Stadt beginnt der Wald, 2000 Schritte in den östlichen Wald hinein, dort kannst du bleiben. Sag deinesgleichen, dass Kaito es dir erlaubt hat.«

»Ich werde nie wieder Essen von Menschen stehlen«, sagte der Ayakashi.

»Das war sowieso nur Müll und nicht das Problem, ich will euch einfach nicht hier in der Schule sehen, klar?«

»Ja, Meister aller Dinge.«

»Wenn du mich kennst, warum bist du dann hier?«

»Ich hatte Hunger.«

»Nach menschlicher spiritueller Energie?«

»Nein, nein, das würde ich mir nie erlauben, das Essen der Menschen ist so gut, ich bekomme sonst nur Samen und Wurzeln.«

»Bleib dabei, das ist gesünder, sonst wirst du noch fetter als du bist und jetzt pass mal auf.«

»Meister was ...«

Kaito holt aus und machte eine Wurfbewegung, aber nur er sah den Ayakashi durch die Luft Richtung Süden fliegen.

»Hey, was hast du geworfen?«, fragte eine Mädchenstimme hinter ihm.

»Nichts, ich mache Gymnastik, Englisch war stressig«, er drehte sich um und schaute Mio in die Augen.

»Wirklich«, fragte Mio. »Ich dachte, da wäre was geflogen, aber ich habe dann doch nichts gesehen. Du weißt ja auf dem Schulhof nicht rennen und nichts werfen, Schulordnung Paragraf 5a.«

»Bist du von der Schülervertretung?«, fragte Kaito lachend.

»Ja bin ich«, sagte Mio.

»Ach du Zicke, du nervst«, dachte Kaito und sagte, »Naja, wie gesagt, ich habe nur meinen Arm gelockert.«

»Wegen Englisch?«, fragte Mio.

»Ja genau.«

»Also wegen English, so, so und das obwohl du die ersten zwei Stunden gefehlt hast, wie bei fast jeder Englischstunde seit fast anderthalb Jahren«, sagte Mio.

»Woher weißt du das?«, fragte Kaito erstaunt.

»Du bist in aller Munde, lieber Herr Tanaka. Der Junge, der in diesem und im letzten Jahr höchstens zehn Mal in

Englisch gesehen wurde und trotzdem immer gut abschneidet. Liegt das an deinen Kontakten zur Yakuza?«

»Glaubst du die Geschichten?«

»Natürlich nicht, wie blöd ist das denn, aber wie du es schaffst in Englisch im oberen Drittel zu bleiben, das würde mich interessieren.«

»Je länger du mit mir redest, desto mehr läufst du Gefahr, dass meine negative Aura an dir hängen bleibt«, sagte Kaito um das Gespräch schnell zu beenden.

»Netter Versuch, ich bin von der Schülervertretung und muss mit Außenseitern wie dir reden. Ich werde dich ab heute im Auge behalten, Herr Tanaka«, sagte Mio, trat einen Schritt zurück, sah ihn an, nickte einmal, drehte sich um und ging.

Kaito schaute ihr hinterher und dachte, »Alle Achtung, die Zicke hier habe ich unterschätzt, die wird es noch weit bringen, aber wie hieß sie nochmal?«

Dann schaut er zu Boden und sagte, »Wenn du nur ein Wort sagst, wirst du zu Sternenstaub und jetzt geh deinem Freund wortlos hinterher.«

Der Ayakashi am Boden erschrak und floh in die Richtung, in die Kaito seinen Freund geworfen hat.

»Das kann ja lustig werden«, Kaito drehte sich um und ging zurück in die Klasse.

»Was für ein Buch liest du heute, Kaito?«, fragte Dawn am späten Nachmittag.

»Eine japanische Übersetzung einer Abhandlung über die Tötung von Dämonen im französischen Mittelalter«, sagte Kaito, während er in einem Büro auf einem alten Drehstuhl an einem völlig aus der Mode gekommenen Holztisch saß, auf den er seine Füße gelegt hatte.

Dawn räkelte sich auf einem Sofa, drei Meter von Kaitos Schreibtisch entfernt. In dem etwa 25 Quadratmeter großen

Raum standen noch ein paar Stühle und ein Regal voller Bücher und Ordner.

Kaito legte das Buch zur Seite, schaute sich um und dachte, »Die Stühle muss ich wirklich mal austauschen, die sind für ein Büro fast schon peinlich. Andererseits, wem das nicht passt, der soll woanders hingehen. Die Miete ist für diese Lage sehr günstig, vor allem wegen des Alters des Hauses und dem kaputten Aufzug, hoffentlich wird der nie repariert.«

Dawn stand vom Sofa auf und setzt sich auf Kaitos Schoß, der noch immer auf dem Stuhl am Schreibtisch saß.

»Na, Dawn, ist dir langweilig?«, fragte Kaito.

»Miau, ja, Miau! Lass uns in den Wald zu den Ayakashi gehen und mit ihnen spielen.«

»Du weißt doch, dass wir beide dort nicht gern gesehen sind, dass Ayakashi etwas zurückgeben können, ist ihnen fremd.«

»Dann lass uns sie ärgern und so tun, als würden wir sie jagen«, sagte Dawn zu Kaito, legte ihre Arme um ihn und zog ihn zu sich heran.

»Rumms«, die Bürotür sprang auf und ein keuchender, etwa zehnjähriger Junge stand in der Tür.

»Können sich Geisterjäger kein Büro leisten, in dem der Fahrstuhl funktioniert?«, fragte er in den Raum hinein, während er immer noch keuchend auf den Boden schaute.

»Was willst du Junge, sprich«, sagte Kaito leicht verärgert.

Der Junge blickte auf und zeigte mit dem Finger auf Kaito.

»Was bist du für einer und was macht das scheinbar notgeile Mädchen mit den Katzenohren auf dir drauf?«

Schweigen, Kaito war perplex, was ist das für ein Junge, der Dawn sehen konnte. Wusste er überhaupt wie unverschämt das war. Der Junge wollte wieder etwas sagen, aber Kaito war schneller, »Dawn«, sagte er.

Dawn sprang auf den Jungen zu, der sich erschrocken abduckte. Als er sah, wie Dawn die Tür zuschlug und ihn angrinste, machte er einen Sprung von ihr weg. Doch Dawn war schneller und umschlug ihn mit ihren Armen.

»Was genau bin ich, sag das noch mal, du kleiner Hosenscheißer«, sagte Dawn und sah ihn zähnefletschend an.

»Tut mir leid, tut mir leid, ich hab's nicht so gemeint. Bitte lass mich gehen«, sagte der Junge und fing an zu weinen.

»Sag schon, was willst du von mir«, sagte Kaito.

Der Junge schaute auf und sagte, »siehst du das hier auf meinem Körper, nur ich kann es sehen, niemand sonst, aber ich will, dass es weggeht, meine Eltern glauben mir nicht und meine Schwester sieht es auch nicht. Ich mache es immer wieder weg und dann kommt das Ding immer wieder zurück«, plappert er ohne Punkt und Komma.

Kaito sah den Jungen an. Ja, da hing ein kleiner Klammer-Ayakashi an ihm, harmlos, aber nervig, er ernährt sich von der abgestrahlten spirituellen Energie eines Menschen und nicht wie Dämonen, die diese direkt aussaugen und dann für sich umwandeln.

Der kleine Ayakashi gehörte zu der Sorte, die nicht mit Menschen kommunizieren konnten.

»Trotzdem kann ich den Jungen verstehen, ich hätte in seinem Alter nicht den Mut gehabt, einen ‚Geisterjäger' aufzusuchen«, dachte Kaito.

»Was bekomme ich, wenn wir das wegmachen?«, fragte Kaito.

»Was immer du willst.«

»Dawn schicke ihn hoch.«

Als der Junge sah, wie Dawn sich ihm wieder näherte, erschrak er, schloss die Augen und schrie leicht auf.

»Miau, du Angsthase«, es ist vorbei. Kleine leuchtende Partikel schwebten an der Stelle, an der sich der Ayakashi festgekrallt hatte und verschwanden schnell im Sonnenlicht.

»So macht man eine Milliarde Yen, Kleiner.«

»Was bist du denn für einer?«, fragte der Junge provokant.

»Du hast doch gesagt, ich kann haben, was ich will.«

Der Junge wurde nervös, schaute sich um und erschrak erneut, als er Dawns hämisches Grinsen sah.

»So viel Geld hab ich aber nicht« und begann wieder zu weinen.

»Dann verkaufen wir dich an einen menschenfressenden Yokai«, sagte Dawn.

Der Junge schaute erschrocken auf, »was, was, was habt ihr vor mit mir?«

»Oh, hast du Angst bekommen, Hosenscheißer?«, fragte Dawn und schubste den Jungen.

»Dawn es reicht!«, sagte Kaito. »Hey du! Fang«, sagte Kaito und warf dem weinenden Jungen einen zerknüllten Zettel zu.

»Was ist das?«, fragte er ängstlich.

»Du willst doch nicht, dass das noch einmal passiert. Befolge die Anweisungen auf dem Zettel, dann passiert es nicht nochmal, klar?«, sagte Kaito befehlend.

»Dawn, schmeiße ihn raus.«

»Wenn du noch einmal so frech bist, fresse ich dich«, sagte Dawn, öffnete die Tür und zog den Jungen am Kragen nach draußen.

Der Junge verbeugte sich zu Kaito, dann schaut er Dawn an, streckt die Zunge raus, sagte »notgeile Katze« und rannte weg.

»Dawn!«, sagte Kaito.

Dawn dreht sich um, lachte, ging auf Kaito zu, sagte »Miau, was für ein lustiger Tag« und gab ihm einen Kuss.

Knapp eine Woche und zwei spärliche Aufträge später saßen Dawn und Kaito wieder im Büro und Dawn jammerte wieder, »Jetzt hatten wir schon über eine Woche keinen aufregenden Auftrag mehr, mir ist so langweilig.«

»Ich mache mir eher Sorgen um meinen Kontostand und die nächste fällige Miete, vielleicht sollte ich mehr Reinigungsrituale anbieten, Kleinvieh und so«, dachte Kaito und schloss die Banking-App auf seinem Tablet.

»Miau«, sagte Dawn, Kaito schaute zur Tür, es klopfte.

»Herein.«

»Hallo, mein Name ist Mio Yamamoto und ich ...«, weiter kam Mio, das Mädchen aus seiner Schule, nicht. Die Blicke von Kaito und Mio trafen sich im Zimmer.

»Herr Tanaka, was machen Sie hier?«

»Das sollte ich Sie fragen, Sie sind in meinem Büro Frau Yamamoto.«

Mio schaute Kaito lange an und sagt dann, »Komm rein, er belügt uns nicht.«

Ein anderes Mädchen im gleichen Alter aber mit einer anderen Schuluniform betrat erschrocken und leicht verängstigt das Büro.

»Es war so klar, das was mit dir nicht stimmt, du kannst sie sehen.«

»Was denn genau?«, fragte Kaito.

»Geister, Dämonen, Yokai, wie auch immer du sie nennst.«

»Nun, worum geht es. Schließlich seid ihr zu mir gekommen«, fragte Kaito.

»Das ist Yuki Watanabe, eine sehr gute Freundin von mir. Ihr Vater ist krank und wird immer schwächer, obwohl kein Arzt etwas findet. Ich erkläre ihnen immer wieder, dass es auch ein Dämon sein könnte, aber sie wollen nicht hören, heute habe ich sie hierher geschleppt. So geht es nicht weiter. Ihr Vater verliert noch seine Arbeit.«

»Dann haben wir ein Problem«, sagte Kaito.

»Warum, was meinst du?«

»Ich nehme nur Aufträge an, bei denen der Auftraggeber auch die spirituell angegriffene Person ist, der Ehepartner oder der Erziehungsberechtigte, das dürfte bei euch nicht der Fall sein.«

»Jetzt wird sie sauer«, dachte Kaito.

»Okay, ich verstehe, was willst du für eine Ausnahme?«, fragte Mio.

Kaito schaute Mio an, »Okay, das ist nicht die Antwort, die er erwartet hatte, eher so was Arrogantes wie ‚komm mit', ‚mach hin', ‚beweg dich'. Hatte sie in ihrer Kindheit etwas ähnliches durchgemacht wie er?«

»Ich gehe Ärger aus dem Weg und das geht nun mal …«

»Es wird keinen Ärger geben, ich komme mit und niemand wird irgendwas in Frage stellen, versprochen«, unterbrach Mio ihn.

»Wie schlecht geht es ihm?«

»Je nach Tagesform mal besser und mal schlechter. Aber seit er zu Hause ist, wird es immer schlimmer«, sagte Mio, als das andere Mädchen zu weinen begann.

»Unter Umständen hat sich ein Dämon oder Yokai im Haus eingenistet, den muss man nicht sofort bekämpfen«, dachte Kaito und sagte, »Morgen nach der Schule, geht das?«

»Ja«

»Dann unterschreib den Vertrag hier!«

»Das mache ich, ich lese ihn durch und bringe ihn morgen mit in die Schule, ist das in Ordnung?«, fragte Mio.

»Einverstanden«

Hier Herr Tanaka »Ich habe den Vertrag, gestern noch gelesen und auch unterschrieben, deine Preise sind abenteuerlich, aber nicht so hoch wie die für meinen Bruder von einer Milliarde und wehe du lügst mich an. Lass uns gleich losgehen. Da geht es lang«, sagte Mio und ging vor.

»Der Junge war also ihr Bruder. Die Verwandtschaft war eindeutig an der ähnlichen Persönlichkeit und dem gleichen Auftreten zu erkennen«, dachte er sich lächelnd und sagte

»Also der Junge gestern war dein Bruder. Weißt du, dass er auch Geister sehen kann?«

»Ja, aber er hat ja schon vor einem kleinen Ayakashi Angst, da kann ich ihn schlecht nach einem Dämon sehen lassen.«

»So eine vorhandene Fähigkeit verblasst bei den meisten Kindern, wenn sie in die Pubertät kommen«, sagte Kaito, »und dann vergessen sie es, oder wollen es schnell vergessen, ab diesem Zeitpunkt sind einfach andere Dinge wichtiger. Dein Bruder wird da keine Ausnahme sein.«

»Das habe ich mir schon gedacht, blöd nur, dass ich das mit 5 Jahren nicht gewusst hatte«, sagte Mio zu Kaito.

»Okay, deshalb hatte sie so reagiert, sie konnte einige Spirits auch als Kind sehen«, dachte er.

»Wie hast du diese Zeit überstanden, du könntest doch deinem Bruder damit helfen, oder?«

»Das kann man nicht vergleichen. Bei mir war es viel schlimmer. Ich war weder bei der Beerdigung meines Großvaters noch bei der Beerdigung meiner Großmutter dabei, bis zu meinem 11. Lebensjahr war ich kein einziges Mal an ihrem Grab, obwohl sie mir so viel bedeuteten.«

»War es so schlimm, was du gesehen hast?«

»Verdammt schlimm, ich war fünf Jahre alt, niemand hat mir geglaubt. Ich hatte Angst ohne Ende. Ich habe jedes Mal so getan, als wäre ich krank, nur um nicht mit auf den Friedhof gehen zu müssen, um dann zu beten, dass meine Eltern gesund zurückkommen. Und dann, mit elf Jahren, war alles weg, wie ein böser Traum, aus dem ich aufgewacht bin. Heute sehe ich das anders. Die Geister haben meine Eltern nie angegriffen, warum? Was ist mit meinen Großeltern, sind sie vielleicht auch Geister, kann ich mich bei ihnen entschuldigen? Jetzt, wo ich es wissen will und bereit bin, kann ich keine Geister mehr sehen, was ein Mist, oder?«

»Wie haben deine Eltern damals auf dein Verhalten reagiert?«, fragte Kaito vorsichtig.

Mio schaute ihn an, »na wie Eltern eben so reagieren, wenn man sagt, dass man krank ist, sie sind immer so schnell wie möglich nach Hause gekommen, um mich dann den ganzen Tag zu pflegen.«

Kaito schluckte.

»Miau«

»Danke Dawn, genau das richtige Timing«, dachte Kaito und sagte zu Dawn, »komm her.«

»So schnell kommt man erneut in eine ähnliche Situation«, sagte Mio als Dawn in Richtung Kaito sprang.

»Meine Klassenkameradin war echt sauer, sie dachte wirklich, dass du sie anmachen wolltest, sie ist immer noch etwas sauer, aber ich habe alles geklärt. Da kommt nichts mehr.«

»Hört sich fast so an, als wäre ich der Schuldige gewesen.«

»Tja, das sind Männer fast immer, oder?«

Kaito verdrehte die Augen, aber bevor er etwas sagen konnte, unterbrach Mio ihn, »Du bist also das Catgirl Dawn, das mein Bruder gesehen haben will, ich habe ihm übrigens für seine Unverschämtheit dir gegenüber eine geknallt.«

»Miau«, kommt es von Dawn.

»Ja, genau das meine ich auch«, antwortete Mio.

»Als ob du wüsstest, was Dawn gesagt hat«, dachte Kaito.

Mio klingelte am Haus der Familie Watanabe und ihre Freundin von gestern öffnete die Tür. »Kommt rein«, sagte sie, »wir sitzen alle im Wohnzimmer.«

»Ein kleines, aber gemütliches Haus«, dachte Kaito. Das Ehepaar Watanabe saß im Wohnzimmer, Herr Watanabe auf dem Sofa, man sah ihm an, dass es ihm nicht gut ging.

Seine Frau, sichtlich besorgt, saß mit einem Kind an einem Tisch und hatte eben noch mit Bausteinen gespielt. Alle schauten zu den Gästen, die gerade hereinkamen.

Das Kind sprang auf und lief zu Mio. »Hallo Mio, hallo Mio«, grüßt es.

Der Vater versuchte aufzustehen, die Mutter sprang besorgt auf, um ihren Mann zu unterstützen. »Willkommen in unserem Haus, Herr Tanaka, wollen Sie sich setzen?«

»Bring uns bitte etwas zu trinken, Yuki.«

Es würde immer deutlicher, wie gedrückt die Stimmung war und dass Frau Watanabe mit ihren Nerven am Ende war.

»Herr Watanabe, bitte setzen Sie sich wieder. Darf ich fragen, was Frau Yamamoto Ihnen erzählt hat?«, fragte Kaito.

»Nun, dass Sie ein Geisterjäger sind, nein, sie hatte sich anders ausgedrückt, aber verzeihen Sie mir, ich habe es vergessen. Mio meinte, wenn es hier einen Geist gäbe, könnten Sie uns, also mir, vielleicht helfen.«

»Sie haben doch nichts dagegen, wenn ich mich umsehe?«

Der Blick von Frau Watanabe sprach Bände, aber sie sagte kein Wort und nickte nur freundlich, als Kaito sie ansah.

»Nein, nein, niemand konnte etwas finden oder mir auch nur helfen, jetzt müssen wir einfach andere Wege gehen«, sagte Herr Watanabe.

Dawn war inzwischen zu dem Kind gegangen und es begann, Dawn zu streicheln und mit ihr zu reden. Seine Mutter schaute zu und lächelte leicht.

»Verdammt, warum immer solche Aufträge. Reinigungsaufträge sind doch deutlich unkomplizierter.«

»Shy, schau dich um, sofort«, befahl Kaito.

Alle im Raum schauten ihn an, Kaito rührt sich nicht von der Stelle und schaute zu Dawn, die mit dem Kind spielte.

»Ist alles zu ihrer Zufriedenheit?«, fragte Herr Watanabe.

»Ein Schutzgeist schaut sich um, es dauert nur eine Minute.«

»Oh, das ist gut, ich hoffe, er findet nichts Böses.«

»Wenn er nichts Böses findet, haben Sie ein viel größeres Problem, kranker Mann«, dachte Kaito, behielt es aber für sich, während er Dawn weiter zusah.

»Nun, Herr Watanabe, mein Schutzgeist sagte mir, dass sich ein größerer und lästiger Yokai an der Stelle in Ihrem Haus eingenistet hat, an dem er Sie am häufigsten findet, deshalb geht es Ihnen auch am schlechtesten, wenn Sie hier im Haus sind.«

»Sollen wir das Haus meiner Eltern verlassen?«, fragte Frau Watanabe leicht hysterisch.

Kaito versuchte sie anzulächeln, aber es gelang ihm nicht.

»Nein, wir töten den Yokai«, sagte Kaito lapidar, ohne sich umzusehen.

»Dann ist er wohl im Schlafzimmer?«, sagte Herr Watanabe.

»Warum dort«, fragte seine Tochter.

»Nun, weil ich mindestens acht Stunden des Tages dort verbringe«, sagte er.

»Genau, Herr Watanabe und weil ich zu faul bin, die Treppe hochzugehen, erledigen wir den Yokai hier unten«, sagte Kaito und dachte, dass Frau Watanabe ihn niemals den Yokai dort oben im Schlafzimmer töten lassen würde.

Kaito holte ein paar Schutzsiegel aus seiner Tasche und verteilte sie im Raum.

»Und wie willst du ihn hier vernichten, wenn er oben im Schlafzimmer ist?«, fragte Mio leicht genervt.

»Wir locken ihn runter, Miss dreimal schlau«, sagte Kaito ebenfalls genervt.

Mio war wütend, sagte aber nichts mehr.

»Bitte stellt euch alle zu Herrn Watanabe an das Sofa und bleibt dort, egal was ihr zu sehen glaubt, bewegt euch dort nicht weg, dort seid ihr sicher«, sagte Kaito in die Runde.

»Frau Watanabe, bitte nehmen Sie das Kind an die Hand.«

Frau Watanabe nimmt ihr Kind auf den Arm und schaute Kaito leicht böse an, während sie zu ihrem Mann ging.

»Und wie locken wir den Yokai nun runter?«, fragte Mio.

»Wir beschwören einen Geist«, sagte Kaito und zeichnet einen Bannkreis auf den Boden.

»Hä«, ein lautes Raunen ging durch den Raum.

»Hätte ich bloß nichts gesagt«, dachte er.

»Diese Art von Yokai ist sehr besitzergreifend, wenn er einen Geist in der Nähe seines Opfers wahrnimmt, versuchen er ihn auszulöschen, das wird auch dieser Yokai tun. Niemals wird ein solcher Yokai einem Geist erlauben, sich seinem Opfer zu nähern.«

»Ist das nicht gefährlich?«, fragte Mio.

»Nein, Geister sind nicht gefährlich, wir werden ihn später wieder entfernen.«

»So, bleibt genau da stehen, keine Angst, alles halb so schlimm, ich rufe den Geist und dann geht's los«, sagte Kaito, blickte sich um, holte eine kleine Nadel aus dem Futter seiner Jacke und stach sich in den Finger.

»Was machst du da?«, schrie Mio.

Zu spät, gleichzeitig sagte Kaito »RISE UP, NEAREST!« und drückte seinen Finger auf den Bannkreis.

Stille im Raum, niemand wagte zu sprechen, auch Mio verstummte. Ein leichter Windhauch kam von vorne. »Er kommt«, sagte Kaito.

Der Wind von vorne wurde stärker. Alle außer Kaito schauen sich verwundert um und versuchen, den Ursprung des immer stärker werdenden Windes zu lokalisieren. Der Wind und seine Geräusche wurden zu einem leisen Stampfen und Rauschen. Das Kind in den Armen der Mutter fing an zu weinen und Kaito dachte, »Merke, nächstes Mal Kind und Mutter vorher aus dem Raum entfernen.«

Jetzt wurde der Wind sehr deutlich und vor allem kälter, die Tür zum Wohnzimmer schwang durch den Wind auf, schlug gegen die Zimmerwand und alle außer Kaito zucken zusammen.

Mio sagte laut, »Kaito verdammt, was ist hier los, es wird eiskalt.«

»Bleibt wo ihr seid!«, schrie Kaito in Mios Richtung.

»HOLY LANCE!«, sagte Kaito deutlich in Richtung der offenen Tür, aus der der Wind kam.

»Was macht er da, was schnippt er weg, ein Stein, eine Papierkugel, was ist das?«, dachte Mio und versuchte mit ihren Augen dem Gegenstand zu folgen, der sich von Kaitos Hand entfernte.

Ein Blitz, ein Aufleuchten mitten im Raum, hatte der Gegenstand etwas getroffen, das vorher nicht da war?

Mio schützte ihre Augen, indem sie sie leicht zukniff und ihre Hände mit leicht gespreizten Fingern vor die Augen hielt, damit das helle Licht an der Stelle, an der das Objekt eingeschlagen ist, sie nicht zu sehr blendete.

Was es genau ist, konnte sie nicht erkennen, alles war überstrahlt oder ...

Mio stockte kurz der Atem, eine, abgrundtief hässliche Fratze mit einem viel zu kleinen Körper auf vier Beinen tauchte wenige Meter vor ihr auf. Gehüllt in einem Mantel von leuchtenden Partikeln, konnte man dem Yokai zusehen, wie eine goldene Lanze, die in ihm steckte das Biest langsam auflöste und zwar umso schneller, je mehr es sich windete.

»Verrecke du Biest«, dachte sie ohne zu realisieren, was sie gerade erlebte.

Mio schaute zu Kaito, der ruhig und entspannt, mit einem nichtssagenden Gesichtsausdruck, keinen Millimeter vom ersten Ausgangspunkt entfernt stand und das Spektakel gleichgültig beobachtet.

Der Yokai wand sich ein letztes Mal und löste sich dann vollständig auf. Neue Partikel tauchen auf, erhellten den Raum und verschwanden ebenso schnell wieder. Auch die Kälte wich der wohligen Wärme des Hauses. Alles hat nicht länger als zehn Sekunden gedauert.

Kaito blickte sich um, alle waren zurückgewichen, bis auf Mio, die mit großen Augen weiter auf die Stelle starrte, an der der Yokai verschwand.

»Es ist vorbei, ab morgen geht es ihnen wieder besser. Dawn gehen wir!«

»Was ist mit dem Geist, den du gerufen hast?«, fragte Mio.

»Upps, ach der, der klebt gerade an dir Mio. Ich glaube der steht auf dich, magst du ältere Herren.« Es war der Geist eines älteren Mannes, der sehr verwirrt schien und nicht genau wusste, wo er war und was gerade mit ihm passierte.

»Du kleiner Wichser«, sagte Mio, »mache ihn sofort weg.«

»Dawn, schick ihn hoch«, sagte Kaito und dachte »Sorry alter Mann, aber es ist wirklich Zeit für dich.«

Es ging so schnell, dass Mio nur aus den Augenwinkeln sah, wie die Katze über ihrem Kopf eine Bewegung machte. Wieder goldene Partikel und in diesen Partikeln erkannte sie mit ihren weit aufgerissenen Augen, ein Katzenmädchen.

Dieser kurze Moment dauerte weniger als eine Sekunde, aber es brannte sich in ihr Gedächtnis ein wie ein Lieblingsfoto aus ihrer Kindheit. »Mein Bruder hatte nicht gelogen, wie süß und schön Dawn war, viel zu schön für diesen Banausen«, dachte Mio.

Frau Watanabe verließ mit ihrem Kind auf dem Arm den Raum.

»Das war wohl zu viel für sie, ich hoffe, sie erholt sich«, dachte Kaito.

Herr Watanabe und Mios Freundin hingegen hatten sich gefangen, wussten aber nicht so recht mit der Situation umzugehen und bedankten sich pausenlos immer wieder.

»Was Schulden wir ihnen?«, fragte Herr Watanabe nach mehreren Danksagungen.

»Nun, den Vertrag hat Frau Yamamoto unterschrieben«, also schulden sie mir nichts.

»Ich kläre das schon, wir gehen dann und mit Herrn Tanaka habe ich noch was zu bereden«, sagte Mio leicht grinsend.

Nachdem sich Kaito und Mio von der Familie Watanabe verabschiedet hatten, fragte Kaito, »Was willst du noch, Dawn und ich wollen nach Hause.«

»Eigentlich sollte ich dir eine runterhauen, für das was du mir angetan hast, aber ich vergebe dir deine Unhöflichkeit, ich will den Tag nicht so enden lassen. Ich habe gefunden, was ich gesucht habe, morgen bringe ich dir das Geld.«

»Oh je, das klingt nicht gut«, dachte Kaito und machte sich auf den Weg zum Bahnhof.

Nachmittags am nächsten Tag, Dawn räkelte sich wieder auf dem Sofa, während Kaito Schutzsiegel zeichnete und dachte, »warum mache ich eigentlich diese zeitaufwendigen Zeichnungen, die bekommen mein Blut doch fast geschenkt, dann könnte der Orden sie auch zeichnen lassen. Manchmal bin ich wirklich ein Trottel.«

»Hallo zusammen, Mio ist da und hat den Lohn von gestern dabei«, sagte Mio, als sie die Tür aufriss und hereinkam.

»Ich habe die Rechnung noch nicht fertig«, sagte Kaito.

»Macht nichts, du bekommst eh kein Geld.«

»Hä?«

»Du wirst in Naturalien bezahlt«, sagte Mio und grinste hämisch.

»Willst du ein Kind von mir?«, fragte Kaito sarkastisch zurück.

»Nein, du kleiner Perverser, ich werde meine Schulden hier im Büro abarbeiten und danach wirst du von meiner Leistung so positiv überwältigt sein, dass du mich offiziell einstellst, als Nebenjob.«

»Nenn mir einen Grund, warum ich das tun sollte.«

»Weil hier jemand aufräumen muss, weil du jemanden brauchst, der mit Kunden reden kann, ohne dass sie dir an die Gurgel gehen, weil du jemanden brauchst, der sich mit der Materie auskennt und keine Angst zeigt, weil du jemanden brauchst, der Aufträge besorgen kann, weil ich die Klappe halten kann, weil ich dich abschirmen kann, weil ich ein super süßes Aushängeschild sein kann, weil ...«, weiter kam Mio nicht.

»Verstanden, okay«, sagte Kaito und erinnerte sich an gestern, als Mios Augen keine Angst zeigten und sie keinen Millimeter zurückgewichen war. Er lächelte in sich hinein und dachte, »Ja, du bist auch ein super süßes Aushängeschild«, drehte sich verlegen von ihr weg und erklärte,

»Ich werde später nicht viel bezahlen können.«

Dawn miaute laut und Kaito wurde klar, dass er Mio wohl etwas zu lange angeschaut hatte.

»Das war einfach, wann geht's los?«, sagte sie.

»Von mir aus sofort, ich hätte gerne einen Tee, Frau Yamamoto.«

»Ach ja und ab jetzt nennst du mich Mio und ich dich Kaito, außer in der Schule natürlich. Ich hatte es gestern im Kampf eh schon vergeigt«, lachte Mio etwas verlegen.

Es war ein sehr schönes Lachen, dachte Kaito, nicht aufgesetzt, sondern ehrlich.

»Dann nenne ich dich Mio-Chan«, erwidert er.

»Nein, nein, ich bin fünf Tage älter als du, Kaito-chan.«

»Was zum Teufel, woher weißt du ...«

»Ich hab einfach mal nachgeschaut, Schülervertreter haben göttliche Rechte, weißt du«, grinste Mio den überforderten Kaito an.

»Der Tee kommt sofort perverser Kaito-chan.«

»Miau, perverser Kaito-chan«, kam es von Dawn. Kaito schaute herüber, sie saß mit einem breiten Grinsen auf dem Sofa und schauet ihn amüsiert an.

»Du hast mir gerade noch gefehlt, mein übergroßes jagendes Frettchen«, sagte Kaito, dreht sich zum Fenster seines Büros, schaute Richtung Sonnenuntergang und murmelte leise

»Shy, lass Mio in Ruhe, sie gehört ab heute zu uns.«

Kapitel 4 - BÜROARBEIT

»Weniger als eine Woche ist sie hier und erledigt die Arbeit, als wäre sie schon ein Jahr dabei. Sie hat eine schnelle Auffassungsgabe, einmal erklären reicht. Der perfekte Mitarbeiter. Ganz im Gegensatz zu dem göttlichen Wesen dort zu meiner Rechten auf dem Sofa«, dachte Kaito, als er Dawn wieder faul auf dem Sofa liegen sah, die mit ihrem Schweif spielte.

»Wolltest du nicht wie verabredet das Haus nach Ayakashi absuchen Dawn?«

»Miau, gerade keine Lust, schick doch Shy.«

»Naja, wenigstens sieht es süß aus, wenn sie so spielt, süßer als Shy allemal.«

Mio die gerade dabei war Bücher zu studieren, sah auf und sagte, »Ich glaube, ich habe alles verstanden. Ich fasse es noch einmal zusammen.

Erstens, ganz wichtig, die Ecke rechts vom Fenster ist der Platz für deinen Hausgeist ‚Shy', da darf ich ihn auf keinen Fall stören.

Zweitens, die Menge an Ordnern im Regal unten sind leer und können für neue Fälle verwendet werden, dann müssen sie ins obere Regal hochgestellt werden. Dort wo so wenige stehen«, sagte Mio süffisant.

»Drittens, die Bücher links im Regal sind Kopien von Büchern aus alten Werken über spirituelle Kräfte, solange ich sie wieder an den Platz stelle, an den du sie eingeordnet hast, darf ich sie lesen. Mit der Zeit werde ich sie einscannen und archivieren.

Hast du dafür überhaupt eine Erlaubnis? Guck nicht so genervt, das ist uncool, Copyright ist wichtig«, sagte Mio grinsend und geht zum nächsten Punkt über.

»Viertens. Montag bis Freitag von 15 bis 18 Uhr und am Samstag von 10 bis 18 Uhr soll ich Kundenanrufe entgegennehmen und die aussortieren, ‚die zu blöd für diese Welt sind', das waren deine Worte Kaito. Zwischendurch noch Mails beantworten und wenn sich jemand traut hierher zu kommen, ihn empfangen.

Es wundert mich, dass du überhaupt Kunden hast, Kaito-chan.«

Kaito verzog keine Miene.

»Jetzt würde ich gerne von dir wissen, ob ich die Arten der Dämonenbekämpfung verstanden habe. Sensei!«

»Na dann los«, sagte Kaito.

»Spirits, wohl am ehesten Dämonen und Yokais, kann man aus der Ferne zum Beispiel mit Bannkugeln bekämpfen, in denen der ‚Deriver' über sein Blut positive Energie gespeichert hat. Man kann nur die in der Kugel gespeicherte Energie nutzen, daher ist die Wirkung auf einen Dämon eher gering, aber man kann dafür Abstand halten.

Bei einem Bannsiegel, das man auf den Dämon drückt, kann die ganze Energie des ‚Derivers' freigesetzt werden, es ist also viel effektiver aber gefährlicher, da man den Dämon nahe kommen und berühren muss.

In einem Pentagramm übertragen die erzeugten Ley-Linien großflächig ein spirituelles Sekundärfeld, was vor allem für starke Dämonen und Yokai sehr unwirksam ist, dafür aber eine große Fläche abdeckt.

Bann-, Schutz- oder Siegelkreise bezeichnen je nach Art der Anwendung auf den Boden gezeichnete Symbole. Sie sind also räumlich begrenzt und wie Pentagramme örtlich fixiert, haben aber den Vorteil, dass sie die einfließenden

Energien verstärken und sogar für eine gewisse Zeit speichern können, so dass sie auch ohne weitere Energiezufuhr für einen Zeitraum Energie abgeben und so ihre Funktion selbstständig aufrechterhalten können. Daher sind sie ein gutes Mittel gegen starke Dämonen, sowohl zum Angriff als auch zum Schutz. Und was sagst du Kaito?«

»Copy und Paste aus dem älteren Kirchenhandbuch ‚Modi pugnae contra ignobiles daemonas eorumque socios, anno Domini MDLV', da du die Quellenangabe vergessen hast, null Punkte. Frau Yamamoto!«, sagte Kaito lachend, als Mio versuchte, ihn mit einem Buch auf den Kopf zu schlagen und er schützend seine Hände vor den Kopf hielt.

»Soll ich Dawn füttern?«, fragte Mio wenig später, nachdem sie sich wieder beruhigt hat.

»Dawn ist ein ‚Spirit', ein übernatürliches spirituelles Wesen aus der Klasse der Götter, die brauchen keine Nahrung. Ihr Körper wird durch ihre göttliche Energie aufrechterhalten.« Mio schaute zu Dawn, die erhaben auf dem Sofa saß und sich in der Sonne sonnte.

»Wow, wenn nur unser Hund Kaito so pflegeleicht gewesen wäre«, sagte Mio leicht grinsend.

»Ihr habt einen Hund, der Kaito heißt?«, fragte Kaito etwas verärgert.

»Oh, Freud'scher Versprecher, ich meinte Kuro«, grinste Mio. »Aber den gibt es leider schon lange nicht mehr.«

»Das heißt Dawn, isst gar nichts?«

»Sie braucht nichts, aber sie isst wie ein Mähdrescher, besonders wenn es ihr schmeckt und teuer ist.«

»Okay, ich nehme alles zurück.«

»Miau«

»Was hat sie gesagt? Es klang, als wäre sie nicht deiner Meinung.«

Das Telefon klingelte und Mio nahm den Hörer ab.

»Spirit-KT-Science Institute, Abteilung Spiritual Deriver, wie kann ich ihnen helfen?«, sagte Mio und hörte der anderen Seite zu.

»Herr Ono, sie sagen also, dass der Wasserhahn in der Küche seit einer Woche unregelmäßig Wasser abgibt und sie nun Angst haben, dass ein Geist dahinter stecken könnte?«

Kaito verdrehte die Augen, Mio musste sich ein Lachen verkneifen.

»Wir kommen gerne vorbei«, sagte Mio. Kaito sprang auf und fuchtelte wild herum, aber Mio winkte ihn weg.

»Es ist aber viel wahrscheinlicher, dass es ein Problem mit der Pumpe gibt und ein Klempner ist viel billiger, als wenn ein Institut das untersucht und nichts findet. Zumal Sie bei uns in Vorkasse gehen müssten, meinen Sie nicht auch, Herr Ono«, sagte Mio und hörte zu.

»Natürlich, Herr Ono, wenn der Klempner nichts findet, rufen Sie gerne wieder an.«

Mio schaute zu Kaito, »Zufrieden?« fragt sie.

Kaito ging zu Dawn setzte sich neben sie und sagte »ausreichend!« und lächelt zufrieden zu Dawn.

Zwei Tage später waren Mio, Dawn und Kaito auf dem Weg in einen Ort im Norden.

»Ist es wirklich okay, dass ich mitkomme, es ist doch niemand im Büro?«, fragte Mio.

»Du brauchst praktische Erfahrung, also kein Problem«, sagte Kaito und dachte, »Mit dem alten Sack zu verhandeln, ist auch dein Job.«

»Hallo Herr Inoue, wir haben wegen der spirituellen Reinigung telefoniert, wir sind vor Ort«, sprach Mio in ihr Smartphone und legte kurz darauf auf.

»Er kommt uns abholen.«

Ein gut gekleideter, sehr selbstbewusst auftretender Herr kam auf sie zu.

»Sie sind also die ‚Gostbuster'. Wir haben ja einen Pauschalpreis für das ganze Grundstück vereinbart und ich bekomme eine Bestätigung! Dann mal los!«

»Ich schiebe sie dir wohin, du kleine Ratte, im Anzug und hör auf Mio so zu begaffen das ist ja schon abartig«, dachte Kaito.

»Wie lange wird das dauern?«

»Ungefähr zwei Stunden«, sagte Kaito.

»Gut, dann komme ich zur Abnahme wieder, machen Sie nichts kaputt oder Sie bezahlen das.«

Der Mann ging und Kaito fragte, »Er hat doch den Vertrag unterschrieben, oder?«

»Ja klar, ist alles per Brief gekommen, geprüft und abgelegt«, sagte Mio.

Kaito öffnete das Tablett.

»Hier ist die Satellitenkarte des Hauses von oben, ich habe ein Pentagramm für die Ley-Linien eingezeichnet, an den Enden der Spitzen müssen die Schutzsiegel ausgerichtet werden.

Je genauer das Pentagramm, desto größer die Wirkung und desto geringer der Aufwand für uns. Ich habe das Pentagramm so ausgerichtet, dass das innere Pentagon, das ganze Haus umfasst, dort ist die Wirkung am größten. Wenn du die beiden Punkte dort und dort setzt, sollten wir auf öffentlichem Grund sein. Pass auf, dass du nicht auf Privatgrund kommst. Die anderen setze ich, hier sind die Koordinaten und der GPS-Tracker. Richte die Siegel wie besprochen auf die Mitte des Pentagramms aus, so genau wie möglich.

Dawn, sieh nach, ob Ayakashi bereit ist, das Gelände zu verlassen.«

»Moment, ist so eine Reinigung für Dawn nicht gefährlich«, fragte Mio erschrocken.

»Ich warte immer bis sie hinter mir ist und nein, positive spirituelle Energie hat nur schädlichen Einfluss auf negative und umgekehrt. Es ist eher so, dass die positive Energie auch einen positiven Einfluss auf Dawn hätte und sie sogar gerne im Pentagramm bleiben würde, aber da hierbei immer auch was schief gehen kann, bleibt sie draußen. Sie bekommt genug Energie«, sagte Kaito lachend und schaut zu Dawn, die miaute.

»Ich verstehe, danke«, sagte Mio, nahm den GPS-Tracker und die Koordinaten von Kaito und machte sich auf den Weg.

Dawn sprang auf das Haus zu, während Kaito in die andere Richtung lief.

»Puh, das Gelände ist so groß, dass ich teilweise keinen Sichtkontakt zu den einzelnen Spitzen des Pentagramms hatte, der GPS-Tracker ist auch nur auf 10 Meter genau, ich musste mehrere Runden laufen und abstecken, um einen Mittelwert zu ermitteln, reicht das?« fragte Mio, als sie eine Stunde später zu Kaito und Dawn zurückkehrt.

»Das werden wir sehen, wenn wir es ausprobiert haben. Die spirituelle Leistung zu steigern ist viel weniger Aufwand als die Neuausrichtung in diesem großen Gelände. Dawn wie sieht es bei Dir aus?«

Mio verstand nur ein »Miau«, das von der Katze kam und Kaito sagte »zehn, immerhin, danke Dawn.« Dawn miaut wieder und Mio sah, wie sie ihre Pfote auf Kaitos Bein legte.

»Wie würde das wohl aussehen, wenn ich sehen könnte, was Kaito sieht«, dachte Mio und grinste, »bestimmt unanständig.«

»Mio!« sagt Kaito, »was ist los, bereit? Ich will anfangen.«

»Ja, klar, entschuldige, ich war abgelenkt.«

»Dann fangen wir an«, Kaito holte eine Nadel aus seiner Jacke hervor.

»Theoretisch weiß ich, was du machst, aber wie funktioniert das praktisch?«, fragte Mio.

»Das hier ist das Quellsiegel und das Senkungssiegel alles zusammen auf einem Siegelpapier zugleich, deshalb ist es viel komplizierter gezeichnet als die anderen, welche Reflexionssiegel sind. Vom Quellsiegel aus bringe ich die positive spirituelle Kraft ein. Diese wird an den Reflexionssiegeln so lange gebrochen, bis sie wieder auf das Senkungssiegel fallen und dort absorbiert werden, deshalb ist auch die genaue Positionierung des Pentagramms so wichtig. Der Brechungswinkel, ist in den Siegeln festgelegt. Die so entstehenden Ley-Linien des geschlossenen Pentagramms erzeugen dann das positive spirituelle Kraftfeld. Im inneren Pentagon ist diese Kraft doppelt konzentriert. Das Blut dient sowohl als Transportmittel als auch als Energiespeicher. Deshalb ist die Menge des Blutes wichtig. Dies bestimmt die maximale Leistung, die aus dem Körper übertragen werden kann. Multipliziert mit der Zeit ergibt sich dann die Energie. Also wie Physik in der Mittelschule. Energie = Leitung x Zeit.

Wenn die Blutmenge zu klein ist, begrenzt dies wie ein Nadelöhr die Leistung, man kann es sich auch wie einen Elektrolyten vorstellen. Mächtige Deriver können ihr Blut sogar direkt in die gewünschte positive oder negative Energieform umwandeln und damit dann direkt kämpfen, ansonsten muss es durch die Siegel umgewandelt werden, was wiederum den Vorteil hat, dass die Energie verstärkt wird. Sie wirken also auch als eine Art Katalysator.

»Die weitere Übertragung der spirituellen Energie vom eigenen Körper über das Blut in ein Siegel wird ausschließlich durch die Vorstellungskraft ausgelöst, wenn man das nicht kann, passiert nichts. Deshalb sind auch viele Menschen, die spirituelle Energie besitzen, obwohl sie die Geister nicht sehen können, nicht in der Lage, sie zu nutzen. Ihnen fehlt schlicht die Vorstellungskraft. Alles verstanden«, fragte Kaito?

»Ähm, ja, klar«, sagte Mio und lacht verlegen.

»Heißt das, ich könnte auch spirituelle Energie benutzen, wenn ich mir das vorstellen kann?«

»Nun, wenn du genug Energie hast und sie durch die Vorstellung fließen lassen kannst, wäre das möglich. Du würdest diese zwar nicht sehen, aber der Effekt wäre da. Wenn du willst, können wir das mal irgendwann ausprobieren.«

Mio war Feuer und Flamme und wollte es sofort versuchen, aber Kaito blockte ab.

»Wir probieren es später mal. Der Auftrag kommt zu erst“, sagte er befehlsartig und Mio akzeptierte.

»Dann wollen wir mal«, sagte Kaito, stach sich einmal leicht in den Daumen und drückte ihn auf das Quellesiegel«

Gespannt schaute Mio auf das Siegel, das langsam Kaitos Blut aufsaugte und sich rot färbt. Sie wartete und schaute, wartete und schaute und sah ... nichts. »Du kannst die Ley-Linien und das dadurch erzeugte spirituelle Feld nicht sehen, das weißt du doch, schau auf das Gelände«, sagte Kaito leicht sarkastisch.

Mio schaute auf, nichts. Dann auf einmal ‚POP!‘, was war das im Augenwinkel, da nochmal jetzt direkt vor ihr, ja da war eine Partikelwolke etwa zehn Meter entfernt, tagsüber unter der hellen Sonne kaum zu erkennen, ‚POP‘ hier wieder und da dahinten auch. Ganz kurz, weniger als zwei Sekunden. Mio zückte ihr Smartphone und schaltete auf Videoaufnahme. ‚POP‘

»Voll erwischt, warum hat dieser so lange gedauert?«, fragte sie.

»War ein umherstreifender Yokai.«

»Sind da auch gute Ayakashi drunter?«, fragte Mio leicht bedrückt.

»Geister und Yokai eben. Manche sind auch Ayakashi, aber nur die, die nicht mit uns kommunizieren können. Diejenigen, die mit Dawn kommunizieren konnten, haben den Ort verlassen, fast jeder hat eine Chance bekommen, der Rest fällt durchs Raster. So ist der Lauf der Dinge.

»Nein, schon gut, so habe ich das nicht gemeint, ich weiß, dass du aufpasst, dass du nicht die Falschen erwischst. Die Situation damals in der Schule war doch auch ein Ayakashi, den du verjagt hattes, obwohl du ihn hättest ausschalten können, oder?«

Kaito lächelt und nickte Mio zu, nahm seinen Daumen vom Siegel und sagte, »Perfekt, das war's, gute Arbeit Mio. Es sind mehr als erwartet hier, die nächsten Jahre werden keine negativen Spirits das Gelände betreten.«

Mio schaute gespannt auf das Video ihres Smartphones und sagte dann enttäuscht, »Warum sehe ich auf dem Video keine goldenen Partikel?«

»Weil nur die Augen von Lebewesen sie sehen können.«

»Warum ist das so?«

»Das weiß niemand so genau, aber man geht davon aus, dass nur die Augen von Lebewesen, die mit spiritueller Energie ausgestattet sind, das sehen können, während alle elektronische Technik dafür nicht ausgelegt ist. Wenn die Wellenlänge für den Detektor nicht passt, passiert eben nichts. Physik Mittelschule«, sagte Kaito und grinste wieder Mio an.

»Ja, ich verstehe«, schmollte sie.

»Das Leben ist vielleicht doch mehr als nur eine Maschine mit Motor und Kraftstoff. Sonst wäre so etwas doch schon längst erforscht worden, meinst du nicht?«

»Ach Mist, ich dachte ich wäre die Erste die sowas aufnimmt. Sag mal, kannst du diese Ley-Linien sehen?«

»Ja kann ich, ich kann fast alles Spirituelle sehen!«

»Was alles?«

»Alle Arten von Spirits, Ley Linien, positive oder negative spirituelle Energien die abgestoßen wurden und herum wabern bevor sie sich gegenseitig auflösen und die Echos der Toten. Was ich nicht sehen kann, ist die Aura von

Menschen oder Spirits. Das ist wirklich ärgerlich, denn sie sagt viel über das Objekt aus, zum Beispiel über seine Art, seine spirituelle Stärke und ein wenig auch über seine Lebenseinstellung.«

»Ein Echo soll eine Art Licht oder Flamme sein, die beim Tod eines Lebewesens entsteht und nach einiger Zeit wieder erlischt, habe ich gelesen«, sagte Mio fragend.

»So kann man es sich vorstellen.«

»Vor ein paar Jahren, also lange bevor wir auf der Oberschule kamen, soll sich ein Mädchen vom Schulgebäude gestürzt haben, weißt du ...«

Kaito unterbrach sie. »Willst du das wirklich wissen?«

Nein, Mio wollte nicht, die Antwort hatte er schon gegeben.

Mio wird nachdenklich. »Was?«, fragte Kaito.

»Du siehst die Welt wahrscheinlich ganz anders als ich, oder wie jeder andere, ... fast jeder andere?«, fragte sie.

»Nun, wo normale Menschen sich über ein schönes Blumenfeld freuen, sehe ich vielleicht dunkle, wabernde Energieströme, die über das Feld ziehen, es einhüllen, das Licht verdrängen und Echos von toten Lebewesen in verschiedenen Farben die Umgebung erleuchten. Aber es hat auch seinen Reiz eine Art mystische Anziehung, ich habe mich daran gewöhnt.«

»Als Kind konnte ich wohl nur Geister und einige Yokais sehen, aber das war damals schon unheimlich. Wie haben deine Eltern darauf reagiert?«, fragte Mio nachdenklich.

Plötzlich kippte die gute Stimmung. Dawn fauchte Mio laut an, Mio erschrak und merkte, dass sie ein Tabu gebrochen hatte.

»Ich hätte nicht fragen sollen«, schoss es ihr durch den Kopf, »verdammt, es war so offensichtlich.«

Kaito hielt ein paar Sekunden inne und Mio versuchte einen Weg zu finden, das Thema schnell zu wechseln, als Kaito sagte, »Dawn, es ist okay.«

»Einige im Orden beneiden mich tatsächlich um diese Fähigkeit, während andere sich wahrscheinlich fragen warum ich. Alle Fähigkeiten oder Eigenschaften, bei denen man durch Geburt einen Vorteil haben könnte, wie logisches Denken, hohe Attraktivität, schönes Charisma, schnelle Auffassungsgabe, leichte Lernfähigkeit oder gute Kommunikationsfähigkeit sind wohl interessanter für die Menschenwelt als diese«, sagte Kaito, drehte sich zu Mio um und versuchte zu lächeln.

»Aber ich will mich nicht beschweren, ich hatte Glück.«

Mio versuchte immer noch krampfhaft das Thema zu wechseln und fragte schließlich,

»Was ist mit den Wesen mit positiver Energie? Werden die jetzt auch durch die Reinigung ferngehalten«, obwohl sie sicher war, die Antwort schon zu kennen.

Kaito lachte leicht, »das wäre wohl eher kontraproduktiv, denn Götter hätte doch jeder gerne im Haus, oder willst du keinen Gott in deiner Nachbarschaft?«

»Kaito, du bist der Hammer«, dachte Mio und war froh, dass sie die Kurve gekriegt hat.

Kapitel 5 - GÖTTER

»Kannst du das Reinigungszertifikat unterschreiben?«, fragte Mio zwei Tage später.

»Hat der Penner bezahlt?«

»Kaito!«, belehrte sie. »Der Penner hat nicht bezahlt, aber Herr Inoue, unser geschätzter Kunde, hat seine Rechnung anstandslos beglichen und wartet nun auf das Zertifikat.«

Kaito nahm den Kugelschreiber, den Mio ihm hinhielt, unterschieb und setzte sein Siegel darunter.

»Ein Effekt der Schülervertretung, oder hat sie das woanders her? Vielleicht etwas aus ihrer Familie?«, fragte sich Kaito, legte das Siegel weg und fragte, »Sind die Schutzsiegel schon beim Orden angekommen?«

»Ja, Herr Nakamura hat das per E-Mail bestätigt und sich bedankt. Er ist immer so nett, ich würde ihn gerne persönlich kennen lernen, warum hast du den Orden verlassen?«

»Es gab Meinungsverschiedenheiten, du sagtest vorhin etwas von einem wichtigen Auftrag?«

»Ein Einkaufszentrum soll mitten im Nirgendwo entstehen, alle freuen sich, außer den Arbeitern, die glauben, dass es dort spukt und deshalb wegen ungeklärter Arbeitsunfälle die Arbeit niedergelegt haben. Der Auftrag ist schon bestätigt. So ein Stillstand ist sehr teuer, wir haben dort einen Termin am Sonntagmorgen«, sagte Mio.

»Ach so, das war der Termin am Sonntag, willst du mitkommen?«

»Klar, oder willst du mich hier lassen und den Kunden vergraulen?«

»Kaito legte einen Schlüssel auf den Tisch vor Mio. »Ich gehe einkaufen, packst du zusammen und schließt ab?«, fragte Kaito.

Mio schaute auf, »Du gibst mir einen Büroschlüssel?«, fragte Mio.

Kaito war etwas verlegen, ließ sich aber nichts anmerken, »Ich glaube, du hast es verdient.«

Mio strahlte, beruhigte sich aber schnell wieder und sagte, »Klar, mach ich.«

»Komm Dawn wir gehen einkaufen, bis morgen Mio, danke«, sagte Kaito und verließ das Büro.

Mio stand auf, drehte sich zum Fenster und schaute hinaus. Immer noch etwas aufgeregt, spürte sie, wie ihr eine Träne aus dem Auge rann.

»Ach Kaito, wärst du doch nur ein bisschen mehr mein Typ«, dachte Mio.

»Es ist sehr großzügig, dass sie uns die Tickets für den Shinkansen zur Verfügung gestellt haben«, sagte Mio, als sie gemeinsam das Zugabteil verlassen.

»Nun die finale Rechnung ist ab Bahnhof zu begleichen. So geht es schneller und der Kunde spart auch noch Geld«, sagte Kaito.

»Ach, wenn man es so sieht«, sagte Mio, »aber ich bin froh, dass die Fahrt nur eine Stunde gedauert hat.«

»Herr Tanaka, Frau Yamamoto?«, fragte eine Stimme hinter ihnen.

Beide drehten sich um. »Ja«

»Mein Name ist Yuki Mori, von der Katohari-Retail Holdings, Assistentin von Hiroshi Kato«, stellte sich eine perfekt gekleidete und gestylte Frau in den Dreißigern vor. Im Hintergrund stand noch ein Mann, »wahrscheinlich der Fahrer oder der Sicherheitspersonal«, dachte Kaito, während Mio sich vorstellte und verbeugte.

»Können wir gleich gehen?«, fragte Kaito etwas schnell, zu schnell für Mios Geschmack. Die Frau schaute etwas verwirrt, drehte sich um und ging Richtung Ausgang. Kaito und Mio folgten ihr.

»Ja, Sicherheitspersonal«, dachte Kaito, als der Mann auf dem Beifahrersitz Platz nahm.

Mio, der die Situation sichtlich unangenehm war, saß zusammen mit Kaito, der ruhig aus dem Fenster schaute, mit Frau Mori in dem von der Fahrerkabine abgeschirmten Bereich einer sehr langen Limousine.

»Dann erzählen sie mal Frau Mori, was ist passiert«, sagte Kaito einfach heraus.

Mio zuckte leicht zusammen und dachte, »Mensch, Kaito, bitte etwas mehr Respekt.«

Die Frau schaute Kaito an und erklärte, »Vier Unfälle in sieben Tagen, das ist ein Negativrekord für unsere Firma. Zum Glück gab es bisher nur Verletzte, zwar einen Schwerverletzten, aber keine Toten. Alle Unfälle hatten eines gemeinsam, sie waren mysteriös. Herr Kato ist persönlich vor Ort und wird sie empfangen. Ich bitte noch um etwas Geduld.«

Kaito schaute weiter aus dem Fenster, »was für eine schöne menschenleere Gegend, welchen Grund hat jemand, hier ein Einkaufszentrum zu bauen?«

Als Kaito sah, dass Mio immer nervöser wurde, fragte er, »sollen wir mal ein Zwischenstopp machen?«

»Nein, natürlich nicht«, Mio sah ihn an, wird etwas rot und dann sauer.

»Autsch«, Kaito schaut nach unten, Dawn hatte ihre Krallen in seinen Arm gehauen.

»Was sollte das denn?«, fragte Kaito sich.

Etwa eine Stunde später hielt die Limousine vor der riesigen Baustelle. Kaito und Mio bekamen einen Bauhelm in die Hand gedrückt, während sie ins Büro geführt wurden, Dawn lief neben Kaito her, der sich die riesige Anlage anschaute und erfreut feststellte, dass Mio wieder ruhiger geworden ist.

Alle betraten ein ziemlich schmuckloses Büro mit einem Klapptisch, an dem ein alter Mann saß, der bestimmt über 90 Jahre alt war. »Sieh mal einer an, wie angekündigt, Herr Kato persönlich, das wird interessant«, dachte Kaito.

Frau Mori wollte gerade mit der Vorstellung beginnen, als Kaito einen Schritt vortrat und mit ruhiger, prägnanter Stimme sagte, »Mein Name ist Kaito Tanaka, ich bin der Leiter des Spirit-KT-Science Institute. Es ist mir eine unaussprechliche Ehre, von Herrn Kato persönlich, dem Gründer einer der mächtigsten Handelsvereinigung unseres Landes empfangen zu werden. Ich nehme an, dass ich dieses Gespräch auch Herrn Nakamura zu verdanken habe«, sagte Kaito und verbeugte sich vor Herrn Kato.

Mio war nun fix und fertig, damit hatte sie nicht gerechnet, »er kann also freundlich und formell zugleich sein, wenn er nur will«, dachte sie.

Sie schaute von Kaito zu Herrn Kato und wieder zurück. Kaito machte eine Kopfbewegung in Richtung Mio mit der Andeutung, sich vorzustellen.

»Mio Yamamoto«, sagte Mio erschrocken, »es ist mir eine Ehre« und wird rot.

Herr Kato stand auf, lachte und sagte »die Jugend von heute« und deutete auf die Stühle vor ihm. Sie setzten sich und Herr Kato sagte »ich will ihnen eine Geschichte erzählen.«

»Jetzt wird es interessant«, dachte Kaito.

»Wissen Sie, wo ich geboren bin?«

»Sie wurden im September 1933 in der Präfektur Yamashiro geboren, sozusagen 5 km nördlich von hier, in einem kleinen Dorf namens Sai«, sagte Kaito.

Herr Kato schaute Kaito an und sagte, »Was lernen die Schüler heute eigentlich in der Schule?«

Kaito antwortet, »Keine Ahnung, da müssen Sie meine Kollegin Frau Yamamoto fragen« und lacht.

Mio wird wieder rot und schaute weg, aber Herr Kato fragte »und Frau Yamamoto, was lernt man da, ihr Kollege scheint ja nicht oft dort zu sein« und lachte.

Mio fühlte sich in dieser Situation sichtlich unwohl und scheint diesmal diejenige zu sein, die überfordert ist, sie wusste nicht, was sie sagen sollte, sagte dann aber, weil alle sie ansahen, »Na ja, Sprache, Naturwissenschaften und…«, weiter kam sie nicht. Herr Kato lachte und Mios Gesichtsausdruck wechselt von unbehaglich zu extrem ärgerlich. Herr Kato stand auf und sagte, »Lasst uns rausgehen, ich erkläre es ihnen vor Ort.«

Gleich hinter dem Büro begann die aktuelle Baugrube, nach der Baugrube war noch nicht gerodeter Wald in etwa 200 Meter Entfernung, in dessen Richtung Herr Kato alle um die Baugrube herumführte.

»Herr Tanaka, Sie haben Recht, ich bin vor 92 Jahren hier in der Gegend geboren. Als ich etwa 9 Jahre alt war, hatte ich nur einen einzigen Freund, Ken, meinen treuen Hund und mein wirklich einziger Freund in dieser schweren Zeit. Der Rest der Familie war tot, erfroren oder verhungert und als dann auch noch im Winter die Ratten ausgingen, die ich mit Ken für unsere Gruppe jagte, gab es nichts mehr zu essen«, erzählte Herr Kato.

Mio schluckte, als sie das hörte und ein kalter Schauer lief ihr über den Körper, als diese Worte sich in ihrem Kopf manifestierten und sie an das üppige Essen dachte, das ihre Mutter am Wochenende für ihre Familie zubereitet hatte. Sie schluckte erneut und schaute zu Dawn, die brav neben Kaito lief.

»Als ich eines Tages im Winter vom Wurzelgraben zurückkam, war Ken verschwunden. Er hatte eine Verletzung an der Pfote und sollte im Dorf bleiben. Als ich ihn suchte und fragte wo er sei, bot mir einer der Jäger lachend einen zu drei Vierteln abgenagten Beinknochen an und machte mir klar, dass dies mein Anteil von Ken sei.«

Das war zu viel für Mio, sie blieb stehen, mehr wollte sie nicht hören. Herr Kato, Frau Mori und Kaito gingen unbeeindruckt weiter. Sie senkte den Blick, Dawn miaute sie an. Mio lächelte, kniete sich hin und gleichzeitig sprang Dawn auf sie zu, während Mio sie auffing.

»Oh Dawn, warum gibt es so viel Leid auf der Welt?«

Dawn miaute.

»Danke Dawn, lass uns wieder aufschließen« und Mio beschleunigte ihre Schritte.

»Ich war so wütend, dass ich den Jäger töten wollte, aber ich holte mir nur eine blutige Nase und rannte heulend aus dem Dorf in den Wald, schrie wie wild um mich und war bereit, dort zu sterben.« Herr Kato zeigt auf den Wald vor ihm. »Als ich dort blutend und frierend saß und nicht wusste, was ich tun sollte, sah ich ihn. Ken, er war in goldenes Licht gehüllt, saß auf einem Baum und bellte mich an, als wolle er sagen Überlebe, gib nicht auf, lebe weiter für mich!«

»Ich weiß nicht, ob es Einbildung war, Halluzination durch den Schock oder die Kälte, aber ich habe genau das getan. Und wie ich es getan habe. Ich bin brav zurückgegangen und habe hart für das Dorf gearbeitet. Der Jäger, der Ken getötet hatte, ist eines Tages in den Fluss gefallen und ertrunken, was für ein Pech«, lachte er. »Zehn Jahre später lernte ich meine Frau kennen, durch sie konnte ich in Tokio studieren. Irgendwann erzählte ich Kens Geschichte einem Priester, der mir erklärte, dass ich wohl einen mir wohlwollenden Gott gesehen hatte, der mich auf meinem Weg führte und dafür die Gestalt meines besten Freundes annahm.

Leider ist meine Frau viel zu früh verstorben, aber mir geht es besser als je zuvor, vor allem seit ich dieses Projekt begonnen habe. Soll ich erklären, was mich antreibt?«, sagte Herr Kato und schaute Kaito an.

»Natürlich«, sagte Kaito lässig, auch wenn er merkt, dass sich die Stimmung verändert hatte.

»Angefangen hatte alles vor zehn Jahren, als ich eines Tages aufwachte und mich nicht mehr an das mir Wichtigste in meinem Leben erinnern konnte. An das Gesicht meiner Frau. Jemand hatte mir meine Erinnerung daran gestohlen!«, sagte Herr Kato und schaute Kaito weiterhin direkt an.

»Verdammt, alter Mann, jetzt wird es knifflig!«, dachte Kaito und vergewisserte sich, dass Dawn und Mio in seiner Nähe waren.

»Meine Frau ist vor 40 Jahren gestorben, ich habe viele Erinnerungen und Bilder, aber das Gesicht meiner Frau ist seit damals vor zehn Jahren einfach nur noch verschwommen für mich.«

»Das musste ja so kommen, schon wieder in so einen dämlichen Fall geraten«, dachte Kaito.

»Zum Glück hatte Mio die Situation noch nicht begriffen«, dachte er, als er Mio mit Dawn auf dem Arm sah, die sich zu Kaitos Überraschung gerade gut zu verstehen schienen.

»Der alte Mann gibt doch nicht diesem Gott die Schuld an seinem Erinnerungsverlust?«, dachte er.

»Was ist der Zweck der Bauarbeiten hier?«, fragte Kaito vorsichtig und schaute dabei Herrn Kato an.

»Genau das, was Sie denken, Herr Tanaka.«

»Das ist keine Antwort auf meine Frage alter Knacker und jetzt rede schon, aber wenn du denkst, altes Wrack, dass ich Angst vor dir habe, liegst du falsch«, dachte er.

»Ich will herausfinden wer mir die Erinnerungen an meine Frau gestohlen hat und mich bei ihm bedanken«, sagte Herr Kato und lächelte Kaito unwirklich an.

»Okay, jetzt haben wir den Salat, ein durchgeknallter alter Mann«, dachte Kaito.

»Herr Kato, kein Gott, kein Dämon kann Erinnerungen löschen, das sind nur Legenden.«

»Das glauben Sie zu wissen? Wie alt sind Sie? Was ist, wenn es ein Tribut des Wesens oder Gottes von damals war, den er jetzt eingefordert hat, oder nicht?«

»Fanatismus kann man nur mit etwas Höherem bekämpfen«, rief sich Kaito in seinem Kopf auf.

»Götter haben mir die Macht gegeben, Dämonen zu vernichten. Ich werde mich nicht gegen sie stellen. Wollen Sie wirklich die Götter verärgern, die Ihre Frau beschützen?«, sagte Kaito Herrn Kato direkt ins Gesicht und versuchte eine Reaktion, wenn auch nur eine kleine, zu erhaschen.

Doch Herr Kato blieb unbeeindruckt.

»Ich will, dass dieser Gott dieses Wesen mir meine Frau zurückbringt, so wie er es mit Ken damals getan hat. Götter sollten das können, sonst ist es kein Gott und dann stellt sich mir die Frage ‚Brauchen wir diese Wesen?‘ «

Er zeigte auf die Bagger, die am Waldrand standen.

»Der Grund für ihr Supercenter, ist es Gott zu beweisen?«, fragte Kaito mit gemischten Gefühlen.

Herr Kato grinste breit.

»Was glauben Sie, wie viel Geld und Zeit es kostet, in unserem Land ein Naturschutzgebiet planieren zu lassen. Seit den Unfällen bin ich mir sicher, dass ich diesem Ding nahe genug gekommen bin. Es muss hier irgendwo sein und jetzt kommen Sie ins Spiel, Herr Tanaka.«

»Wie gesagt, ich werde ihnen nicht helfen, wenn es um sowas geht«, sagte Kaito unbeeindruckt.

Mio stand mit dem Rücken zu Kaito und Herrn Kato, tat so, als würde sie in die Ferne schauen, aber man sah auf den ersten Blick, dass sie jedes Wort verstand und lieber nicht hier wäre.

Kaito dachte unterdessen, »Irgendwas stimmt an der ganzen Geschichte nicht. Der Mann war zwar alt und hatte nichts zu verlieren, aber er war nicht dumm. Religiöse Fanatiker überleben normalerweise keine 90 Jahre.«

»Noch einmal, damit auch Sie es verstehen. Dieser Gott hat nichts mit dem Verlust Ihres Gedächtnisses zu tun, das ist himmlisches Gesetz und wenn Sie mir nicht glauben, stehen Sie am Ende mit leeren Händen da«, sagte Kaito Herrn Kato direkt ins Gesicht, während er denkt, »Hoffentlich reicht das nun, soviel geschwafelt habe ich schon lange nicht mehr?«

Herr Katos Gesichtsausdruck wurde unerwartet freundlich, als er sagte, »Bitte helfen Sie mir, meine Erinnerungen an meine Frau wiederzuerlangen«, sagte Herr Kato und legt eine Hand auf Kaitos rechte Schulter.

»Jetzt habe ich verstanden«, dachte Kaito.

Kaito entspannte sich ein wenig, »Dann möchte ich Ihnen einen Vorschlag machen.«

»Ich bin ganz Ohr!«

»Die Bäume der Götter sind heilig, sie zu zerstören hat ernste Konsequenzen, für alle Beteiligten, das verstehen Sie doch, oder?«

»Jedes Wort, Junge und jetzt zu deinem Vorschlag!«, antwortete Herr Kato leicht verärgert. Mio zuckte zusammen, als Frau Mori ihr die Hand auf die Schulter legte.

»Ganz ruhig, Frau Yamamoto, Spiele unter Männern sind immer so.«

»Ist das noch ein Spiel?«, dachte Mio.

»Da vorne, wo die Baumreihe anfängt, ist die Mitte des Einkaufszentrums?«, fragte Kaito.

»Ja, gut gesehen, aber verdammt, wollen sie mich ärgern, Herr Tanaka? Ich will ihren Vorschlag hören und zwar jetzt sofort.«

Mio schaute Frau Mori an, diese zuckte mit den Schultern und verdrehte die Augen. Mio merkte, dass sie Dawn viel zu fest umarmte, schaute nach unten und lockerte ihren Griff.

»Tut mir leid Dawn«, sagte Mio.

»Ganz einfach Herr Kato, Sie integrieren ein Stück Wald in das Einkaufszentrum, bauen einen Schrein drum herum und lassen die Menschen den Gott dort verehren, dafür bekommen Sie die Erinnerung an das Gesicht ihrer Frau zurück.«

Es wurde still. Mio erstarrte, Herr Kato schaute Kaito in die Augen und kam noch näher an ihn heran.

»Wollen Sie mich verarschen?«, fragte Herr Kato.

»Nein, das ist mein Vorschlag, ich verhandle mit dem Gott«, sagte Kaito.

»Sie wissen, wo er ist?«

»Ja«

»Wo?«

»Was sagen Sie zu meinem Vorschlag?«

»Wer garantiert mir, dass ich die Erinnerungen an meine Frau zurückbekomme, wenn ich Ihren Vorschlag annehme?«

»Das können wir heute Abend klären, hier und jetzt.«

Herr Katos Augen wurden groß, er legte nun beide Hände auf Kaitos Schultern, schaute ihm tief in die Augen und sagte, »Junge, ist das dein Ernst?«

»Absolut!«

Es wurde wieder still, selbst der leichte Wind war in den Ohren der Umstehenden lauter.

»Einverstanden!«, er nahm seine Hände von Kaitos Schultern, drehte sich um und sagte »Wann?«

»Geben Sie mir 30 Minuten für die Verhandlung.«

»Ich warte im Büro«, sagte Herr Kato und ging in Richtung des Büros, aus dem sie gekommen waren.

Frau Mori lief Herrn Kato hinterher und redete auf ihn ein, »Das kostet uns Milliarden, das ist unmöglich, so etwas hat noch niemand gebaut.«

Kaito, sah zu, wie Herr Kato Frau Mori eine Weile ignoriert und sie schließlich genervt mit einer Handbewegung zum Schweigen brachte. Mio kam mit Dawn auf dem Arm auf ihn zu.

»Was jetzt? Schaffst du das wirklich?«, fragte sie leicht ängstlich und sah sich um. »Ich fühle mich hier nicht so wohl.«

»Komm, lass uns mit einem Gott verhandeln«, Mios Augen weiteten sich und man sah ihr an, dass die Angst verflog und die Neugier gesiegt hatte.

200 Meter tiefer im Wald blieb Kaito stehen und sagte, »Hallo Meister des Waldes, du warst das mit den Unfällen, stimmt's?«

»Wer will das wissen?« sagte ein kleiner dicker Zwerg, der auf einem Ast saß, aber den Mio nicht sah oder hörte.

»Es ist offensichtlich«, sagte Kaito.

Aber für Mio war gar nichts offensichtlich, dachte sie. »Hier ist ein dunkler Wald und Kaito spricht zu einem Baum«, dachte sie.

»Wer meinen Baum zerstört, wird selbst zerstört, das ist das Gesetz«, sagte der Gott ziemlich lapidar.

»Wenigstens ist er noch gut drauf«, dachte Kaito. Mio schaute sich um, sah immer noch nichts, aber dann sah sie, wie Dawn in die gleiche Richtung schaute wie Kaito und versucht es noch einmal.

»Mist, klappt immer noch nicht«, dachte Mio und schaute wieder Kaito an.

»Du hast doch alles gehört, oder?«

»Klar, oder denkst du, dass ich mit meinen 565 Jahren schwerhörig bin?«

»Und was meinst du, ist das okay für dich?«

»Und wenn nicht, wirst du Monster mich dann töten?«

»Ich nehme alles zurück«, dachte Kaito, »du kleine fette Ratte.«

»Du könntest einen Schrein bekommen, hättest jeden Tag Gaben und Menschen, die dich anbeten, es liegt an dir, ob du dich weitere 500 Jahre von Blättern ernähren willst oder etwas Besseres bekommst.«

»Und wenn ich das nicht will. Der Wald ist mein Zuhause.«, sagte er überheblich.

»Soll ich das einem kleinen Gott wie dir erklären?«, sagte Kaito ärgerlich.

»Du kleiner Wicht von einem Menschen, der sich noch vor ein paar Sommern in die Hose geschissen hat!«

»Ich kann dich auch fressen, du fettes Ding«, fauchte Dawn den Gott an.

»Sag dem räudigen, halbnackten Katzenweib, sie soll sich fernhalten, so etwas besudelt mich noch.«

»Und wenn ich das nicht tue«, sagte Kaito und zeigt mit dem Finger auf den Gott.

»Dann bekommst du nicht, was du willst, Mensch.«

»Für einen kleinen Gott wie dich ist dieser eine Baum wichtig, nicht der Wald um ihn herum, aber wir können gerne noch ein paar Bäume mehr mitnehmen und Herr Kato wird auch gerne woanders aufforsten, soweit es möglich ist.«

Die kleine Gestalt blickte auf und wendete sich von Kaito ab.

»Menschen sind erbärmliche Wesen.«

»Okay, okay, du bist eine große weise Gottheit, ich verneige mich vor dir«, sagte Kaito übertrieben laut und dachte sich seinen Teil.

»Ich bin ein Gott des Glücks, ich bringe Wohlstand und erfülle Träume, also respektiere mich.«

»Herr Kato und die vielen Menschen, die hierher kommen, werden dich verehren und respektieren, denk auch an all die Energie, die sie dir zusätzlich geben werden«.

»Ich werde ihm seine Frau nicht zurückbringen.«

»Diese arroganten, nichtsnutzigen kleinen Götter«, dachte Kaito und verstand nun alles.

»Das ist mir klar. Du kannst es nicht, ich verlange es nicht und Herr Kato verlangt es auch nicht. Niemand kann einen Menschen zurückbringen«, sagte Kaito belehrend.

»Du hast dich damals auch nicht freiwillig in seinen Hund verwandelt. Das kannst du auch nicht. Wahrscheinlich war dir das Kind damals völlig egal. Ein Glücksgott erscheint einem Menschen einfach immer in Form seiner tiefsten Wünsche, aber nur wenn er stark genug ist sich zu zeigen. Das bist du nicht, daher war es reiner Zufall, wahrscheinlich kam damals ein Geist vorbei und genau in dem Moment, als Herr Kato gerade in deine Richtung geschaut hat, was du vielleicht gar nicht bemerkt hattest, hast du den Geist vernichtet und Herr Kato konnte dich in der Form sehen, die er sich am meisten gewünscht hatte.«

»Hmm, der Hosenscheißer ist schlau für einen Menschen? Ist die Frau neben dir das, was du am meisten begehrst?«

Kaito hatte keine Lust weiter zu verhandeln, aber er verstand, dass der kleine dicke Gott seine Entscheidung getroffen hatte.

»Dann wirst du jetzt Herrn Kato zeigen, dass es Götter gibt, danach kannst du bleiben oder gehen!«

»Du kleines Menschenmonster, du Rotzlöffel«, der Gott schaute ihn an und sagte schließlich »Ich habe wohl keine Wahl, wehe ich bekomme keine Opfergaben die mir würdig sind.«

»Yoo«, dachte Kaito, »du viereckiger kleiner Gott solltest sowieso abnehmen« und sagte »Menschen sind Egoisten, sie nehmen immer mehr als sie geben, denk immer daran und handle danach.«

»Mio, hol bitte Herrn Kato«, wir sind bereit, Mio schaute auf.

»Ich soll ihn holen«, fragte sie leise.

»Hat meine furchtlose Geisterjägerkollegin Angst vor einem alten Mann?«

»Nein, natürlich nicht, hmm, ein bisschen vielleicht.«

»Alles wird gut, vertrau mir!«

»Dawn bleibt bei dir. Ich bereite alles vor!«

»Okay, klar«, Mio nickte und lief langsam bei untergehender Sonne in Richtung Bürogebäude, während Kaito begann einen Kreis in den Boden zu malen und dachte »Hoffentlich nimmt sie das von heute nicht zu sehr mit und sie kommt am Montag wieder« und beendete den Bannkreis.

»Da kommen sie, warum hat das so lange gedauert, die Sonne ist schon weg und man kann kaum noch etwas sehen, so dunkel ist es geworden«, sagte er.

»Was zum Teufel ... Herr Kato und Mio lachen zusammen, schäkert der alte Mann mit Mio, hey, hey, hey«, dachte Kaito lächelnd, als Mio, Herr Kato und Frau Mori mit Taschenlampen in der Hand auf Kaito trafen.

Mit einem herzlichen und bezaubernden Lachen sagte Mio, »Wie lange ging das schon so, wann haben Sie es bemerkt, Hiroshi-senpai?«, fragte Mio Herrn Kato.

»Hallo, was, Hiroshi-senpai?«, bin ich verrückt geworden, vor 30 Minuten wäre sie vor dem Mann fast in Ohnmacht gefallen und jetzt das und ich mache mir noch Sorgen um sie. Was ist da passiert. Ach egal, ich will nach Hause«, dachte Kaito.

»Herr Kato!«

»Herr Tanaka, ich denke wir können starten, Mio-chan hat mir schon alles erklärt.«

»Hey, du alter Sack, reiß dich mal zusammen, das könnte deine Urenkelin sein!«, dachte Kaito und sagte »Ja ich bin bereit. Da es schon dunkel ist, haben Sie etwas zehn Sekunden, reicht ihnen das?«

»Eine Sekunde reicht.«

»Was sie sehen werden, hängt von ihnen ab!«

»Ich weiß was ich sehen will, Herr Tanaka, fangen sie an.«

»Alles wie besprochen?«

»Ja, Sie sind ein lästiger kleiner Junge.«

»Schauen Sie von dort auf den Kreis«, Kaito zeigte auf einen Punkt, den Herr Kato einnahm.

»Dawn bereit?«, Dawn miaute.

»*RISE UP NEAREST!*«

Dawn sprang, goldene Partikel erhellten den Kreis und seine Umgebung, die Augen der Umstehenden wurden groß und ein Lächeln erschien auf Herrn Katos Gesicht. Kaito blickte kurz in den Kreis und sofort wieder weg. »Mist, das hatte ich vergessen«, dachte Kaito und schaute schnell zu Mio, die ebenfalls mit großen Augen auf den Kreis schaute.

Für Mio schien es diesmal unerwartet lang, es war wunderschön, eine Erinnerung, die sie schon immer in ihrem Herzen trug und die sie nun hoffentlich nie wieder vergessen würde. Tränen liefen ihr über die Wangen.

»Ich komme bald, mein Schatz«, verstand Kaito die Worte von Herrn Kato.

Wie Kaito geschätzt hatte, dauerte es etwa zehn Sekunden, dann wurde es wieder dunkel, niemand sprach ein Wort. Herr Kato schaute noch 2 Minuten regungslos in Richtung des Kreises. Dann plötzlich verbeugte er sich um 90° in Richtung des Kreises, drehte sich zu Kaito um, verbeugte sich ebenfalls und sagte, »Sagen sie ihm, dass er bekommt, was er verlangt«, drehte sich um und ging wortlos in Richtung Büro.

Mio schaute ihm etwas traurig hinterher und dachte »hoffentlich hast du gesehen, was du dir erhofft hast.«

»Lass uns aufräumen«, sagte Kaito, wischte den Kreis weg und sammelte die Siegel ein, die er ausgelegt hat. Dann verbeugte er sich zum Baum und sagte, »Wie verabredet! Kein Wort mehr von dir!«

Mio verbeugte sich ebenfalls in Richtung des Baums und folgte Kaito zum Büro.

Als Mio und Kaito im Büro ankamen, hörten sie deutlich die aufgeregte Stimme von Frau Mori.

»Ich habe es ihnen doch gesagt, da im Kreis saß ein halbnacktes Catgirl mit wunderschönen Katzenohren und einem wunderschönen Schweif und hatte sich die Pfoten geleckt.«

»Frau Mori, sie sollten mehr schlafen und weniger Mangas lesen, das ist schon krankhaft«, hörte man Herrn Kato amüsiert lachen.

Mio musste schmunzeln, schaute zu Dawn hinunter und sagte »Da hast du aber was angerichtet, Dawn.«

Dawn miaute hämisch.

Herr Kato und Frau Mori kamen aus dem Büro. Frau Mori ging etwas verlegen auf Kaito zu und erklärte, dass sie jetzt zum Bahnhof gebracht würden.

»Mio-Chan, ich melde mich«, rief Herr Kato, winkte kurz und ging zurück ins Büro.

Mio winkte zum Abschied zurück.

»Was sind das für finstere Gestalten, die da herumstehen?«, fragte Mio, als der Wagen das Gelände verließ.

»Sicherheitspersonal«, sagte Kaito. Mios Augen wurden groß und ein »Oh« kam aus ihrem Mund.

Zu Hause lag Kaito auf dem Bett und schaute an die Decke, Dawn lag neben ihm und hatte ihren Arm um ihn gelegt.

Vorsichtig und mitfühlend fragte sie Kaito, »Miau, willst du darüber reden, was du im Kreis gesehen hast?«

»Nein«, sagte Kaito kühl, aber so sehr er sich auch anstrengte, er konnte die Tränen nicht unterdrücken.

Kapitel 6 - SCHULTAGE

»Juhu, Montagmorgen, da gehe ich erst mal ins Büro und lasse Englisch ausfallen«, sagte er sich und wollte gerade die Bürotür aufschließen, als er merkte, dass sie nicht abgeschlossen war. Hatte er vergessen abzuschließen?

Langsam drückte er die Klinke nach unten und öffnete die Tür. Er überlegte, ob jemand eingebrochen hatte, verwarf den Gedanken aber schnell wieder, »So blöd kann doch niemand sein«, dachte er, dann gab die Tür den Blick frei.

»Was machst du denn hier Mio?«

Mio grinste, »ich hole dich zur ersten Englischstunde ab! Lass uns sofort los, dann schaffen wir es noch.«

Kaito verdrehte die Augen, dass sie sich so schnell wiedersahen, acht Stunden nachdem sie sich am Bahnhof getrennt hatten, hätte er nicht gedacht. Vor allem nicht nach dem, was gestern passierte.

Müsste sie nicht stink sauer sein, dass er, Kaito, sie so einer Situation ausgesetzt hatte?

Auch wenn nie wirklich eine Gefahr für Mio bestand, das wusste sie zu dem Zeitpunkt nicht. Immerhin hatte er sie zu einem Mann mitgenommen, der ihnen praktisch gestanden hatte, vor 80 Jahren einen Mord begangen zu haben.

Aber was soll's, immerhin hatte Herr Kato sie am Ende mit ‚Mio-chan' angesprochen und sie ihn sogar mit ‚Hiroshi-senpai', Herrn Kato persönlich.

»Mio sah heute wieder in ihrer Schuluniform aus wie ...«, dachte er, nein, »wir sind nur Kollegen, mehr nicht«, sagte er sich. Aber trotzdem, wer würde nicht gerne so mit Mio zur Schule gehen.

»Obwohl, Englisch mit der alten Schreckschraube, ist Mio das wirklich wert?«, dachte er nochmal nach.

»Komm, wir gehen, bis später, Dawn«, sagte Mio und zog Kaito aus dem Büro.

»Lass uns auf dem Weg zur Schule noch ein paar Dinge klären«, sagte Mio.

»Autsch, jetzt ist sie doch sauer wegen gestern«, sagte sich Kaito.

Mio blieb stehen, hob die Hand in Kaitos Richtung und zeigte mit dem Finger auf ihn, »Kaito, ich habe die ganze Nacht gegrübelt, aber mir ist nichts eingefallen. Woher um alles in der Welt wusstest du, dass seine verlorene Erinnerung durch den Gott wiederhergestellt wird?«

»Puh, wirklich, das ist ihr einziges Problem von gestern und ich habe mir die Nacht um die Ohren geschlagen, wie ich ihr am besten erklären kann, dass wir nie in Gefahr waren.«

Kaito lachte erleichtert und sagte, »Es war zu einfach. Viel zu einfach. Jemand, der so reich und mächtig ist wie Herr Kato, der sich etwas in den Kopf gesetzt hat und wirklich an das glaubt, was er sagt, lässt sich nicht von ein paar Worten eines Oberschülers wie mir beeindrucken. Auch Frau Mori war mir viel zu gelassen. So wie er reagierte, war er nicht dement und wenn Erinnerungen wegen so was verloren gehen, dann nicht einfach eine einzelne und vor allem eine so wichtige Erinnerung. Bleibt die dissoziative Amnesie. Aber auch das passt nicht, weil er seine Frau wohl eher vergöttert hat und nicht von ihr traumatisiert war, ganz zu schweigen von der dämlichen Geschichte mit dem verschwommenen Gesicht seiner Frau, so etwas passiert vielleicht in einem schlechten Film.«

Mio musste husten und dachte sich ihren Teil dabei.

»Ich glaube, er hat uns von Anfang an eine Geschichte vorgespielt, damit ich schneller auf seine Wünsche eingehe. Er wollte nicht eine Bitte stellen, sondern von mir hören, was ich für ihn tun könnte.«

»Sein Wunsch war es offensichtlich, seine Frau noch einmal in demselben schönen gelb-weißen Licht zu sehen, wie er als Kind seinen Hund gesehen hatte. Dieses Erlebnis als Kind muss einen großen Eindruck bei ihm hinterlassen haben. Es hat doch auch bei dir einen Eindruck hinterlassen, oder?«

Mio versteht jetzt, »Ja natürlich, was sie gesehen hatte und wie sie es gesehen hatte, war wunderschön. Ob sie es wohl so genauso intensiv in Erinnerung behalten würde wie Herr Kato?«, dachte sie.

»Hätte er dies nicht leichter haben können?«, fragte sie.

»Vielleicht! Vielleicht aber auch hatte Herr Nakamura ihm erklärt, dass man so etwas normalerweise nicht gutheißen kann oder es schwierig werden würde und dann hat er sich diesen Plan ausgeheckt.«

»Er hat Milliarden Yen für ein Einkaufszentrum im Nirgendwo ausgegeben, nur für seinen Plan? Warum hat er das gemacht?«

»Weil er alt, reich, sehr mächtig und noch reicher ist«, lachte Kaito.

Mio schaute Kaito an »Wie reich ist Herr Kato?«

Kaito schaute Mio an. »Was lernt ihr eigentlich in der Schule?«, lachte er Mio an. Mio schlug ihm auf den Kopf. »Autsch! Herr Kato gehört zu den 50 reichsten Menschen Japans.«

Mios Mund formte sich zu einem ‚O', aber dabei blieb es. Etwas später sagt sie, »Mist, dann hätte ich sein Angebot doch annehmen sollen.«

»MIO !!! Was zum Teufel ist im Büro passiert?«

»Psst, das ist und bleibt ein Geheimnis!«, lächelte Mio gleichzeitig süß und hämisch.

Zwei Stunden später war Kaito immer noch in sich gekehrt, er hatte in den zwei Englischstunden kein einziges Mal zugehört, was die Lehrerin vortrug und wurde mehrfach ermahnt, weil sie Fragen an ihn wiederholen musste. »Was hatte Mio vorhin gemeint? Verdammt! Und jetzt auch noch die ganzen Ermahnungen von Frau ..., verdammt, wie hieß doch gleich die alte Zicke?«

Schulschluss, ab nach Hause und dann ins Büro zu Dawn dachte er sich.

»Achtung Kaito Tanaka sofort zum Disziplinarausschuss«, tönte es aus den Lautsprechern.

»Was ist denn jetzt los, gibt es wirklich Stress wegen den ganzen Ermahnungen von der Ollen?« Dann könnte er sie wenigstens nach ihrem Namen fragen, dachte er. Einige Schüler drehten sich grinsend zu ihm um, aber drehten sich schnell wieder weg, als sie sich von ihm ertappt fühlten.

»Ihr lieben Mitschüler, stürzt euch doch alle von einer Klippe«, dachte sich Kaito und machte sich auf den Weg.

Er hatte keine Ahnung, wo er überhaupt hin sollte, wo ist überhaupt der Disziplinarausschuss?

Und plötzlich wieder.

»Achtung Kaito Tanaka sofort und ich wiederhole sofort zum Disziplinarausschuss.«

Verdammt, dachte er, vielleicht sollte er die Olle doch nicht nach ihrem Namen fragen.

Ein Junge aus einer höheren Klasse war dann so nett und erklärte ihm wo er hin musste. Eine Minute später klopft er an eine Tür. »Herein«, hörte er und betrat das Zimmer.

»Kaito Tanaka, womit...«, weiter kam er nicht, als er Mio am Tisch sitzen sah, die lachend mit der Hand auf den Tisch schlug.

»Du kleines Miststück, das warst du«, dachte sich Kaito und sah sich im Raum um.

Neben Mio saß ein gut gekleideter Junge, anscheinend etwas älter, wahrscheinlich aus der Klasse über ihm. Ansonsten war es ein normales Büro, nichts Besonderes.

»Was soll das Frau Yamamoto«, sagte Kaito.

»Beruhige dich Kaito und sag weiterhin Mio zu mir. Das hier ist Taro Suzuki, der Schülersprecher und Auftraggeber für unseren nächsten Fall.«

»Wenn Mio das alles jemandem aus der Schule erzählt, sollte er vertrauenswürdig sein, sonst setzte sie viel aufs Spiel«, wusste er, während er Taro ansah und sagte, »Herr Suzuki, ich nehme an, dass das hier ist alles auf Mios Mist gewachsen?«

»Verzeihen Sie ihr, sie war schon im Kindergarten so hinterhältig.«

»Die berühmte Sandkastenfreundin also, wie schön für ihn, für sie«, dachte er.

»Ich nehme an, es geht nicht um Frau … , verdammt, wie …«

»Frau Kobayashi heißt deine Englischlehrerin«, kam es aus ihr herausgeschossen und Mio konnte sich vor Lachen nicht mehr halten.

»Nein Herr Tanaka, ich ziehe demnächst für die Uni um und fange schon an zu packen«, begann Taro und versuchte die Situation zu beruhigen. Auch ihm war die Situation sichtlich unangenehm.

Brauchte er einen Packesel oder was wollte er von ihm, dachte Kaito.

»Eigentlich glaube ich nicht an Geister, im Gegensatz zu Mio, die mich schon seit Jahren davon überzeugen will. Eigentlich! Aber seit einiger Zeit passieren doch recht merkwürdige Dinge, das habe ich Mio erzählt und dadurch ist sie Feuer und Flamme geworden und jetzt sind wir hier.«

»Dann erzählen Sie mal, ich bin ganz Ohr«, sagte Kaito und schaute böse zu Mio, die gerade noch ihren nächsten Lachanfall unterdrücken konnte.

»Wie gesagt, ich ziehe bald um und bin gerade dabei, alle wichtigen Sachen zu packen. Dabei passiert es immer wieder, dass Gegenstände an Stellen auftauchen, an denen ich sie weggenommen und dann eingepackt hatte. Zuerst dachte ich, dass mit mir etwas nicht stimmt, aber jetzt bin ich mir sicher, dass es etwas anderes sein muss und ich möchte das Haus nicht verlassen, ohne zu wissen, dass meine Familie in Sicherheit ist. Mio hatte gesagt, es gibt niemanden Besseren als Sie, Herr Tanaka.«

‚Familie. Sandkastenfreund.', Kaito war schon wieder genervt, aber er wusste selbst nicht warum, doch er wusste es, er wollte es sich nur nicht eingestehen.

»Wann?«, fragte Kaito. Mio, die gerade noch ihr Lachen unterdrücken könnte, wurde plötzlich wieder ernst und unterbrach, »Jetzt sofort, lass uns gehen, es ist nicht weit.«

Großes Haus, dachte Kaito, als sie vor der Eingangstür der Familie Suzuki standen. Taro öffnete die Haustür und bat Mio und Kaito herein. Das Haus war europäisch eingerichtet, sehr edel, sehr teuer, dachte Kaito, während Taro rief, »Ich bin zu Hause, Mutter.«

Eine freundliche Frau mittleren Alters begrüßte Taro. »Hallo Mutter«, antwortete er und umarmte sie.

»Hallo Mio, schön dich wieder zu sehen« und umarmte sie. »Das muss dein Schulfreund sein, von dem du erzählt hast«, freundlich machte sie einen Schritt auf ihn zu.

Kaito trat einen Schritt zurück.

Mio war geschockt, »was war da gerade passiert«, dachte sie.

Für Kaito war es eine Art Reflex, wie ein Schutzprogramm, das auf Automatik geschaltet hatte. Wie konnte das passieren. Verdammt, dachte Kaito. Er verbeugte sich und sagte, »Entschuldigung, ich bin etwas erkältet und will niemanden anstecken, ich bleibe auch nicht lange«, sagte er und ärgerte sich über sich selbst.

»Mein Gott, wenn das so ist, dann mache ich schnell einen Tee für euch alle«, sagte Frau Suzuki und ging Richtung Küche.

Es ist Taro, der die Stille unterbrach und sagte, »Lass uns das Problem angehen«, während er die Treppe zum ersten Stock hinaufstieg.

Kaito betrat das Zimmer. »Was denkt Mio jetzt von mir, das war echt peinlich.«

»Entschuldige Kaito, meine Mutter ist sehr offen, sie übertreibt es ein bisschen«, erklärte Taro.

Kaito will das Thema vergessen. Schon als er den Raum betrat, sah er den Grund, warum Taro ihn, einen Fremden, eingeladen hatte. Er schaute in Richtung eines kleinen runden Teppichs an Fußende des Bettes und dachte, »Je schneller es geht, desto schneller bin ich wieder weg.«

»Dort auf dem Teppich liegt ein kleiner Geisterhund mit einem Stummelschwanz, er hat ein schwarzes Fell. Aber um die Augen ist es weiß, sagt dir das was?«

Ein leiser Aufschrei von Rechts, erschrocken wendete er sich Mio zu, die sich die Hand vor den Mund hielt.

»Mimi«, sagte sie und sackte zusammen. Kaito wollte ihr helfen, doch sie stieß ihn zurück.

»Ist schon gut«, sagte sie.

»Was sollte das denn jetzt«, fragte sich Kaito, »ist sie sauer, wegen eben?«

Kaito schaute zu Mio, die immer noch mit einer Hand auf dem Mund und der anderen, sich auf dem Flur abstützend, auf dem Boden saß. Dann fiel ihm ein, dass Taro noch im Raum war und er drehte sich zu ihm um. Aber der hat sich seitdem nicht bewegt. Kaito, etwas amüsiert über die Zeitlupensituation, wollte gerade etwas Dummes sagen, fing sich aber noch, als ihm die Situation mit Frau Suzuki wieder einfiel. Er verzichtete darauf und schaute sich lieber weiter das Standbild an und schwieg.

Nach einer Weile schaute Taro zu Mio und legte seine Hand auf ihren Kopf.

»Was ist los mit euch, ihr solltet euch mal so im Spiegel sehen«, dachte Kaito.

Taro durchbrach das Schweigen. »Was glaubst du, warum er das gemacht hat?«, fragte er in Richtung Kaito.

»Ein einfacher Geist reflektiert die ehemalig intensivsten Wünsche seines Lebens. Wahrscheinlich hat er gemerkt, dass du das Haus verlassen willst und wollte dich aufhalten. Du warst wahrscheinlich seine wichtigste Bezugsperson?«

»Lass ihn uns sichtbar machen«, sagte Mio. »Nein«, entgegnete Kaito sofort, was soll das bringen. Mio sah ihn an und fing an zu weinen.

»Hey, hey, hey, was zum Teufel soll das?«, dachte Kaito.

»Nein, Kaito hat recht und nahm Mio in den Arm, niemand sollte sich in Gottes Arbeit einmischen.«

Kaito schaute zu Mio und Taro, die sich umarmten, »Was macht Dawn wohl gerade?«, dachte er.

Taro umarmte Mio weiter, während er Kaito die Geschichte eines Hundes erzählte, der als ausgesetzter Welpe vor den Augen von Mio und Taro angefahren wurde. Seine Eltern hatten ihm erlaubt, ihn aufzunehmen und großzuziehen. Fünf Jahre lebte er bei ihm, dann starb er viel zu früh, vermutlich an einem Giftköder.

»Was würdest du tun, Kaito?«, fragte Taro ihn.

»Ihn hochschicken«, sagte Kaito und erntete einen richtig bösen Blick von Mio.

»Du kannst ihn doch mitnehmen, oder ist er irgendwie gefährlich Kaito?«

Kaito war genervt von dem kleinen, schwarzen, rattengroßen Geisterhund.

»Ist er hier gestorben?«

»Ja, in diesem Zimmer. Es ging ihm schlecht, er wollte nicht fressen, ich habe ihm hier in seinem Körbchen zugedeckt, am nächsten Morgen war er leider von uns gegangen.«

Er schaute sich um, kein Echo mehr. War auch unwahrscheinlich bei so einem kleinen Kläffer.

»Er ist harmlos. So wie es aussieht, ist Taro sein Herr, wenn er ihn nicht mitnimmt, könnte er verbittern und Ärger machen. Wenn du ihn mitnimmst, musst du mit seinen Späßen leben, oder du beendest es.«

»Wie lange würde das so weitergehen?«

»Für den Geist ein paar Jahre oder Jahrzehnte. Irgendwann könnte er von selbst gehen oder sich in einen Ayakashi verwandeln. Dann würde er dir bis in alle Ewigkeit folgen, wenn er nicht gefressen oder nach oben geschickt wird. Wenn du irgendwann nicht mehr für ihn da wärst, könnte er aus Kummer und Hass im Laufe der Zeit zu einem Yokai werden. Aber wir reden hier von einigen hundert Jahren. Niemand weiß das genau. Das ist nur Theorie«, sagte er zu Taro, der dankbar nickte.

Mios Hände berührten wieder ihren Mund und ihre Augen wurde größer.

»Das bedeutet, dass alle Pakt-Geister oder Pakt-Ayakashi, wenn ihr Meister stirbt, verbittern und zu Yokais werden«, sagte Mio.

»Nein, wenn der Pakt vorher beendet wird, kann der Ayakashi normal weiterleben, mit normalen Geistern kann man aber keinen Pakt schließen, dieser hier scheint mir direkt an Taro gebunden zu sein, das ist ein Problem. Aber wir alle sollten noch genug Zeit haben, oder?«

»Vielen Dank für alles und entschuldige, dass ich dich in diese Lage gebracht habe. Wenn ich ihn mitnehme, wie soll ich vorgehen?«, fragte Taro.

»Gib ihm ein- oder zweimal in der Woche zur gleichen Zeit eine kleine Opfergabe und sprich dann fünf Minuten mit ihm über das, was du vorhast, vielleicht hilft das. Mache das auch, obwohl du ihn nicht sehen kannst. Mehr kann ich dir nicht sagen.«

Taros Mutter klopfte und öffnete die Tür, sie hatte ein Tablett mit drei Tassen dabei und wünschte allen einen schönen Abend, während sie die Tassen herumreichte.

»Verdammt, jetzt muss ich auch noch austrinken, bevor ich gehen kann«, dachte Kaito und bedankte sich.

Sie fragte noch, ob jemand etwas essen wolle. Taro verneinte und Frau Suzuki verabschiedete sich zum Einkaufen und verließ den Raum.

Mio und Taro schauten zu Kaito, der gerade nicht wusste, was noch kommen wird oder ob er gehen kann.

Mio sagte, »Sollen wir gehen, Kaito?«

Kaito wäre am liebsten schon längst daheim bei Dawn, wusste aber nicht, wie er das vorher hätte machen sollen und ergriff die Gelegenheit, »Ja, ich glaube, es ist Zeit, Dawn wartet.«

»Ich komme mit«, sagte Mio.

»Besser nicht, ich gehe direkt nach Hause, warum erklärst du Herrn Suzuki nicht, was er noch weiter beachten sollte?«

Mio merkte, dass sie jetzt besser nicht widersprechen sollte und sagte, »Klar, wir bringen dich noch runter.«

Was für ein beschissener Tag, dachte Kaito, als er nach Hause ankam. Wie konnte das nur mit Frau Suzuki passieren, zum Glück war sie beim Einkaufen, als er das Haus verließ, was hatte ihn nur geritten. »Was bilde ich mir ein, ich weiß es genau!«, fraß er in sich rein.

Miau, miau, miau sagte Dawn, während sie Kaito an verschiedenen Stellen stupste, aber keine Antwort bekam und es immer öfters wiederholte. Kaito ergriff die Gelegenheit der Überraschung und zog Dawn zu sich heran, drückte ihren Kopf an sich und umfasste ihre Katzenohren.

»So süß, ich liebe deine Ohren Dawn!«

»MIAU, du weißt schon, dass du das nur mit Erlaubnis darfst«, miaute Dawn ein wenig genervt, »die sind sehr empfindlich.«

Kaito schaute Dawn an und sagte, »Okay, dann halt deinen Schweif und streckte seine Hand aus.«

Dawn sprang aus dem Sitzen senkrecht hoch, dann aus dem Bett und rannte zum Badezimmer, drehte sich noch einmal um, fauchte und schloss die Badezimmertür.

»Wie lange willst du da noch drinbleiben, Dawn, sonst gehe ich ins Büro?«, fragte Kaito amüsiert.

Dawn kam wieder heraus und sagte, »Ich schau, ob Mio schon da ist, sie respektiert mich wenigstens.«

Kaito machte sich fertig und ging ins Büro. Mio war tatsächlich schon da und Dawn beschwerte sich bei Mio über Kaito, aber Mio verstand das Miauen falsch und dachte, sie solle nach Kaito sehen und erschrak, als er plötzlich hereinkam. Kaito musste lachen und Mio dachte sich, »wenn er lacht, sieht er gar nicht so unheimlich aus.« Nachdem Mio Tee gekocht hatte, die Mails gecheckt hatte und Kaito sich eine Notiz über den gestrigen Fall gemacht hatte, sagte Mio, »Taro lässt dir noch einmal seinen Dank ausrichten. Er und ich möchten uns auch für gestern entschuldigen.«

»Warum entschuldigt sie sich«, dachte Kaito, »ich habe Mist gebaut.«

»Naja, ich habe wohl auch Fehler gemacht, lass es uns einfach vergessen«, sagte Kaito und war froh, dass Mio zustimmend nickte und sich wieder Dawn zuwendete.

Er wusste, dass Mios Beziehung zu Taro ihn nichts anging, aber es interessierte ihn, und er wusste, dass er besser nicht fragen sollte, aber er fragte trotzdem, »Bist du mit Taro zusammen?«

Mio hielt kurz inne. »Verdammt«, dachte Kaito, »das war nicht gut, wir sind doch nur Kollegen.«

Aber Mio, lachte nur und sagte dann »Nein, aber vor knapp zwei Jahren hätte das passieren können.«

»Okay, Taro wollte es wohl nicht, hoffentlich habe ich mit meiner Neugier keine alten Wunden aufgerissen.«

»Aber er ist wie ein großer Bruder für mich«, sagte Mio.

»Und schon wieder daneben«, dachte er und verstand, dass Mio ihn abserviert hatte.

»Was ist mit dir und Dawn?«, fragte Mio mit einem leichten Grinsen im Gesicht zurück.

Dawn sprang auf und fauchte erst Mio an, dann Kaito und dann beide zusammen an und verschwand in die Küche.

»Ah ha«, sagte Mio laut, »ihr seid also zusammen!« und lachte wieder, während Kaito dachte, »Ja, Dawn und ich haben mehr als nur einen Pakt!«

Die Türglocke klingelte und Mio schaute auf. Ein junger Mann kam herein. Mio stand auf und wollte den neuen Kunden begrüßen.

»Du schaust immer noch so grimmig, Sensei.«

»Nenn mich nicht Sensei und kommst du nicht eine Woche zu früh?«

»Ja, aber es passt jetzt besser und ich wollte Dawn wiedersehen«, sagte er und fing Dawn auf, die aus der Küche auf ihn zulief und zu ihm hochsprang.

»Ich habe auch etwas Leckeres für dich, meine Göttin. Du bist sicher vernachlässigt worden, gibt er dir nichts zu fressen?«, sagte er, als Dawn sich an ihn schmiegte und ihn ableckte.

Kaito wurde sauer, »die Retourkutsche für eben, du räudiges Katzenweib«, dachte er und sagte

»Hey Dawn, reicht's oder bist du nun ein Köter?«

»Darf ich vorstellen, das ist Yuma Shibata, er ist Student an der hiesigen Universität und Spezialist für IT-Sicherheit, er überprüft ab und zu unsere IT auf Schwachstellen. Und das ist Mio Yamamoto, eine Klassenkameradin aus der Parallelklasse, sie kümmert sich hauptsächlich um den administrativen Kram im Büro.«

»Was für ein geiler Typ«, dachte Mio und grüßte.

Yuma grüßte freundlich zurück und dachte, »Du Stinkstiefel stellst jemanden ein und dann auch noch so ein heißes Geschoss, das hätte ich nicht erwartet, wie hast du das denn hinbekommen?«

»Ist unser Netzwerk so unsicher, dass wir es schützen müssen?«, fragte Mio.

»Im Gegenteil, genau deswegen sind die Daten sicher und das soll auch so bleiben, ich kann mir gut vorstellen, dass es einige gibt, die gerne wissen würden, was Sensei weiß«, sagte Yuma.

Mio überlegte, sie hat sich das noch nie gefragt, aber vielleicht war dies der Grund, warum ihr Smartphone nicht im lokalen Netzwerk war, warum sie es bei Kundengesprächen ausschalten musste und warum sie für die Büroarbeit nur das Tablet oder das Notebook auf dem Tisch benutzen durfte? Gab es da draußen wirklich jemanden, der es auf solche Informationen abgesehen hatte? Wäre das nicht auch gefährlich für sie? Kaito hatte das nie erwähnt, obwohl er so ein vorsichtiger, eher paranoider Mensch war. »Seltsam«, dachte sie.

Yuma hielt Dawn immer noch im Arm und Mio wurde gerade wieder bewusst, dass Dawn für Kaito eine menschliche Gestalt hatte. Wie zum Teufel sah das wohl für Kaito aus, was Dawn und Yuma da gerade taten. Aber Kaito blieb ruhig.

»Hey Yuma, ich bin Mio, sag mal, kannst du Geister sehen und was ist mit Dawn?«

Kaito ging auf Yuma zu und nahm Dawn aus seinen Armen, die sich etwas wehrte, aber dann nachgab.

»Ganz schön forsch die Kleine, das gefällt mir«, dachte Yuma und ging zu dem Schreibtisch, an dem Mio saß, sie stand auf und ließ ihn an den Schreibtisch. Er zog das Tablett heran, klappt das Notebook auf und sagte, »Mio-Chan, Geister kann ich nicht sehen, aber warum sollte ich Dawn nicht sehen können?«

Mio lächelt schelmisch und sagte, »Yuma-Chan will wohl formell bleiben und kann die Katze sehen, ich werde das für die weitere Forschung notieren und ablegen.«

»Okay, okay, verstanden, bleiben wir bei Mio«, sagte er, schaute kurz vom Bildschirm zu Dawn und wieder zurück und dachte sich, »was hätte ich sonst sehen sollen?«

Ein leichter Schauer lief ihm über den Rücken, als er Kaito neben sich bemerkte, der ihn böse anstarrte.

Nach zwei Stunden erklärte Yuma seine Arbeit für beendet.

»Das Protokoll bekommst du morgen, keine besonderen Vorkommnisse, nur das Übliche«, sagte er. Kaito legte ein Buch zur Seite und Mio ihr Smartphone, mit dem sie etwa 100 Fotos von Dawn in verschiedenen Posen gemacht hatte.

Yuma packte seine Sachen und wollte gerade gehen, als Mio sagte, »Ich gehe heute früher, es ist nicht viel los und alles ist erledigt, ist das okay für dich, Kaito?«

»Geh ruhig, heute ist nichts los, bist du morgen da?«, fragte Kaito.

»Wie immer«, sagte Mio, nahm ihre Sachen und ging Yuma hinterher.

»Wenn er im Moment keine feste Freundin hat, dann hat er wahrscheinlich gleich die Nummer 945«, dachte Kaito und hörte vom Sofa aus Dawns Stimme, »die beiden würden gut zusammenpassen, nicht wahr, Miau?«

»Redest du wieder mit mir?« Mehr sagte er besser nicht, während er beobachtete, wie Dawn sich in ihrer üblichen Pose auf dem Sofa räkelte.

Kapitel 7 - SEHEN ODER NICHT SEHEN

»Die Bücher im Büro lesen sich wie die Gedanken von Verrückten, wie kann dieses Gebrabbel wahr sein?«, dachte Mio und schlug das nächste Buch zu. Mio erinnerte sich wieder an Yuma, er war wirklich Student und anscheinend einer der Besten in seinem Semester. Und er sah so gut aus, verdammt zu gut für einen Single. Das nahm sie ihm nicht ab.

Mio hatte Kaito ausgefragt und sie wusste daher, dass er Yuma über seinen Vater her kannte. Sein Vater hatte viele Kontakte, überall hin, angeblich sogar bis zum Bürgermeister. Yuma hatte Kaito einmal besucht und wollte für seinen Vater eine spirituelle Reinigung seines Anwesens organisieren, was ihm wohl so eindrucksvoll und erfolgreich gelungen war, dass Yuma und Kaito in Kontakt blieben und sich nun gegenseitig halfen beziehungsweise beauftragten.

Ob Yuma sich wohl wie versprochen bei ihr melden würde, dachte Mio und schaute zu Kaito und Dawn, die zusammen auf dem Sofa ein Brettspiel spielen.

»Ich hoffe, dass ihr beide glücklich werdet«, sagte sie sich und dachte wieder an Yuma.

Sie schaute wieder zum Sofa und sagte überrascht, »Hey, seit wann kann Dawn Brettspiele spielen?«

Es klopfte und ein älterer Mann im schwarzen Anzug trat herein.

Kaito stand vom Sofa auf und dachte, »Super, ein Anwalt, der bringt Geld.«

Mio brachte Kaffee und setzte sich an den Tisch, Kaito stellte sich neben Mio an den Tisch und dachte noch »irgendwie sind hier die Rollen hier vertauscht«, als Mio Kaito und sich vorstellte. Der Mann bat um Diskretion und Kaito schob ihm einen Vertrag zu, den er nach mehrmaligem Lesen leicht zitternd unterschrieb.

Okay, das war kein Anwalt, dachte Kaito, nachdem er den nervösen Mann beim Lesen beobachtete.

Er stellt sich als Kenji Harada vor, er sei ein Vertrauter der ehrenwerten Hausherrin Frau Shimizu.

»Es ist so«, begann er.

»Jedes Jahr gibt Frau Shimizu einen Empfang für Freunde und Verwandte des Hauses Shimizu, so auch dieses Jahr. Dieses Jahr stellt sie dazu noch den Gästen ihre Enkelin vor, die nun 21 Jahre alt wird vor«, sagte Herr Harada und begann zu zittern, nahm die Tasse vom Tisch, wollte einen Schluck trinken, verschüttete sie aber vor lauter Zittern, erschrak und ließ die Tasse fallen.

Mio sprang auf, Herr Kimura entschuldigte sich und war den Tränen nahe.

Mio stützte ihn und half ihm wieder auf den Stuhl. Sie kniete sich direkt vor ihn auf den Boden, nahm seine Hände in ihre und fragte mit ehrlich verständnisvoller Stimme, »Herr Kimura, erzählen Sie uns einfach, was passiert ist, wir helfen Ihnen.«

Herr Kimura sah sie an und sagte mit gebrochener Stimme, »Ihre Enkelin, Hana Shimizu, ist vor langer Zeit mit ihrer ganzen Familie bei einem Unfall ums Leben gekommen.«

Kaito sagte nüchtern, »Dann ist das wohl eher was für das Betrugsdezernat.«

Mio sah ihn an, als wolle sie ihn umbringen.

»Sie sieht dem Fräulein zum Verwechseln ähnlich, ihr Verhalten, ihr Wissen aus ihrer Kindheit, alles an ihr scheint echt zu sein«, fährt Herr Harada fort.

»Sind Sie sicher, dass sie unter den Toten war?«, fragte Kaito weiter.

»Ich war auf der Beerdigung, ich stand an ihrem Grab!«, schluchzte er und schaute Kaito an.

Mio redete beschwichtigend auf Herrn Harada ein und Kaito dachte, »das wird interessant.«

»Hat Frau Shimizu sie beauftragt, sich das anzusehen?«, fragte Mio.

Herr Harada schaute verlegen und mit zitternder Stimme auf den Boden und sagte dann, »Nein, ich möchte, dass Sie sich Hana Shimizu ansehen.«

Mio schaute zu Kaito, ihr Gesichtsausdruck sagte, »Wir denken beide das Gleiche, ein großer Interessenkonflikt.« Herr Harada hatte ohne Zustimmung, wahrscheinlich sogar gegen den Willen, der Hausherrin Frau Shimizu gehandelt.

»Das ist ein Problem«, sagte Mio.

Herr Harada schaute weiter zu Boden und sagte, »Ich könnte mir nie verzeihen, wenn Frau Shimizu in Gefahr wäre.«

»Interessant, wie kommen wir an Hana Shimizu ran?«, fragte Kaito.

Mio schaute Kaito verächtlich an, »was war noch mal die oberste Direktive dieser Firma«, ließ sie ihn damit wissen.

Kaito winkte ab. Herr Harada schaute von Kaito zu Mio und wieder zu Kaito.

»Ich würde Sie zu dem Empfang einladen. Hana Shimizu wird dort sein und ist nicht zu übersehen«, sagte er, während der Mann für alle sichtbar wieder Hoffnung schöpfte.

Kaito erklärte Herrn Harada, dass Dawn, seine Katze, anwesend sein müsse, um zuerst zu prüfen, ob ein ‚böser Geist‘ sein Unwesen treibe und nur wenn das der Fall sei, würde er in Aktion treten, aber nicht ohne Absprache.

Für Mio sah es so aus, als würde der Mann gar nicht verstehen, was Kaito sagte, er nickte eifrig und war wahrscheinlich einfach nur froh, dass er Hilfe gefunden hatte.

Ein paar Tage später war es soweit, Herr Harada hatte Einladungen und Anweisungen weitergegeben, einen Chauffeur bestellt und informiert, wer sie wann und wohin bringen würde.

Das Ganze hatte etwas von einer großen Verschwörung, an der das gesamte Hauspersonal beteiligt war, um Frau Shimizu vor Gefahren zu schützen.

Mio war von Herrn Harada mit einem sehr engen und sehr edel aussehenden Abendkleid ausgestattet worden und Kaito hatte Herrn Harada sofort als alten Lüstling identifiziert.

Er hingegen hatte wohl einen Anzug aus der Kategorie ‚Second Hand, Klasse B' bekommen, zumindest sah er so aus.

Mio hatte Dawn auf dem Arm, weil das einfach unauffälliger war. Beide stiegen aus der Limousine und gingen wie vereinbart zum Haupteingang. Dort wurden sie von Herrn Harada abgefangen und einer älteren Hausdame übergeben, die sie in einen Raum führte, der direkt an den Bankettsaal angrenzte. Wenn Hana Shimizu auftauchte, würde die Hausdame sie unbemerkt in den Bankettsaal führen. Da zu diesem Zeitpunkt alle auf Frau Shimizu achten würden, hätten sie genügend Zeit, sie zu beobachten. Falls das nicht reichen sollte, gab es noch Plan B.

Also warteten sie. Mio sah sich um und war überwältigt, allein dieser Raum war so groß wie Kaitos gesamtes Büro mit allen Zimmern zusammen und bestimmt 10x so teuer eingerichtet ..., nein, sie lachte innerlich, eher 1000x so teuer eingerichtet.

Kaito hatte Dawn inzwischen auf den Arm genommen und dann ging es plötzlich Schlag auf Schlag. Stimmen, dann Klatschen und ein Toast wurde mehrfach ausgerufen. Die Hausdame öffnete eine Seitentür und gab das vereinbarte Zeichen. Kaito und Mio traten von hinten in den großen Bankettsaal ein.

Mios Augen glänzten vor Aufregung, als sie diese Pracht sah, aber Kaito hatte nur Augen für die junge Frau, die gerade Arm in Arm mit einer älteren, sehr eleganten Dame die große Treppe herunterkam. »Die Verwandtschaft ist nicht zu übersehen«, dachte Kaito und auch, dass diese Frau viel zu schön, viel zu perfekt war, als dass da ein Mensch vor ihm die Treppe herunterkam. Aber er konnte nichts erkennen. Kaito wusste genau, dass er die Auren von Lebewesen nicht sehen konnte. Er konnte nur spirituelle Energien sehen, die nicht an ein Lebewesen gebunden waren, egal wie mächtig seine spirituellen Kräfte waren, Auren waren sein großer Schwachpunkt.

Er wusste, dass im Gegensatz zu nichtmenschlichen Wesen nur sehr wenige Menschen Auren wirklich erkennen und einschätzen konnten. Aber dafür hatte er Dawn, sie war eine Meisterin im Erkennen und Wahrnehmen von Auren. Eine göttliche Gabe.

»Dawn, was meinst du?«, sagte Kaito abwartend und sah zu Dawn hinunter.

»Dawn zögert?«, dachte Kaito, »das gibt es doch nicht.« Das ist doch sicher kein Mensch, der da vor uns steht, oder? »Dawn, ist das ein Mensch?«, fragte Kaito noch einmal, aber Dawn zögerte immer noch und sagte, »Ich muss näher ran.«

»Plan B«, dachte Kaito. Zuerst dachte er, jemand vom Orden wollte ihn in eine Falle locken, aber jetzt war er sich sicher, dass auf spiritueller Ebene etwas nicht stimmte und sie gingen zurück in den Nebenraum.

Dieser neue ‚Plan B‘ sah vor, bis zum Ende des Banketts zu warten und dann an Hana Shimizu vorbeizulaufen, wenn sie den Bankettsaal verließ.

Mio vergnügte sich in der Zwischenzeit auf dem Bankett, behielt alles im Auge und würde kurz vor Ende nachkommen oder informierte Kaito, wenn etwas Außergewöhnliches passieren sollte. »So hübsch, wie sie in ihrem Abendkleid aussieht, wird sie wohl kaum auffallen«, dachte Kaito sarkastisch, rezitierte Teile des Märchens Aschenputtel und zog sich für die Wartezeit in einen kleinen Nebenraum drei Zimmer weiter zurück.

»Was war los, Dawn?«, fragte er.

Dawn schwieg. »Hey Dawn, redest du nicht mehr mit mir?«

»Eine ganz schwache Aura, wie von einem Menschen, aber auch wieder nicht. Ich weiß auch nicht, lass uns einfach abwarten, bis ich näher rankomme.«

»So eine Antwort habe ich noch nie von Dawn gehört, was ist hier los?«, dachte er.

Plötzlich Stimmen, Geschrei, ein Schmerzensschrei vor der Tür. Dawn drehte sich zur Tür, die im selben Moment aufgerissen wurde. Herr Harada wurde ziemlich unsanft in den Raum gestoßen, eher geworfen und fiel auf alle Viere vor sie.

»Du alter Drecksack, du hast dieses Monster in das Haus deiner Herrin gebracht, oder?«, kam es von der Tür mit der Stimme einer wütenden jungen Frau, die sich zu Kaito umdrehte und die Tür hinter sich schloss.

Reflexartig sprangen Kaito und Dawn zurück. Vor ihnen stand Hana Shimizu und schaute Dawn und Kaito mit tödlichem Blick an.

»Ein Dämonenkaiser in Menschengestalt paktiert also mit einem Halbgott. Du kleines verräterisches Katzenvieh, dafür sollte ich dich zu deinem Gott schicken.«

Sie warf Dawn einen drohenden Blick zu und macht einen Schritt auf sie zu.

Der Schock, entdeckt worden zu sein, saß Kaito noch in den Gliedern, aber er hatte sich ebenso schnell wieder gefangen. Zu oft schon hat er eine solche Situation durchgespielt. Wie verinnerlicht, fast wie ein natürlicher Reflex, fasste er sich mit der linken Hand an das Amulett um seinen Hals und zog mit der rechten ein Bannsiegel auf Papier aus der Tasche, klatschte beide Hände vor sich zusammen und machte gleichzeitig einen großen Schritt zur Seite, blockte damit Dawn vor Frau Shimizu und hauchte laut aus »DESTRUCTION«, während er das blutgetränkte Siegel in seiner Hand in Richtung Hana Shimizu hielt. Hana Shimizu stoppte schlagartig ihre Offensive auf Dawn und wich blitzschnell zurück. Erst jetzt hört er Dawn schreien, »Halt, Stopp, aufhören, Kaito, halt!«

»Sie hat uns angegriffen Dawn«, sagte Kaito und schaute für eine Zehntelsekunde zu Dawn. Diese Zeit reichte Hana Shimizu, um etwas in ihrer Hand erscheinen zu lassen und es auf sie zu richten. Jetzt war Kaito alles egal, niemand auf dieser Welt war wichtiger als Dawn. Die Kugel, aus seiner Tasche, die er nun auf Frau Shimizu warf, war ganz mit seinem Blut bedeckt und voll mit positiver Energie aufgeladen, kein dunkles Wesen überlebt so etwas unbeschadet, das wusste er, dabei schaute er Frau Shimizu an und sagte laut »HOLY LANCE.« Die kleine, unscheinbare Kugel glitt mit hoher Geschwindigkeit durch den Raum auf Shimizu Hana zu und wieder hört er Dawn schreien, »Halt, stopp, sie ist eine Göttin.«

Shimizu Hana grinste, macht eine Handbewegung und schlug die ankommende Kugel auf den Boden, wo sie unspektakulär zerplatzte. Hana Shimizu richtete sich auf, schaute Kaito und Dawn böse an, während sich gleichzeitig der Raum um Frau Shimizu seltsam krümmte und ihren Körper verzerrte. Innerhalb eines Wimpernschlags stand nun ein Fuchsmensch in Frauengestalt vor Kaito, deutlich größer als Dawn, mit längeren Ohren und vor allem neun Schweifen. Jeder Otaktu wäre wahrscheinlich hin und weg, dachte Kaito, als ihm klar wurde, warum diese Hana Shimizu zu perfekt aussah, zu perfekt für einen Menschen. »Perfektion, die pervertierte Arroganz der Götter«, wusste er.

Herr Harada hatte es in dieser Zeit gerade geschafft, auf seine beiden Beine zu kommen, als sich vor ihm Hana Shimizu in einen Fuchsgott verwandelte. Mit einem Schrei kippte er schneller nach hinten, als seine Beine reagieren konnten und stürzte rücklings auf den Boden.

Er wollte weiter schreien, aber es kam nur noch ein Krächzen aus seiner Kehle.

Hana Shimizu sah ihn verächtlich an, drehte sich zu Kaito um und sagte, »Bist du ein Mensch, du widerliches Individuum?«

Kaito holte ein weiteres Siegel aus seiner Tasche, doch jetzt hört er Dawn noch lauter schreien, »Hör auf, sofort aufhören, sie will uns nicht schaden.«

In diesem Moment öffnete sich die Tür erneut und Frau Shimizu, die Hausherrin, betrat den Raum und schrie herein, »WAS SOLL DAS HIER!«

Kaito, Hana und Dawn blieben stehen, nur Herr Harada zeigte mit dem Finger auf die Göttin und stammelt etwas Unverständliches.

»Wer sind Sie und was wollen Sie hier?«, fragte Frau Shimizu in Richtung Kaito.

Kaito erkannte sofort, dass Frau Shimizu, die nun direkt neben der Göttin stand, diese sah und schloss daraus, dass sie es irgendwie geschafft hatte, einen Pakt mit einer so mächtigen Fuchsgöttin zu schließen. Beneidenswert, dachte er, als er sich mit den Worten verbeugte, »Ihre Hausangestellten, die Sie verehren, waren sehr um Ihr Wohlergehen besorgt und wollten Sie beschützen. Ich sehe dies nun als unbegründet an und entschuldige mich für das Eindringen in ihre Sphäre. Alles Gute. Ich empfehle mich.« Was für eine abgedroschene und lächerliche Phrase, dachte Kaito, aber ihm fiel auf die Schnelle nichts Besseres ein und jetzt raus hier, sagte er sich und zog Dawn zur Tür.

Frau Shimizu war sprachlos und damit beschäftigt, sich einen Überblick über die Situation zu verschaffen, doch dann sagte sie, »Herr Harada hat Sie wahrscheinlich angeheuert, nicht wahr?« und blickte zu dem verängstigt auf dem Boden kauernden Angestellten.

Kaito verdrehte die Augen, so schnell würde er hier wohl nicht rauskommen, dachte er, drehte sich um und ging auf Herrn Harada zu.

»Wenn plötzlich jemand ein Haus betritt, der eigentlich gar nicht existiert«, er vermied das Wort ‚Tod', um nicht noch mehr zu provozieren, »dann ist die Reaktion des Personals vorprogrammiert, zumindest wenn es loyal ist. Herr Harada wäre lieber für Sie gestorben, als Sie in Gefahr zu bringen und Sie haben nicht einmal Ihren treuesten Vasallen eingeweiht!«, sagte er, während er dem immer noch verängstigt wirkenden Herrn Harada auf die Beine half und dann wieder Richtung Tür ging.

Frau Shimizu sah Kaito an und sagte, »Was für ein Monster sind Sie, junger Mann?«

»Anscheinend das einzige Wesen mit Verstand!« und wollte die Tür öffnen.

»Nicht so schnell«, sagte die Göttin, grinste, macht einen Schritt auf Kaito zu, schaute ihm in die Augen und zeigte mit dem Finger auf ihn. Abgelenkt von ihrem spöttischen Fuchsblick sah Kaito zu spät, dass sie die andere Hand in Dawns Richtung ausstreckte und sie am Arm berührte. Kaito sprang auf Dawn zu, die Göttin wich grinsend zurück und sagte lachend »Gleiches Recht für alle«, während Dawn einen Schrei ausstieß. Kaito war wieder im Kampfmodus. Er schaut kurz zu Dawn, wendet sich sofort wieder der Göttin zu, die weiter grinsend zurückwich. Aber was war das, was hat er gerade gesehen? War das real oder Einbildung und er schaute wieder zu Dawn. Dawn schrie ihn an, »sieh mich nicht an.« Dawn stand in ihrer Menschengestalt nackt vor ihm, scheinbar für alle im Raum sichtbar, ihre Katzengestalt war aufgehoben, nur ohne Kleider.

Die Göttin lachte, ging auf Frau Shimizu zu und verwandelte sich innerhalb eines Liedschlags wieder in Hana, reichte ihrer Großmutter die Hand, schaute sie an und sagte, »Lass uns wieder zum Fest gehen, Großmutter.«

Frau Shimizu schaute Hana an, »Hana-chan, du bist heute aber ungezogen«, sagte sie und nahm lächelnd ihre Hand. Dawn kniete nackt auf dem Boden und jeder konnte in ihrem Gesicht ‚Töten' lesen. Kaito zog sein Jackett aus und legte es Dawn um. Er hielt sich mit Kommentaren zurück, auch wenn er die Situation sehr süß fand und dachte »wie niedlich Dawn gerade in diesem Moment ist.«

Kurz bevor Frau Shimizu die Tür schloss, schaute sie zu Herrn Harada, der zu Boden blickte und nicht wusste, was er tun sollte.

»Herr Harada, geben Sie der Frau etwas zum Anziehen und dann schmeißen Sie die beiden raus.«

»Sehr wohl, Frau Shimizu«, antwortete er.

Kaito kniete sich zu Dawn, beide warteten auf Herrn Harada und Kaito versuchte Dawns Gesicht zu ihm zu drehen, aber sie schaute weg und zischte, »Lass das.« Er wollte sie in die Arme nehmen, aber auch hier das gleiche.

Wann kommt dieser Butler endlich, dachte er, als die Tür aufging und Herr Harada hereinkam, gefolgt von Mio, die sofort auf Dawn zustürmte und Kaito anraunzte, »lass Dawn los!«

Wie immer klang es so, als wäre er der Schuldige, dachte Kaito.

»Herr Harada, Kaito raus aus dem Zimmer«, befahl Mio. Kaito stand auf und verließ wütend mit Herrn Harada das Zimmer und schloss die Tür.

Herr Harada, immer noch geknickt, öffnete den Mund und wollte etwas in Richtung Kaito sagen, doch dieser war nicht in der Stimmung, unterbrach ihn und sagte, »Das Wesen ist eine Fuchsgöttin höchsten Ranges, ihre Herrin hat mit ihr wissentlich einen Pakt geschlossen. Die Göttin wird ihrer Herrin nichts antun und verschwindet, wenn die Zeit gekommen ist. Erlauben Sie einfach ihrer Herrin, den Rest ihrer irdischen Zeit mit ihrer Enkelin zu verbringen und bewahren Sie das Geheimnis zu ihrem Schutz.« Währenddessen blickte Kaito zur Tür, sah nur aus dem Augenwinkel eine Verbeugung und dachte, »Oh Mann, nur raus hier.«

Die Tür ging auf und Mio kam mit Dawn herein und sagte, »Tada! Kniet nieder vor Göttin Dawn.« Herr Harada war gerade dabei niederzuknien, als Kaito sagte, »Hey, alter Mann, bring uns hier raus, sofort.«

Herr Harada schaute zwischen Mio und Dawn hin und her, entschied sich dann aber, Kaitos Wunsch zu erfüllen und führte alle drei zu einem Nebenausgang.

Der Wagen fuhr vor und alle drei stiegen ein. Kaito sah zu Herrn Harada, der leicht zusammenzuckte, aber Kaito nickte nur und dachte, »Was für eine Blamage heute.«

Im Büro angekommen, wollte Mio natürlich erst nach Hause gehen, wenn sie die ganze Geschichte gehört hatte und zwar dreimal und langsam, damit sie sie verinnerlichen konnte. Immer wieder zog Mio Dawn zu sich und tanzte mit ihr oder ging mit ihr ins Bad vor den Spiegel. Kaito dachte nur, »Dawns Kleider sind wahrscheinlich zwei Nummern zu klein und deine Sachen Mio passen auch woanders besser hin.« Unglücklicherweise realisierte Mio auf einmal schlagartig, dass Selfies jetzt mit Dawns menschlicher Gestalt funktionierten und es dauerte noch eine weitere Stunde, bis der Speicher ihres Smartphones gefüllt war und Mio sich wieder beruhigte.

»Warum habt ihr nicht gleich erkannt, dass es sich um ein göttliches Wesen handelt?«, fragte Mio.

»Es scheint schwierig zu sein, einen neunschwänzigen Fuchs zu enttarnen. Vielleicht hat er seine Aura mit negativer Energie ausgeglichen, so dass Dawn keinen Unterschied zu einem Menschen erkennen konnte, ich weiß auch nicht alles. Füchse sind hinterhältig und gerissen, aber vor allem sind sie mächtig.«

»Wenn ein Gott das kann, dann könnten Tausende von ihnen da draußen herumlaufen.«

»Hmm«, dachte Kaito, »Mio hat Recht, das könnte wirklich sein, daran hatte er noch nie gedacht«, stellte aber klar, dass es nur eine Theorie von ihm war.

Aber was meinte die Füchsin mit »Dämonenkaiser.« Wieder eine neue Wortschöpfung für ihn. Oder wollte der Fuchs ihn nur ärgern? Andererseits, was, wenn es einen tieferen Sinn dahinter gab. Von Dawn wusste er, dass seine Aura riesig, nein gigantisch war. Kein Wunder bei der Menge an spiritueller Energie, die er nutzen konnte, was unter anderem der Grund für den Pakt mit Dawn war. Aber sein Amulett sollte das eigentlich verbergen oder funktionierte das nur bei Dämonen? Wieder etwas, was er nicht wusste. Wenn es so war, war es klar warum die Götter sich so verhielten, sie waren selbst eingeschüchtert von dem was sie sahen. Aber seine Energie war menschlich und nicht wie die der Götter und Yokai, entweder positiv oder negativ. Das mussten sie doch sehen können, oder vielleicht nicht. »Lass es, es bringt nichts, Füchse sind hinterhältig«, dachte Kaito.

»Ich hätte so gerne die Füchsin gesehen, warum habt ihr mich nicht gerufen?«

Kaito etwas verärgert, »Ähm, wo warst du denn die ganze Zeit, du hättest uns gern warnen können, dass wir aufgeflogen sind, du warst wohl mit schnattern beschäftigt?«

»Hey, ich sollte mich melden, wenn die Party vorbei ist und...«, platzte es aus Mio wütend heraus.

Kaito unterbrach sie. »Und da hast du wohl gedacht, dass du alle anquatschst!«

Mio weiter verärgert, »nein, das hab ich nicht nötig gehabt, die sind alle von selbst gekommen.«

»Du bist für eine Observation einfach nicht geeignet, weil...«, Kaito brach ab.

»Sprich es laut aus, weil ..., weil ..., ich zu hübsch bin, wolltest du sagen, gib es zu.«

»Kann schon sein, so und jetzt ab mit dir nach Hause Mio«, sagte Kaito leicht verlegen.

Mio grinste, »klar, aber ich nehme Dawn mit.«

»Raus«, Kaito zählte runter drei, zwei ...

»Dawn bis morgen und halt Dir den Perversen vom Leib«, rief Mio zu Dawn und knallte die Tür zu.

Dawn kam aus dem Bad und sah Kaito verlegen an.

»Wie lange wird das anhalten?«, fragte sie Kaito ängstlich.

»Von mir aus für immer«, dachte er und erklärte, dass er von zwei bis vier Wochen ausgeht.

Dawn stand auf und ging zurück ins Bad. Kaito schaute ihr nach und dachte, »Ist mein Kätzchen heute nicht niedlich?« Er musste lachen, als er sich vorstellte, wie Dawn und Mio in ihren heutigen Klamotten zusammen draußen herumliefen und einige ältere Herren bei diesem Anblick vorzeitig abdankten.

»Er sollte sich bei dem Fuchsweib bedanken und Dawn sollte ihr auch dankbar sein«, war sein letzter Gedanke, bevor er einschlief.

Am nächsten Morgen erwachte Kaito neben Dawn. »Alles ist wieder beim Alten. Dawn hat sich beruhigt«, stellte er zufrieden fest, »aber der Effekt ist noch nicht aufgehoben. Zum Glück!«

Dawn miaute im Halbschlaf und Kaito machte sich gerade einen Kaffee, als es an der Tür klingelte.

Kaito blickte auf die Kaffeetasse in seiner Hand, verzog das Gesicht und dachte, »Das kann doch nur ... Dann feuere ich sie« und öffnete die Wohnungstür. Natürlich war es Mio. »Was?«, fragte Kaito ärgerlich, eigentlich wollte er sie beleidigen, aber er verkniff es sich, warum wusste er nicht.

»Wo ist Dawn?«, fragte Mio, während sie sich Zugang zur Wohnung verschaffte. »Du weißt schon, dass du in der

Wohnung eines Jungen bist, der nur einen Schlafanzug anhat«, sagte er zu Mio, der das egal zu sein schien.

»Ich will Dawn abholen, sie braucht was zum Anziehen, wir gehen einkaufen und lass etwas Geld für Dawn rüberwachsen.«

»Dawn geht nirgendwo ohne mich hin«, sagte Kaito reflexartig, doch schnell wurde ihm klar, dass Mio recht hatte. Dawn hatte nichts anzuziehen, alles fehlte. Er wusste nicht einmal, ob sie in dieser Form essen musste. Von Pflegeprodukten oder gar speziellen Frauenutensilien ganz zu schweigen. Er blickte Mio direkt an und dachte, »Ziemlich lässig angezogen heute«, dann sagte er, »Ich begleite euch.«

»In den Unterwäscheladen?«, fragte Mio schelmisch.

»Übertreib es nicht Mio«, warnte er in einem kalten Ton. Mio wusste, dass sie gewonnen hatte und beließ es dabei. »Super, dann zieht euch an, wir gehen erst mal in der Stadt frühstücken.«

Schon der Weg zum Café wurde für Mio, aber vor allem für Dawn, zum Spießrutenlauf. Von allen Seiten wurden sie beäugt oder gar angestarrt. Nicht nur von den Männern, vor allem die Frauen waren in ihrer Eifersucht auf Dawn kaum zu bremsen. Sie sah aus wie ein Topmodel, eine Mischung aus asiatischer und europäischer Schönheit, mit dunkelgoldenem, glänzendem Haar. So etwas fiel hier auf wie ein bunter Hund.

»Sie brauchte dringend einen Ausweis oder zumindest ein Aufenthaltsdokument, auch wenn sie wohl kaum jemand kontrollieren wird«, dachte er.

Zur Not könne er ja den Impfpass seines Kätzchens vorzeigen, lachte Kaito in sich hinein. Gleichzeitig schickte er eine Nachricht an Herrn Tanaka, »wozu habe ich die Polizei in der Fam…, bei dem Wort wurde ihm schlecht, aber er brachte es zu Ende, ‚Familie'.«

Im Café angekommen, wurde die Aufmerksamkeit auf die beiden Schönheiten gelenkt und Kaito hoffte nur, dass niemand aus der Schule hier morgens frühstückte.

Zum Glück hatte man ihnen einen etwas abgelegenen Tisch in einer Ecke zugewiesen, aber aus irgendeinem Grund bediente sie jetzt ein Kellner und nicht wie noch vor einer Minute eine Kellnerin. »Ich kann es verstehen«, dachte Kaito amüsiert.

»Was wäre passiert, wenn dein Siegel die Füchsin berührt hätte?«, fragte Mio in die Runde.

Dawn senkte den Kopf, das Thema schien ihr aus irgendeinem Grund unangenehm zu sein.

»Ein normaler Dämon wäre sowohl vom Siegel als auch von der Bannkugel ausgelöscht worden, oder er wäre geflohen, wenn er noch die Möglichkeit dazu gehabt hätte. Ich hatte auch negative Energie in das Siegel eingebracht. Das hatte die Füchsin wohl gemerkt und ließ uns deshalb in Ruhe. Die negative Energie war aber nicht so stark, dass sie ernsthaft verletzt worden wäre, dazu war sie viel zu stark. Aber das wusste sie wohl nicht. Die Kugel bestand nur aus positiver Energie, weshalb sie sie einfach weggeschlagen hat, als ob nichts gewesen wäre. Ob diese Bannkugel dann ihre Rückverwandlung auslöste oder ob sie uns nur ihre Macht zeigen wollte, weiß ich leider auch nicht. Auf jeden Fall wäre diese Information den ganzen Ärger wert gewesen. Meine Befürchtung bei dieser Mission war, dass wir es mit einem Geist in Verbindung mit einem Dämon zu tun bekommen würden. An einen Gott hatte ich gar nicht gedacht. Götter greifen Menschen normalerweise nicht an, aber sie paktieren auch nicht mit Menschen, zumindest nicht mit normalen Menschen.

Die Fuchsgöttin hatte wahrscheinlich gemerkt, dass wir ihr nicht schaden wollten, aber wir sind in ihr Territorium eingedrungen und aus Ärger und Arroganz demonstrierte sie uns ihre Macht, nehme ich an.

Dawn miaute. Kaito und Mio lachen.

Kaito sah eine Weile zu, wie Dawn und Mio miteinander redeten und dass die beiden sich offenbar sehr gut verstanden, als es hinter ihnen etwas lauter wurde. Er drehte sich um und dachte, »wenn die Polizei nur so schnell wäre, wenn man sie mal braucht.«

Ein sehr freundlicher, aber groß und kräftig wirkender Mann betrat das Café und ging unbeeindruckt an den Kellnern vorbei direkt auf Kaito zu.

»Miau«, sagte Dawn und winkte. Herr Tanaka war verdutzt, winkte aber freundlich zurück und sagte zu Kaito, »Rück rüber und mach Platz!«

»Jawohl, Herr General«, sagte Kaito, rückte ein wenig zur Seite und sagte, »Darf ich vorstellen, Herr Tanaka.« Herr Tanaka gab Kaito einen leichten Klaps auf den Kopf und sagt in die Runde »Ich bin sein Vater, er lernt es nie, schön euch kennen zu lernen.«

Auch Herr Tanaka bemerkte die Aufregung, die die beiden Grazien vor ihm hier im Café auslösten und wartete geduldig, bis sich die Neugier der Leute gelegt hatte, bevor er sich die unglaubliche Geschichte von Kaito anhörte.

»Du bist ein schlechter Lügner, Kaito. Ich merke es immer sofort, wenn du lügst«, erklärte er leise lachend, dann wurde er plötzlich sehr ernst und sagte, »Aber hier lügst du wohl nicht, oder du glaubst an das, was du erzählst« und schaute Dawn an, die leicht erschrak. Er lächelt dann und sagte mit freundlicher Stimme, »Das ist also Kaitos Freundin, das freut mich sehr und ich dachte er wäre schwul« und lachte in die Runde.

Mio kann sich kaum zusammenreißen, schaute schnell weg und versucht an etwas anderes zu denken, »Fang bloß nicht an zu lachen«, dachte sie, schaffte es aber nicht komplett zu unterdrücken.

Kaito war stinksauer und wollte schon aufstehen und gehen, als Herr Tanaka zu Dawn sagte »du hast übrigens die gleichen schönen, tiefen, smaragdgrünen Augen wie eine Katze, die ich kenne und von der mir der Enkel eines guten Freundes immer erzählt, dass sie ihn vor einem Monster gerettet hat.«

Dawn lächelte verlegen und bedankt sich für das Kompliment. Mio schaute zu Kaito und meinte mit einem spöttischen Grinsen, »Kaito-chan sollte vielleicht öfter mit seinem Vater reden, das könnte einen positiven Einfluss auf ihn haben.«

Jetzt, wo er Dawn ansah, sah auch er, diese perfekten smaragdgrünen Augen, er hatte sie schon so oft bei Dawn gesehen, dass es ihm gar nicht aufgefallen war. Aber jetzt, wo er sie wieder ansah, bemerkte er, dass sie irgendwie noch beeindruckender waren als vorher.

»Ja, sie sind wunderschön«, sagte er in Gedanken in ihre Richtung, ohne es zu merken. Dawn wendete sich verlegen ab und Mio begann laut zu lachen.

Herr Tanaka lachte auch und sagt dann zu Mio, »Sie sind also die neue Kollegin Frau Yamamoto, die mit meinem griesgrämigen Sohn tatsächlich auskommt. Bitte kümmern Sie sich um ihn und erklären Sie ihm die Menschenwelt, damit er dort nicht untergeht. Wenn er Dawn wieder ärgert oder nichts versteht, informieren sie mich einfach, das ist meine Telefonnummer. Für so was bin ich immer erreichbar.« Kaito schaute ihm verärgert zu, wie er wieder die gleiche billige Visitenkarte über den Tisch zu Mio schob.

Herr Tanaka schlug dann vor, dass Mio und Dawn jetzt einkaufen gehen sollten und ihn sofort anrufen sollten, falls etwas passierte. In der Zwischenzeit würde er mit Kaito über Dokumente für Dawn sprechen.«

Mio und Dawn bedanken sich und verließen das Café.

»Weißt du, dass ich den Bürgermeister gut kenne?«, fragte Herr Tanaka.

»Ich kann gar nicht mehr zählen, wie oft du mir das schon erzählt hast«, dachte Kaito und nickte.

»Der Bürgermeister will die Yakuza ausräuchern und schart Gleichgesinnte um sich. Einer finnischen Austauschschülerin eine Aufenthaltsgenehmigung zu erteilen, dürfte kein Problem sein, aber er erwartet dafür auch etwas«, sagte Herr Tanaka.

Kaito verdrehte die Augen und dachte, wie dumm es doch ist, einer illegalen eine Aufenthaltserlaubnis zu geben, wenn man sich gleichzeitig für den Kampf gegen die Yakuza einsetzt. Er würde sich angreifbar machen und alles gefährden, was er erreichen wollte.

»Dawn kann kein Wort Finnisch, wie kommst du überhaupt auf Finnland?«

»Unser Bürgermeister Herr Takahashi hat tatsächlich Beziehungen dorthin und 99% unserer Mitbürger können die Sprache nicht, also ist es risikolos.«

»Dawn kann nicht einmal Englisch, geschweige denn ein Wort Finnisch«, sagte Kaito und dachte, »so schlimm ist das nicht, viele wissen wahrscheinlich nicht einmal, wo Finnland liegt.«

»Die Arbeit ruft und ich kümmere mich darum. In zwei Tagen kommt eine Dawn aus Finnland, die aufgrund besonderer Umstände kein Wort Englisch spricht, dafür aber hervorragend Japanisch und du denkst dir schon mal was aus, wie du dich bei Herrn Takahashi bedanken kannst«, sagte Herr Tanaka, stand auf und ging zur Kasse um zu bezahlen.

Kaito rief Mio an und ging ihnen entgegen. Als er sie mit allen möglichen Taschen stehen sah, blieb er stehen und überlegte abzuhauen, verdrehte die Augen und dachte, jetzt bin ich auch noch ein Dukatenscheißender Packesel.

Kaito schaute auf die über zehn Tragetaschen vor ihm und dachte, schlimmer kann es nicht mehr werden. Es wurde schlimmer, die Anzahl der Blicke, die Mio und Dawn zugeworfen wurde, war proportional zur Anzahl der Schüler und Studenten im Zug und die waren um diese Zeit wohl auf ihrem Maximum. Kaito erinnerte sich wieder an die Situation, als er Frau Kato zugerufen hatte, dass sie noch zehn Sekunden durchhalten müsse, was in ihrer Situation eine Ewigkeit war. Aber sie hatte durchgehalten, sie hatte das beschützt, was ihr am wichtigsten war.

»Also halt durch Kaito«, dachte er, »du bist doch nicht schlechter als so eine Zicke« und lachte.

Zu Hause angekommen war natürlich kein Platz mehr für Dawns Kleider und Utensilien, aber Mio räumte gnadenlos auf und drohte, sie würde Herrn Tanaka anrufen, also ließ er die beiden allein und ging ins Büro. Gegen Abend ließ Mio ihn wieder in seine Wohnung und überraschte ihn mit einem Abendessen. Mio und Dawn lachten zusammen, Kaito überlegte gerade, was er noch essen könnte, als Mio aus dem Augenwinkel bemerkte, dass es aus Dawns Richtung heller wurde. Sie schaute zu Dawn und sah Kleider auf dem Boden liegen und eine Katze miauen.

Mio erschrak, sprang zu Dawn, nahm sie in die Arme und schrie Kaito an, »tu etwas.«

Kaito stand auf, ging zu Mio und nahm ihr Dawn aus den Armen. Widerwillig ließ Mio ihn gewähren.

»Ich hätte gedacht, dass die Wirkung länger anhält«, sagte er und erinnerte sich daran, wie Dawn vor weniger als zwei Tagen noch verängstigt darüber war ab sofort immer in Menschengestalt herum laufen zu müssen.

»Da kann ich nichts machen, diese Macht haben nur die Götter.«

»Dann geh zu der Schlampenfüchsin, tritt ihr in den Arsch und mach ihr klar, dass sie Dawn diese Kraft geben soll«, sagte Mio.

Dawn miaute ablehnend.

»Warten wir mal ab, es kann gut sein, dass der Effekt morgen früh wieder aktiv ist, denn er hängt bestimmt von der spirituellen Energie des Benutzers ab«, erklärte Kaito, streichelte Dawn über den Kopf und gab ihr einen Kuss.

Mio kratzte sich am Kopf und sagte, »Hey, Kaito schon wieder lüstern?«

Wie Kaito sagte, war es so. Am nächsten Morgen war Dawn wieder ein Mensch, aber die Zeit, bis Dawn für alle außer Kaito wieder eine Katze wurde, verkürzte sich von Tag zu Tag. Es war also klar, dass der Effekt weiter und schneller abnehmen und der ursprüngliche Zustand bald wieder erreicht sein würde.

Mio erpresste Kaito mit seinem Vater so lange, bis er zustimmte, dass sie und Dawn die Zeit so lange wie möglich ausnutzen durften. Eine Woche später kam Mio mit Dawn auf einem Arm und ihren Kleidern auf dem anderen ins Büro und sagte, »So, jetzt bist du dran, tu etwas.«

Kapitel 8 - DAS AUTO IM FLUSS

Ein paar Tage später zeigte Mio Kaito einen Brief von Herrn Kato.

»Schaue mal, Herr Kato, ähm«, sie räuspert sich, »Hiroshi-senpai«, hat uns Fotos vom Bau des Einkaufszentrums geschickt und uns zur Eröffnung eingeladen.«

Kaito nahm die Fotos, auf denen der schnelle Baufortschritt deutlich zu erkennen war. Vor allem das kreisrunde Waldstück, das erhalten blieb, war gut zu sehen, wie es in das riesige Gebäude integriert wurde.

»Alle Achtung, das geht schneller als gedacht, hoffentlich wird das kein Flop, dort am Arsch der Welt«, sagte Kaito und dachte, »Der Alte und der fette arrogante Gott, passen gut zusammen.«

Plötzlich klingelte es an der Bürotür und Mio sah zum Eingang. Ein schmaler, unscheinbarer Mann trat ein und sah zu Kaito hinüber, der immer noch mit Dawn auf dem Sofa lag.

Noch bevor Mio ihn begrüßen konnte, sagte er lachend, »Die Schöne und das Biest«

»Trollst du dich wieder hierher, Herr Nakamura?«

»Freundlich wie immer, ich hoffe du erinnerst dich, dass du mich um einen Gefallen gebeten hast? Und du musst Mio sein«, sagte er, ging auf sie zu und begrüßte Mio. Mio erwiderte »es freut mich, sie persönlich kennenzulernen, Herr Nakamura.«

»Wenigstens Höflichkeit solltest du dir von deiner Kollegin abschauen, wenn du schon so eine galante und bezaubernde Schönheit einstellst.«

Kaito verdrehte die Augen, sah Mio an, die leicht errötete und sagte dann zu Herrn Nakamura, »Hast du, was ich wollte?«

»So unverschämt wie immer, kein Wunder, dass du und er nicht klarkommen.«

Mio hörte zu, das interessierte sie sehr, der Orden war ein Thema, über das Kaito schwieg wie ein Grab. Nur zu Herrn Nakamura hielt er Kontakt.

Herr Nakamura ging auf Mio zu und sagte, »Das ist der Grund, warum ich gekommen bin« und hielt einen Zettel hoch, den er vor Mio auf den Tisch legte und langsam zu ihr hinüber schob.

Was stand da wohl drauf, dass Herr Nakamura persönlich vorbeikam und vor allem, dass Kaito sich herabließ, mit dem Orden zu verhandeln, dachte sie.

»Das wird teuer für dich kleines äh großes Monster.«

»Wie teuer?«

»Du begleitest seinen Sohn auf eine Mission.«

»Du meinst das kleine Arschloch?«

»Genau.«

»Alles klar.«

»Frau Yamamoto, ist er krank oder haben Sie ihn unter Drogen gesetzt, so einfach war das noch nie?«, grinst er in Richtung Mio und ließ den Zettel los.

Mio wusste im ersten Moment nicht, wie sie sich verhalten sollte und lachte verlegen. Zu gerne wüsste sie, was auf dem Zettel stand.

Kaito richtet sich auf, wollte aufstehen, setzte sich aber wieder hin.

»Mio, was steht da drauf?«

Mio sah Kaito an, das ließ sie sich kein zweites Mal sagen, griff nach dem Zettel und lass ihn vor. »Myojin Inari Schrein, Sakura-Dori, Kazehara.«

Mios Augen wurden groß, ihr war sofort klar, dass es der Schrein eines Fuchses war und wofür er einen mächtigen Fuchsgott brauchte. Sie wollte es schon herausschreien, aber sie konnte sich zusammenreißen.

Herr Nakamura fragte direkt und ohne Umschweife, »Was willst du von dem Fuchs, du willst doch keine Dummheiten machen, oder?«

»Nein, ich will ihn nur etwas fragen, die Tür ist hinter dir«, sagte Kaito.

»Frau Yamamoto, ich habe schon viel von Ihnen gehört, ich könnte mir vorstellen, dass Sie sich gerne den Orden ansehen würden. Wie sieht es aus?«

Mio schaute Kaito an.

»Es ist deine Sache was du machst, nur eins, Geschäftsangelegenheiten sind streng vertraulich, aber ich würde mir gut überlegen ob ich mit solchen Leuten mitgehen würde«, sagte Kaito.

»Das sagt der, der seine Klassenkameradin zu einem zwielichtigen alten Mann mitnimmt.«

Kaito schaute Herrn Nakamura an, »Wer hat mir den Auftrag gegeben? Raus hier.«

Herr Nakamura ging zur Tür, drehte sich zu Mio um und sagte »kommen sie vorbei wann immer sie wollen, im Gegensatz zu dem Monster da drüben beißen wir nicht und wenn sie mal einen neuen Job suchen, rufen sie mich einfach an, jemanden der Herrn Kato um den Finger wickelt findet man nicht so oft. Ach ja und nach den Möbeln und der spärlichen Kleidung seines armen Katzenmädchens zu urteilen, kann der Verdienst auch nicht so berauschend sein, ich würde ihnen deutlich mehr zahlen«, lachte er und blinzelte in Richtung Mio an.

Kaito stand auf und ging zur Tür, sagte »Danke« und schloss sie.

»Du willst Dawn helfen, sich zu materialisieren! Richtig! Oder?«, fragte Mio Kaito aufgeregt.

»Ich will die Bedingungen wissen, die dafür nötig sind, willst du dabei sein?«, fragte er mit einem Unterton.

Mio mochte diesen Unterton nicht, sagte aber sofort »Natürlich, ohne mich fährst du nicht.«

»Dann ruf doch mal Yuma an und mach einen Termin für drei bis fünf Tage aus, in denen er uns als Taxi dient, wir brauchen ein Auto vor Ort.«

Jetzt verstand sie den Unterton und fragte, »Warum drei bis fünf Tage, reicht es nicht, den Fuchs zu fragen und wieder nach Hause zu fahren?«

»Mio, glaubst du wirklich, dass du einen Fuchsgott einfach so etwas fragen kannst, ohne eine große Gegenleistung zur Verfügung zu stellen?«

»Warum sollte ich Yuma anrufen?«

»Tu nicht so, oder glaubst du ich bin blind«, sagte Kaito und grinste Mio an.

Mio war etwas verärgert, fing sich aber schnell wieder und suchte in ihrem Handy nach Yumas Nummer.

»Ich gehe einkaufen, Dawn willst du mitkommen?«, Dawn miaute laut und blieb liegen.

»Sie ist wahrscheinlich sauer, dass ich das über ihren Kopf hinweg entscheide, aber für ihre Zukunft ist es besser so«, dachte er.

»Wenn Yuma einwilligt, dann buche die Hotelzimmer, aber achte auf den Preis, Frau Chefsekretärin«, sagte Kaito und verließ den Raum. Wie sauer sie auch sein mochte, er wusste genau, dass Mio alles für Dawn tun würde, sie war einfach viel zu nett.

Drei Tage später war es soweit, Yuma saß am Steuer, Mio als Beifahrer, Kaito und Dawn dösten auf der Rückbank. »Danke für die spontane Zusage, Yuma«, sagte Mio.

»Kein Problem, gut, dass gerade Semesterferien sind. Aber sag mal Mio, ich weiß das Kaito ein Geizhals ist, hätten zwei Hotelzimmer nicht gereicht?«

Mio schaute Yuma etwas irritiert und dann verärgert an.

»Ich meine natürlich du und Dawn und Kaito und ich« und grinste in die aufgehende Sonne.

»Männer!«, dachte Mio und fing an, Yuma zu erklären, worum es genau ging, wobei Mio aus Rache noch ein paar Dämonen einstreute, die dann auch bei Yuma Wirkung zeigten und ihn etwas nachdenklicher werden ließen, ob es richtig war, sich auf diesen Trip einzulassen. Nach dem ersten Stopp korrigierte Mio das auf Kaitos Befehl hin, woraufhin Yuma wieder den Ton angab und Mio sofort bereute, ihm die Wahrheit gesagt zu haben.

Kaito streichelte Dawn und dachte nur, »hoffentlich geht das nicht den ganzen Weg so weiter«.

Als sie am Schrein ankamen, gab es eine Absperrung und verschiedene Leute, vermutlich aus der Gegend, demonstrierten.

Mio schaute fragend zu Kaito, der antwortete, »Der Schrein soll abgerissen werden. Das war ein Teil des Auftrags an Herrn Nakamura, eine solche Situation zu finden, die wir nutzen können, um den Gott dort überhaupt zu treffen und eine mögliche Option für Verhandlungen zu haben. Aber jetzt müssen wir erst einmal da rein.«

Der Plan stand, Yuma blieb im Auto mit Sichtkontakt zum Schrein, Mio gab sich als angehende Journalistin einer Schülerzeitung aus und befragte die Leute vor dem Schrein. Dies diente der Informationsbeschaffung und der Ablenkung. Dawn und Kaito gingen um den Schrein herum, um zu sehen, ob es einen anderen Eingang als den Haupteingang gab.

Es gab keinen, aber das war auch nicht schlimm, denn Mio zog so viel Aufmerksamkeit auf sich, dass die beiden ohne Probleme langsam und winkend durch den Haupteingang hätten gehen können.

Drinnen sah Kaito sofort den Fuchs und der Fuchs sah, dass Kaito ihn sah und kam auf ihn zu.

»Monster, was machst du hier und warum bringst du eine Katze in den Schrein eines Fuchses?«, fragte er mit tiefer Stimme und kam noch näher.

Kaito ließ sich von der leicht aggressiven Art des Fuchses nicht beeindrucken. Er war auf einen möglichen Kampf gut vorbereitet, das hatte er aus seiner letzten Begegnung mit der Füchsin gelernt.

Kaito verbeugte sich tief vor dem Fuchs und sagte, »Verehrter Myojin, ich habe einen Wunsch, darf ich ihn vortragen?« und stellte eine Opferschale mit Reiskugeln vor ihn hin.

Der Fuchs schaute auf die Opfergabe und wendete sich an Kaito, »Monster wie dich sollte es in dieser Welt nicht geben. Sprich deinen Wunsch aus«, sagte er, verschlang die Opfergabe und erstrahlte daraufhin in goldenem Licht.

»Diese Menge an spiritueller Energie bekommt er durch Gläubige in maximal einem Jahr zusammen und so wie es derzeit um seinen Schrein steht, sind es eher zwei Jahre«, dachte Kaito und wartete noch ein wenig, bis der Fuchs von dem Doping wieder runter war.

Dann zog er Dawn, die sich im Schrein des Fuchses sichtlich unwohl fühlte, zu sich und sagte, »Ich möchte, dass Dawn die Fähigkeit bekommt, sich auf ihren Wunsch hin als Mensch zu materialisieren, wie schafft sie das?«

Der Fuchs schaute ihn an, kam näher und entfernte sich wieder.

»Ist er jetzt betrunken«, dachte Kaito, als er den Fuchs im Schrein herumlaufen sah, »war das zu viel Energie, die ich ihm gegeben habe?«, lachte er in sich rein.

Er schaute Kaito an und sagte, »Ist das alles, was du wissen willst, warum kommst du damit zu mir?«

»Verdammt«, dachte Kaito, »das klang wie Anfängerwissen, Grundlagen, wenn das so ist, warum steht das in keinem Buch, hätte er erst den Orden fragen sollen?«

»Nein, das kann er nicht machen«, dachte er und merkte, dass er jetzt da durch musste.

Er improvisierte, »für dich vielleicht, also was willst du dafür?«

»Töte den Mann, der den Schrein abreißen will.«

Das war einfach, dachte er und sagte, »Menschen zu töten ist eines Gottes unwürdig und in der Menschenwelt ein Verbrechen. So kann ich dir nicht dienen.«

Der Fuchs umkreiste ihn und Dawn mehrmals.

»Jeder, der Heiligtümer niederreißt, ist nicht würdig zu existieren, das Böse muss immer ausgelöscht werden.«

»Was für ein Geschwätz«, dachte Kaito. »Das mag in eurer Welt gelten, aber nicht in der Welt der Menschen«, sagte Kaito und dachte gleichzeitig daran, einen Dämon oder Shy auf den Mann zu hetzen. Aber das würde einem bestimmten Polizisten wahrscheinlich gar nicht gefallen, wenn es herauskäme.

»Wie wäre es, wenn ich den Mann dazu bringe, den Schrein stehen zu lassen?«, sagte er und erinnerte sich an Herrn Kato, der in einer ähnlichen Situation schließlich einem Erhalt eines Schreins beziehungsweise ein paar Bäumen zustimmte.

»Das und einmal im Jahr eine deiner Gaben wäre angemessen.«

Kaito ärgerte sich, «schon wieder diese göttliche Arroganz.«

»Einmal zusätzlich, mehr nicht.«

»Einverstanden und jetzt verschwinde und nimm deine Hauskatze mit«, sagte der Fuchs und legte sich auf den

Altar zurück, ohne Kaito auch nur eines weiteren Blickes zu würdigen.

Kaito war froh, dass es so einfach war und verließ mit Dawn den Schrein. Mio wartete schon sehnsüchtig auf ihre Erlösung. Inzwischen hatte sie viele Informationen über den Mann gesammelt, der den Schrein gekauft hatte, um ihn abzureißen, aber als ihr die Themen ausgingen, fingen die Demonstranten an, ihr ihre Lebensgeschichten zu erzählen, die sehr oft nicht jugendfrei waren und Mio war zum Schluss nur noch genervt von der Traube von Männern, die sich um sie versammelt hatte.

Mio verabschiedete sich dann trotzdem freundlich von allen und lief zum Auto, in dem Yuma schlief, der dann unsanft von Mio geweckt wurde mit den Worten, »Hast du eigentlich irgendwann mal ein bisschen auf mich aufgepasst!«

Während sie Richtung Hotel fuhren, erklärte Kaito den Deal, den er mit dem Fuchs ausgehandelt hatte und Mio berichtete stolz von den Ergebnissen ihrer Nachforschungen.

Der Mann, der den Schrein gekauft hatte, hieß Katsuya Maeda, war ein kleinerer aber bekannter Bauunternehmer hier aus der Gegend und wollte an der Stelle des Schreins ein ‚blödes Parkhaus' bauen. Dagegen hat sich ein Anwohnerverein gegründet, denn hier brauchte niemand ein Parkhaus so weit außerhalb der Stadt.

»Der Verein ist der Meinung und jetzt kommt's, dass Herr Maeda diesen Schrein nur abreißen will, weil seine Tochter vor zehn Jahren mit dem Auto von der Straße abgekommen und im Fluss ertrunken ist. Herr Maeda hat die Füchse, die hier im Tal herumspringen, dafür verantwortlich gemacht und die Leute glauben, dass er sich damit an den Füchsen hier im Tal rächen will«, sagte Mio.

Ziemlich dämlich von dem Kerl, aber besser konnte es nicht laufen, dachte Kaito. Dass Herr Maeda auch noch die Welt der Götter und Yokai akzeptierte, müsste auch zu gebrauchen sein. Im Prinzip müsste er sich bei dem Trottel und seiner Tochter bedanken, dachte Kaito.

»Sonst noch was?«

»Ha! Ha!«, sagte Mio auftrumpfend.

»Raus mit der Sprache«, was ist es?

»Der Sarg, den sie begraben haben, war leer, die Leiche der Frau wurde nie gefunden, nur das Auto im Fluss wurde gefunden und das war leer. Was für eine Schande für einen Yakuza, sagten sie alle.«

»Weißt du, wo der Unfall passiert sein soll?«

»Ja, an der Stelle ist eine Gedenktafel, Frau Maeda war hier sehr bekannt.«

»Yuma, fahr mich direkt zur Gedenktafel und setz mich dort ab.«

»Du willst die Geister und Ayakashi befragen, bitte lass mich mitkommen.«

»Nein, du fährst mit Yuma zum Hotel zurück.«

»Warum, ist es gefährlich?«

»Nein, ich muss in Ruhe nachdenken und das kann ich nicht, wenn du um mich herumspringst.«

Jetzt war Mio richtig wütend und schaute beleidigt aus dem Fenster.

»Wenn Herr Maeda wirklich noch bei der Yakuza ist, solltet ihr euch dort sowieso nicht blicken lassen und euch im Hintergrund halten.«

»Yuma, pass auf, dass Mio keinen Mist baut«, sagte Kaito, als er mit Dawn nach einer Stunde Fahrt ausstieg.

»Pah! Nach allem, was ich für dich organisiert habe«, sagte Mio und schaute sauer in eine andere Richtung.

Yuma führ los und Dawn sagte, »Manchmal bist du echt ein Arsch.«

Kaito ignorierte Dawn, ging zur Gedenktafel und murmelt »Wahrheiten sind schwer zu ertragen.«

Dort angekommen, schaute er sich um. Sie waren in einer Senke. Die Straße stieg in beide Richtungen steil an und genau in der Senke gab es eine Kurve, keine fünf Meter vom Fluss entfernt, wo Frau Maeda von der Straße abkam und ihr Auto in den Fluss stürzte. Alles plausibel. Es war gut möglich, dass sie genau in der Senke etwas ausgewichen war oder den Straßenverlauf übersehen hatte, weil sie abgelenkt war. Dagegen sprach, dass sie die Strecke kannte. Dass so etwas an einem nassen Winterabend passiert, ist aber auch für Ortsansässige nichts Ungewöhnliches, wenn sie abgelenkt waren. Erst recht, wenn etwas über die Straße lief. Aber irgendwas machte ihn stutzig.

Dawn riss ihn mit einem »Miau« aus seinen Gedanken und Dawn sagte, »Hier ist noch niemand gestorben.«

Genau, das war das Problem, auch er hatte diese Vermutung und ein Indiz dafür war deutlich zu erkennen beziehungsweise es war etwas nicht da, wo es hätte sein sollen. Es gab kein Echo an dieser Stelle, solche Echos vom Tod eines jungen Menschen brauchten länger, bis sie verlöschen, bei so einer jungen Frau könnte dies auch mehr als zehn Jahre sein, schätzte er. Ab und zu entstand dabei ein Geist, der sich im Bereich des Echos aufhielt, bis es verglühte.

Dunkle Energie war genug vorhanden, aber halt kein Echo. Noch merkwürdiger war die Tatsache, dass hier auch kein Yokai oder Geist herumschwirrte.

Nichts, absolut nichts, kein Yokai, kein Geist waren hier. Wenn die Frau aus dem Auto geschleudert wurde und später in den Fluten gestorben wäre, hätte man schon ein Echo erwartet und wenn nicht hier, dann hätte man es irgendwo auf der Fahrt von der Mündung flussaufwärts sehen müssen. Er hatte nicht erwartet, ihren Geist zu finden, aber vielleicht irgendeinen Geist oder wenigstens einen Yokai oder besser noch einen Ayakashi, mit dem man verhandeln hätte könnte. Dieser Ort war voller dunkler Energie. Aber hier waren keine Geister, keine Ayakashi, keine Yokai weit und breit nichts zu sehen.«

»Dawn, kannst du eine Präsenz spüren. Irgendeine?«

»Nein«, sagte Dawn und sah sich um, roch und hörte im leichten Wind. Aber auch bei ihr nichts, gar nichts.

»Ungewöhnlich für so einen Ort, oder, Dawn?«, fragte Kaito.

»In diesem Fluss ist schon lange kein Mensch mehr gestorben«, bestätigte er sich selbst. Jeder, der hier entlang fährt, kennt diese gefährliche Stelle, Fremde kommen selten hierher und die Straße ist eigentlich gut gesichert, damals vielleicht nicht ganz so gut, aber garantiert ausreichend.

»Lass uns flussabwärts Richtung Stadt gehen, aus dieser Richtung muss sie gekommen sein.«

Dawn, rannte in der Dunkelheit, den Hang hinauf und rief in den Himmel, »Was für eine schöne, klare, göttliche Nacht.«

Dawn war kaum zu bremsen, sie lief einfach weiter, aber Kaito war genervt vom Auf und Ab der Straße, seine Beine schmerzen nach einem langen Fußmarsch.

Zwei Autos in dieser Zeit und kein einziger Yokai, nichts, das konnte doch nicht wahr sein, dachte Kaito.

Weiter vorne beleuchtete eine einsame Laterne einen kleinen Parkplatz, an dem sie auf dem Weg hierher vorbeikamen. »Warum ist ausgerechnet hier ein Parkplatz«, grübelte Kaito.

Er blickte vom Parkplatz hinunter auf den Fluss, der sich malerisch durch das Gelände schlängelte und verstand, »Parkplatz mit Aussicht«, dachte er. Aber das änderte nichts daran, dass er immer noch keinen Yokai gesehen hatte, den er gerne ausquetschen würde.

»Miau, da vorne!«, sagt Dawn.

Kaito schaute schnell in die Richtung, in die Dawn zeigte. Jetzt konnte er es sehen. Zwei leicht leuchtende Gestalten sprangen zwischen den Bäumen auf der anderen Straßenseite am Berghang hin und her. Warum leuchten Yokais, fragte sich Kaito verwundert. Kaito griff in seine Taschen »alles da«, vergewisserte er sich.

»Los Dawn.« Sie rannten den Lichtgestalten entgegen. Diese entfernen sich mit großer Geschwindigkeit zwischen den Bäumen weiter den Berghang hinauf, als sie Kaito und Dawn bemerken.

»Los Dawn schneide ihnen den Weg ab«, keuchte Kaito und schaute zurück, »nur 20 Meter und schon fertig, nicht gut«, dachte er.

Er kletterte weiter auf allen Vieren den Berg hinauf, Dawn hatte er längst aus den Augen verloren, da hört er Dawns Stimme, die zwei Füchse zum Stehenbleiben aufforderte. Dann ein Lachen und wieder Dawns Schrei, diesmal aber selbst schon viel erschöpfter. Er verschnaufte kurz und stieg dann weiter den Berghang hinauf. »Zwei Füchse also, vermutlich göttliche Wesen, was ihr Leuchten erklären würde. »Das kann ja heiter werden. Diese hinterhältigen Fuchsbiester«, murmelte er und blickte nun mit letzter Kraft auf ein kleines Bergplateau.

Er legt sich auf den Rücken und holt tief Luft. Die Sterne waren deutlich zu sehen. Wenn der Mond verschwand, würde es stockdunkel und er war froh, dass er sein Smartphone noch in der Tasche spürte. »Was wäre die Menschheit heute ohne Smartphones?«, lachte er in den Himmel.

Dawn kam zurück, schnaufte selber, legt sich zu ihm und schaute ebenfalls in die Sterne.

»Die Biester waren zu schnell. Junge Füchse, nicht älter als 120«, sagte sie.

Kaito lachte »Wie jung bist du nochmal, Dawn?« und musste husten.

»Miau, das weißt du doch, ich bin junge 190!«

»So jung noch«, lachte er und fügte amüsiert hinzu, »in tausend Jahren wird unser relativer Altersunterschied nur noch marginal sein«, kam es schnaufend und schnell atmend aus ihm heraus und bedauerte seine lausige Kondition.

»Hast du gesehen, wo die Biester hin sind?«

»Bei Füchsen spielt das keine Rolle«, sagte Dawn.

»Ein Mensch, ein Mensch, der uns sehen kann«, kommen zwei Stimmen von hinter ihren Köpfen.

Dawn sprang aus dem Liegen auf und drehte sich noch in der Luft den Stimmen zu. Kaito könnte nur neidisch zuschauen. Er keuchte noch, während er seinen Körper in Position brachte.

»Der Mensch, der Mensch, er scheint uns zu sehen«, wiederholten die beiden Füchse, die fünf Meter von ihnen entfernt auf einem Baumstamm saßen.

Dawn fauchte sie an und Kaito dachte, sie würden wieder davonlaufen, aber sie lachen Dawn aus. »Das kleine Katzenweibchen hält sich für was Besseres. Katzenweibchen, Katzenweibchen kann nur miauen«, sangen sie im Duett und Dawn war kurz davor auszuflippen.

»Dawn, lass sie, du weißt doch selber, wie Füchse sind«, sagte er und Dawn setzte sich verärgert hin.

»Natürlich haben sie mit uns gespielt. Wie fange ich am besten an?«, überlegte Kaito.

Kaito holte eine Schachtel aus seiner Tasche, die beiden schauten sofort interessiert und schnüffeln in der Luft und Kaito hatte verstanden, wie er die beiden um den Finger wickeln konnte.

Er nahm zwei Kügelchen Reis heraus und legte sie in eine Schüssel vor sie hin.

Sofort kamen die beiden Füchse näher und begutachten die beiden Kugeln vor ihnen.

»Bist du ein Menschengott, Menschengott«, fragten sie im Duett.

»Ein normaler Mensch, greift zu was Besseres werdet ihr nie wieder bekommen«, antwortete Kaito.

Jeder verschlag eine Kugel, schauten dann wieder zu Kaito und sagten, »Menschengott, Menschengott, deine Aura ist nicht von dieser Welt, bist du sicher, dass du hierher gehörst?«

Kaito merkte, dass es eine lange Nacht werden würde und sah zu, wie Dawn sich hinlegte, aber nicht ohne die beiden aus den Augen zu lassen.

»Wollt ihr noch mehr?«

»Ja mehr, ja mehr«, kam es aus ihnen heraus.

»Fuchsdoping oder Fox-Drugging«, lachte er in sich hinein, »kann nur hoffen, dass keine fanatische Tiersekte davon erfährt.«

Kaito erzählte von dem Autounfall vor zehn Jahren in der Senke, bei dem eine Frau gestorben war, aber die beiden Biester hatten dabei nur auf die Schachtel geschaut.

»Was jetzt? Wisst ihr was?«, fragte Kaito.

»Auto, Auto, was ist das?«, sagten beide wieder gleichzeitig und sprangen um ihn herum.

»Das rollende Gefährt, in dem Menschen sitzen, um sich fortzubewegen«, schrie er sie fast schon an.

»Kennen wir, kennen wir, das laute Ding, das Menschen benutzen, weil sie zu langsam sind und ein zu kurzes Leben haben.«

»Genau so ein Auto. Ein solches ist hier vor zehn Wintern in den Fluss gefahren, wisst ihr etwas darüber?«, fragte Kaito und war schon am Verzweifeln.

Das Auto im Fluss, das Auto im Fluss, vor zehn Wintern, vor zehn Wintern. Natürlich haben wir das gesehen. Willst du was wissen?«

Kaito horchte elektrisiert auf, damit hatte er nun nicht gerechnet, oder war das nur der übliche Trick eines Fuchses? Er blieb ruhig und fragte weiter.

»Wart ihr dabei, als es passiert ist?«

»Dabei, dabei das waren wir.«

»Erzählt was passiert ist.«

»Kugeln, Kugeln, das wollen wir.«

Kaito realisierte, dass diese knapp werden könnten und legte noch zwei Kugeln in die Opferschale vor die beiden Füchse.

»Also, was ist passiert?«

»Das Auto ist in den Fluss gefahren.«

Kaito griff sich an den Kopf, Dawn miaute hämisch.

»Musste das Auto ausweichen, weil ein Fuchs vor das Auto gesprungen ist und dann ist das Auto in den Fluss gefahren?«

»Fuchs, Fuchs, viele Füchse hier im Wald, aber keiner dort an diesem Tag.«

»Warum ist das Auto in den Fluss gefahren?«

»Frag das Auto, frag das Auto«, lachen beide.

»So kommen wir nicht weiter«, dachte er und fragte, »Was ist mit dem Menschen im Auto passiert, als es in den Fluss gefahren ist?«

»Menschen, Menschen«, sagten sie und sahen sich an.

»Da war kein Mensch im Auto.«

Dawn richtete sich auf, Kaito zuckte zusammen, jetzt, genau jetzt begann er langsam zu verstehen.

Er hat die falsche Frage gestellt. Die richtige Frage musste lauten,

»Das Auto ist ohne Menschen den Berg runtergerollt und dann direkt in den Fluss gefahren, ist das richtig?«, fragte er in einfachen Worten.

»Der Mensch ist schlau, der Mensch ist schlau! Belohnung, Belohnung.«

Das war der Trigger, den er brauchte, der Schleier lüftete sich. Der Tipp von Herrn Nakamura hatte sich gelohnt.

Leicht zitternd vor Aufregung legte er wieder zwei Kugeln auf die Schale vor sich.

»Was hat die Frau gemacht, die den Wagen den Berg runtergebracht hat?«, fragte er und dachte, »Die Gute wollte ein

Leben ohne Yakuza und hat ihren Tod vorgetäuscht und sich dann ins Ausland abgesetzt.«

»Frau, Frau«, beide sahen sich an, »da war keine Menschenfrau.«

Kaito schaute Dawn an, Dawn schaute zurück, es ist schwieriger als gedacht, aber es wird etwas Großes.

»War es ein Mann?«

»Ein Mann, ein Mann der Mensch ist schlau!«

»Aber bevor das Auto in den Fluss fuhr, saß eine Frau im Auto, wo ist sie ausgestiegen?«

»In den Bergen, in den Bergen, Belohnung, Belohnung.«

Wieder schaute Kaito zu Dawn und fragte dann mit leicht zitternder Stimme die beiden Füchse.

»Lebt die Frau noch in der Menschenwelt?«

»Seit zehn Wintern nicht mehr, seit zehn Wintern nicht mehr«, sagten sie im Duett und er bemerkte seinen Fehler.

Okay, jetzt hatte er verstanden, seine nächsten Fragen waren klar und würden vermutlich leider alle mit Ja beantwortet.

»Könnt ihr mich zu der Frau bringen?«

»Können wir, können wir, Belohnung, Belohnung.«

»Die Frau und der Mann haben sich hier unten in der Bucht an der Straße getroffen?« Er zeigte auf den Parkplatz, von dem aus sie den Berg hinaufstiegen.

»Der Mensch ist schlau, der Mensch ist schlau!«

Die Frau wurde ermordet! Von der Yakuza? Vielleicht sogar von ihrem Vater selbst, was erklären würde, warum sich niemand wunderte, keine Leiche zu finden.

Jetzt heißt es Ruhe bewahren, wenn es so war, fiel alles in sich zusammen.

Auch der Bau des Parkdecks könnte nur eine Ablenkung sein, um Trauer und Hass vorzutäuschen. Sollte er Herrn Tanaka anrufen und den Gefallen für Frau Kato einfordern?

Er legte zwei weitere Kugeln auf die Opferschale und sagte, »Beschreibt mir den Mann, der den Wagen den Berg hinunterrollen ließ und den Mann, der die Frau dort unten traf.«

Es war dieselbe Person. Die Beschreibung zeigte einen Mann um die 50 mit auffallend blonden Haaren, einer Narbe auf der linken Wange und ihm fehlte der linke kleine Finger. Das sollte reichen, jeder, der ihn kannte, sollte ihn erkennen können.

Jedenfalls war es nicht Herr Maeda, was nicht hieß, dass er nicht jemanden dafür angeheuert haben konnte.

Er zog sein Smartphone aus der Tasche und rief Yuma an.

»Bitte komm zum Parkplatz, etwa 4000 Meter vor der Gedenktafel.«

»Ist irgendwas, du klingst so komisch.«

»Der Fall ist gelöst, ich habe die Frau.«

Stille auf der anderen Seite, dann ein Schreien und Klappern, dann Mio in der Leitung, »wir kommen sofort, wir brauchen etwa eine Stunde, ist das in Ordnung?«

»Lasst euch Zeit, sie wird nicht weglaufen! Fahrt vorsichtig, bringt Lampen und etwas zu essen mit«, sagte Kaito und merkte, wie er über den Wert eines Lebens nachdachte.

»Wie wenig ein Mensch wert sein kann«, sagte er leise und legte auf.

»Ich habe noch zwei Reiskügelchen. Ich gebe sie euch und dann noch fünf für jeden, wenn ihr mich zu der Frau bringt, was sagt ihr?« und streichelte ihre Köpfe.

»Frau in Bergen, Frau in Bergen, wir wollen mehr.«

Kaito war weder zum Lächeln noch zum Verhandeln zumute.

»Gut, aber erst morgen.«

»Menschengott, Menschengott, wir vertrauen dir.«

»Dann lass uns vom Berg runtergehen und ihr zwei zeigt uns den Weg zur Frau.«

»Ja Menschengott, ja Menschengott.«

Mio und Yuma waren viel zu schnell da, aber Kaito war zu angespannt, um jetzt eine Predigt zu halten.

Er begrüßte Yuma und Mio, die ihren Ärger vergessen zu haben schienen und fragte die beiden Füchse, »Wollt ihr mitfahren?«

»Mitfahren, mitfahren, das macht Spaß.«

»na immerhin, dann geht es schneller«, dachte er.

Mio und Yuma schauten sich um, sagten aber nichts und verstanden.

Yuma, fuhr los, Mio als Beifahrer und hinten saß Dawn auf Kaitos Schoß und schien es zu genießen, wie er sie streichelte.

»Wo fahren wir hin?«, fragte Yuma.

»Zehn Kilometer flussaufwärts in die Berge und dann links, ich sage Bescheid.«

»Yuma, dein Auto ist ab heute offiziell ein Göttertransporter«, durchbrach er die Stille.

»Was meinst du damit?«

»Na, links und rechts sitzen zwei göttliche Wesen, damit bist du ab heute ein Götterbote.«

Yuma zuckte leicht zusammen und blickte zurück.

»Hey, schau auf die Straße, verdammt, alles in Ordnung.«

»So ein Feigling«, sagte Mio und grinste.

»Oho, noch ist nicht alles vergeben«, dachte Kaito.

Yuma schwiegt und fuhr weiter.

»Ab hier müssen wir laufen, Smartphones raus und Lampen an«, sagte Kaito.

Die beiden Füchse sprangen die ganze Zeit um Kaito herum und versuchten, die Schachtel aus seiner Tasche zu stibitzen. Dawn fauchte sie immer wieder an und hielt sie auf Abstand.

»Das ist echt süß, aber leider kann ich mich gerade nicht daran erfreuen«, dachte Kaito und überlegte sich all die Konsequenzen, die jetzt auf ihn zukommen würden.

»Hier rein, hier rein«, riefen die Füchse.

Kaito rief alle zusammen und sagte, »Yuma, entferne bitte die Bretter vom Eingang.«

»Ich werde nachsehen, ihr wartet hier und wenn ...«, weiter kam er nicht.

»Ich komme mit, keine Widerrede. Ich weiß, ich verlange viel, aber dann hast du was Gut bei mir. Yuma und Dawn halten Wache und wenn was passiert, holt Yuma Hilfe«, sagte Mio knallhart in die Runde.

Kaito widersprach nicht und ging vor, Mio folgte. Die Einsturzgefahr war an mehreren Stellen deutlich zu erkennen, die Mine war nicht umsonst gesichert.

Auch die Füchse tollten durch die Stollen.

»Hey ihr zwei, wenn wir hier draufgehen, gibt es keine Kügelchen mehr, ist das klar, also passt auf, dass ihr nichts berührt«, rief Kaito den beiden zu, wohl wissend, dass es nicht viel nützen würde.

Auch Mio war etwas nervös.

»Einsturz, Einsturz, der Menschengott hat Angst.«

»Verdammt, wenn das eine Fuchsfalle ist«, dachte Kaito und blieb stehen.

»Wie weit noch?«, fragte er.

»Nicht weit, nicht weit«, kam es zurück

Er wollte gerade etwas sagen, als die beiden Füchse stehen blieben und auf die Wand zeigten.

»Frau hier, Frau hier«, sagten sie und wichen zurück.

Kaito sah sich um und beleuchtete die Wand.

Die Bretter dort gehörten nicht zur Stützmauer, sondern verbargen einen Gang oder einen Hohlraum. Das war nicht ungewöhnlich, viele Gänge oder Hohlräume wurden auf diese Weise gesichert, dachte er.

»Okay, Mio, geh zehn Schritte zurück.«

»Kaito warte, bist du sicher?«, rief Mio,

»Klar, das ist keine Stützmauer«, sagte er und dachte, »nichts ist klar, das ist das Dümmste, was ich je in meinem kurzen Leben gemacht habe.«

Er blickte zu Mio hinüber, die, dem Licht nach zu urteilen, etwa 15 Meter zurückgegangen sein musste und zog leicht am ersten Brett.

»Gott sei Dank, es geht leicht ab, ohne Widerstand«, sagte er zu sich selbst.

Mio rief, »Alles in Ordnung Kaito?«

»Ja, komm her, die Bretter sind ab, keine Gefahr, sieht stabil aus.«

Mio ging langsam vor und leuchtete Kaito an, der mit seinem gewohnt unlesbaren, passiven Gesichtsausdruck in den von ihm erleuchteten Gang schaute. Sie stellte sich neben ihn, leuchtete ebenfalls in den Gang, erschrak, wich leicht zurück und umklammert reflexartig Kaito, der unter dem Gewicht fast zusammenbrach, als ihre Beine nachgaben.

»Ein fast perfekter Mord.«

»Nein, nicht nur ein Mord«, sagte Mio und fing an zu weinen.

Kaito verstand, was Mio meinte, die zerrissene Kleidung der Person lag noch deutlich sichtbar neben ihr.

Kaito leuchtete auf die fast vollständig skelettierte Hand, in der etwas blinkte. Ein Amulett. Er trat näher heran und griff danach.

»Was machst du da?«, schrie Mio ihn weinend an und packt ihn an der Jacke.

Kaito hielt inne, schaute weiter auf die Hand und sagte, »Wir brauchen einen Beweis, sonst glaubt uns das keiner. Ich bin vorsichtig!«

Mio ließ los und Kaito nahm das Amulett aus der Hand der Toten.

»Kaito, kannst du bitte hier warten, ich muss etwas holen, bitte, bitte«, sagte Mio.

»Wie lange wird es dauern?«

»Fünf Minuten, nicht länger.«

»Okay, aber mach langsam, das ist okay und berühre nicht die Wände, ich warte.«

Mios Lampe verschwand und Kaito leuchtete auf das Amulett.

»15.10.2007 Meiner geliebten Tochter zum 18. Geburtstag.«

»Perfekt«, dachte er und sah den beiden Füchsen nach, die weiter in den Stollen liefen, als wäre es ihr zuhause.

»Moment, ihr Zuhause?«, dachte er.

»Hey ihr zwei«, die Füchse schauten ihn an.

»Menschengott, Menschengott, was willst du noch von uns?«

»Wart ihr bei der Frau, als sie starb?«

»Sie starb, sie starb in unseren Armen«, sagten sie gleichzeitig und begannen wieder zu spielen.

»Danke«, sagte Kaito leise in ihre Richtung.

Er schaute sich um und leuchtete den Gang vor und zurück. Vorsichtig ging er noch ein paar Meter weiter, aber auch dort fand er den Geist der jungen Frau nicht. Gut möglich, dass die Füchse den Geist nach oben geschickt hatten, das gehört zu ihrer Natur. Aber er wollte nicht fragen, es spielte keine Rolle für das, was noch kommen sollte. Aber das Echo ihres Todes war noch deutlich zu sehen. ‚Je jünger und gewaltsamer ein Leben endet, desto länger bleibt das Echo erhalten', rezitierte er eine Stelle aus einem der Lehrbücher. »Dieses hier wird noch eine Weile brennen«, sagte er sich.

Er sah ein Licht an den Wänden aufflackern. »Mio, du warst schnell«, bemerkte er im Stillen.

Mio hatte zwei Blumensträuße und ihre Jacke dabei, die sie Kaito gab.

»Leg bitte die Jacke über sie und die Blumen links und rechts daneben«, bat Mio.

Kaito tat es ohne zu zögern und dachte, »Was für ein herzensgutes Mädchen.«

»Ich kann nur hoffen, dass es auch Frau Maeda ist«, dachte Kaito, als sie gemeinsam den Schacht verließen. Draußen angekommen, gab Kaito den beiden Füchsen die letzten zwei Kugeln, die sich dann vor Yumas und Mios Augen in Luft auflösen und versprach, ihnen den Rest später zu bringen. Diese verschwanden mit großen Sprüngen im Wald des Berges.

Kaito wollte Yuma gerade sagen, dass die Frau noch gelebt hatte, als sie dort abgelegt wurde, was auch das Amulett in ihrer Hand erklären würde, aber er sah Mios Gesicht und beließ es dabei.

»Sie ist nicht allein gestorben, die beiden Füchse waren bei ihr. Vielleicht hat sie sie sogar gesehen. Aber selbst wenn, niemand wird es je erfahren«, dachte Kaito.

Am nächsten Tag erklärte Kaito, dass alle nach Hause fahren müssten, auch Dawn. Nur er würde hier bleiben und mit Herrn Maeda verhandeln. Er hatte noch seinen Vater kontaktiert, der seine Kontakte spielen ließ und so erfuhr er, dass Herr Maeda ganz sicher nichts mit dem Verschwinden seiner Tochter zu tun hatte. Damit stand der Plan fest. Alle außer ihm mussten aus der Schusslinie. Erstaunlicherweise hatte Mio keine Einwände und stimmte sofort zu. So konnte Kaito beruhigt seinen Plan in die Tat umsetzen.

Zwei Tage später traf ein Paket bei KatsuCM-Constructions ein. Es war direkt an Herrn Maeda adressiert und wurde auf Gifte, Sprengstoffe und radioaktive Substanzen getestet. Das Ergebnis war negativ, so dass das Paket Herrn Maedas Büro übergeben wurde.

Die Chefsekretärin, die das Paket öffnete, dachte sofort an ein Geschenk, das sie wie immer wegwerfen würde. Diesmal war es eine Schmuckschatulle mit einem offenen Zettel auf dem stand, »Kaito Tanaka, Spiritual Deriver, Spirit-KT-Science Institute.«

»Ich brauche was von Ihnen, bei Interesse bitte melden.«

Darunter eine Telefonnummer. Das war alles.

Sie lächelte und dachte, auf was für dumme Ideen Schnorrer alles kommen, nahm mit der linken Hand das Amulett aus dem Kästchen und drehte es in der Hand um.

Ein Datum und eine Inschrift, dachte sie noch, als sie die eingravierten Worte ‚Meiner geliebten Tochter…' zu verstehen begann.

Ein unerwartetes, heftiges Herzklopfen durchzuckte ihren Körper, während ihre rechte Hand auf den Mund schlug, ihre linke das Amulett fallen ließ und sie mit einem heftigen Ruck, der von der Mitte ihres Herzens ausging, rückwärts vom Stuhl stürzte.

Zitternd erhob sie sich, während sie sich langsam der Situation bewusst wurde, in der sie sich nun befand.

Ausgerechnet heute war Herr Maeda extrem schlecht gelaunt und hatte zudem den ganzen Tag über wichtige Termine. Sie hatte die ausdrückliche Anweisung, ihn nicht zu stören.

Aber und nochmal aber, da stand diese etwa zehn Jahre alte Anweisung im Raum, in der es um seine so geliebte Tochter ging. Alles, wirklich alles, was mit dem Verschwinden seiner Tochter zu tun hatte, musste sofort gemeldet werden.

Herr Maeda, der sonst so skrupellos war, hatte fünf Jahre gebraucht, um wieder voll arbeiten zu können. In dieser Zeit hatte er zahlreiche Mitarbeiter wegen geringfügiger Verfehlungen entlassen, weil er sie für unfähig hielt.

Sie zitterte immer noch.

»Wird mich das meinen Job kosten, egal wie sie sich verhält«, dachte sie?

Sie hatte auch eine Tochter und einen Sohn, beide verließen sich auf sie. Ihre Arbeit war gut bezahlt. Sie war seit 20 Jahren Sekretärin, holte tief Luft, sagte sich Befehl vom Chef ist nun mal Befehl vom Chef, so etwas kann eine

Sekretärin nicht ignorieren und auch nicht aufschieben. Sie stand auf und ging zur Tür.

Sie klopfte einmal an, öffnete die Tür und betrat den Raum, ohne Herrn Maeda direkt anzusehen. Es war totenstill im Raum. Herr Maeda verfluchte wahrscheinlich gerade, dass er sie eingestellt hatte. Tief gebeugt ging sie auf Herrn Maeda zu, den Zettel und das Amulett in den ausgestreckten Händen. Am Tisch angekommen, legte sie beides vorsichtig auf den Tisch und lief rückwärts, ohne aufzublicken, wieder zur Tür.

Er hatte einen beschissenen Tag, vor allem das Gesocks am Schrein, den er für ein Parkhaus plattmachen wollte, machten nun juristischen Ärger und dann die Chefsekretärin, die langsam alt wurde. »Ich sollte mir jüngeres Gemüse suchen«, dachte er und schaute auf den Müll vor sich, den diese nichtsnutzige alte Kuh gerade auf seinen neuen Schreibtisch angelegt hatte.

Was war das? Ein Amulett, er brauchte eine Sekunde, um das Teil auf dem Tisch zuzuordnen. Ein Amulett, das aussah wie …, er erstarrte.

Er sah, wie seine Hand nach dem Gegenstand auf dem Tisch griff, warum tat die Hand das, er hatte der Hand diesen Befehl nicht gegeben, aber sie nahm ihn auf und hielt ihn nun in angemessener Entfernung vor seine Augen. Die Gravur war nicht zu übersehen, er hatte sie an diesem einen Tag anfertigen lassen, er selbst war dabei gewesen, als es geschah. Er hatte extra den Meister kommen lassen und auf sofortige Erledigung bestanden.

Er betrachtete das Amulett, bewegte es langsam in seiner Hand, immer und immer wieder. Das kann nicht sein, nein, das kann nicht sein, sagte er sich und merkte nicht, wie sich der Raum, in dem gerade noch zehn Personen eine wichtige Besprechung abgehalten hatten, sich leerte.

Als er wieder aufsah, waren nur noch zwei Personen im Raum.

Er griff nach dem Zettel, der neben dem Amulett gelegen hatte und las ihn laut vor.

»Kaito Tanaka, Spiritual Deriver, Spirit-KT-Science Institute.«

»Ich brauche was von Ihnen, bei Interesse bitte melden.«

Er drückte auf einen Knopf und sprach, »Sagen Sie alle folgenden Termine ab, holen Sie diesen Mann her, sofort.«

»Rufe alle her, jetzt«, sagte er zu einem Mann im Raum, der Aufstand und den Raum verließ.

Kaito sah gerade fern, als sein Handy klingelte.

»Das ging aber schnell«, dachte er und nahm ab.

»Kaito Tanaka, Spirit-KT-Science Institute, was kann ich für Sie tun?

»Büro KatsuCM-Constructions. Herr Tanaka, Sie wissen ja, worum es geht, Herr Maeda möchte Sie sofort treffen, wann können Sie da sein?«, fragte eine ziemlich fertige, leicht hysterische Frauenstimme.

»Oh, so schnell, das ist großartig, ich werde in einer Stunde da sein«, sagte Kaito überfreundlich mit einem spöttischen Gesichtsausdruck.

»Geht es auch schneller?«

»Okay, Herr Maeda hatte wirklich nichts mit dem Tod seiner Tochter zu tun«, dachte Kaito und sagte, »Ich bin in 30 Minuten da, schneller geht es nicht.«

»Vielen Dank, ich warte.«

Da Kaito keine Lust hatte zu warten und wissen wollte, wer auf ihn selber wartete, kam er erst 40 Minuten später am Firmengebäude an. Er sah einen Wachmann draußen stehen, der sich nervös umsah und wusste sofort, an wen er sich wenden musste. »So soll es sein«, dachte er und sprach den Mann an. Dieser musterte ihn von oben bis unten, was wohl darauf hindeutete, dass er wohl eine andere Person erwartet hatte und nicht einen Oberschüler.

Als das Missverständnis geklärt war, forderte er Kaito bestimmt, aber freundlich auf, ihm zu folgen, was Kaito mit uninteressiertem Gesichtsausdruck tat. Nachdem er einen Metalldetektor passierte und er etwas widerwillig sein Smartphone weggeschlossen hatte, fuhr er mit dem Aufzug in die oberste Etage zu einem Empfangsraum, in dem eine sehr nervös wirkende Frau auf ihn wartete. Vermutlich stand sie schon eine Weile dort, denn man konnte die Abdrücke ihrer Schuhe auf dem recht festen Teppich gut erkennen. Als sie die Situation erkannte, sah sie ihn eine Sekunde lang an, als wollte sie sagen, »Was ist denn das für ein Bengel, ist das wirklich der Richtige?« Nach dieser Schrecksekunde ging sie auf Kaito zu und sagte, »Herr Tanaka, schön, dass Sie so schnell kommen konnten, Herr Maeda wartet schon auf Sie, ich bringe Sie rein.«

Sie klopfte dreimal, öffnete die Tür und sah Kaito noch einmal kurz ins Gesicht.

»Der gleiche Gesichtsausdruck wie bei der Wache«, dachte Kaito, als er den zum Glück erleuchteten Raum betrat. »Heute wird wohl niemand sterben«, sagte er sich, trat ein und sah zuerst den Mann am Schreibtisch an. Er hatte eine schmierige Ratte erwartet, wie man sie in dieser Branche häufiger antrifft. Stattdessen war es ein auffallend attraktiver und charismatischer Mann mit tiefschwarzem Haar, höchstens sechzig Jahre alt, wobei die Situation in diesem Raum seine Arroganz und Position deutlich unterstrich. Vier weitere Männer standen um ihn herum. Das schmierige Ding rechts war eindeutig als Anwalt zu erkennen. Die anderen vermutlich Sicherheitspersonal oder Vertraute.

Herr Maeda war schon beim Aufstehen schlecht gelaunt und das wurde den ganzen Tag über immer schlimmer. Der Fund des Amuletts war der Gamechanger an diesem Tag, seinen Blutdruck wollte er gar nicht mehr wissen, er hatte alle Meetings abgesagt. Scheiß auf das Finanzamt, scheiß auf den blöden Bürgermeister und all die anderen Loser, die etwas von ihm wollten. An diesem Tag wollte er nur mit dem Mann verhandeln, der etwas über das Verschwinden seiner Tochter wissen könnte, die Zeit, die er darauf gewartet hatte, diesem Mann gegenüberzustehen, war die längste, die er je hatte ertragen müssen, mit einer Ausnahme, der Wartezeit während der Geburt seiner geliebten Tochter. Jetzt stand er da und wusste, dass es ein Psychopath war, ein okkulter Idiot. Zuerst dachte er, der Mann wolle wohl Geld, das könne er ihm geben und ihn dann verprügeln lassen. Aber mit diesem Milchgesicht, das jetzt vor ihm stand, hatte er nicht gerechnet. Er blickte noch einmal auf das Amulett in seiner Hand. Ja, es war das Amulett, das er ihr zu ihrem 18. Geburtstag geschenkt hatte, ganz sicher. Na gut dachte er.

»Junge, wo hast du das gefunden?«, durchbrach er die Stille im Raum.

»Lass uns verhandeln«, dachte Kaito, wandte sich ab und sah sich, ohne auf Herrn Maeda zu achten, frech im Raum um. Das tat er immer, fast automatisch, wenn er an seinem Gegenüber kein Interesse hatte oder ihn nicht mochte.

»Einen Gefallen für einen Gefallen«, sagte Kaito und schaute wieder zu Herrn Maeda.

Herr Maeda schnaubte ihn an und machte ihm klar, dass er hier nicht rauskommen würde, ohne zu reden. Kaito lächelte ihn zynisch an. Herr Maeda blickte kurz zu einer der Personen, die Kaito als Sicherheitspersonal identifiziert hatte, welcher leicht den Kopf schüttelte. Kaito verstand das als Bestätigung, dass Herr Maeda nun wusste, dass Kaito das Gespräch nicht aufzeichnen konnte. Dafür war der Metalldetektor da. Kaito sah den Anwalt an und sagte, »Ich verlange, dass der Schrein restauriert wird und dort bleibt, wo er ist, dann werde ich ihren Wunsch erfüllen.«

»Was glaubst du, wer du bist, du Rotzlöffel?«, schrie er ihn an.

»Nur weil ich ein Oberschüler bin und schwach aussehe, glauben Sie über mir zu stehen?«, sagte er und schaute ihn wieder an.

Herr Maeda schnaubte wütend.

»Wahrscheinlich denkt er gerade darüber nach, ob ich ein Verrückter bin oder jemand, den die Yakuza geschickt hat oder ob noch etwas anderes dahinterstecken könnte«, dachte er.

Kaito wusste, dass Herr Maeda ihn nicht verprügeln lassen würde, bis das geklärt war, also hatte er Zeit, auf seine Art zu verhandeln.

»Du bist also ein Oberschüler und willst ein Medium sein, das mit Geistern kommuniziert?«

»Das klingt sehr kitschig, Herr Maeda, aber so könnte man es umgangssprachlich ausdrücken.«

»Du oder jemand anders hat das Amulett am Fluss gefunden und irgendwie die Verbindung zu meiner Familie herstellen können und jetzt willst du was dafür? Haben dich die Spinner vom Schrein angeheuert? Hast du dich mit ihnen verbündet oder bist du gar einer von ihnen?«

»Dafür, dass er eben noch wie ein Löwe gebrüllt hat, war das schon höflich«, dachte Kaito.

»Die ‚Verrückten' am Schrein sind mir egal. Geld ist immer gut, aber in diesem Fall hilft es nicht weiter. Ich brauche etwas Größeres und das bekomme ich nur, wenn der Schrein so bleibt, wie er ist.«

»Warum der Schrein?«, fragte Herr Maeda und Kaito verdrehte die Augen.

»Weil der Gott des Schreins es so will!«

»Hat er ihnen gesagt, wo das Amulett zu finden ist?«

»Nein, Herr Maeda.«

Herr Maeda sah ihn an und sagt mit kalter Stimme, »Was dann?«

»Er hat mir gezeigt, wo ich ihre Tochter finden kann und dafür muss der Schrein erhalten bleiben«, log er ein wenig.

Es wurde noch stiller im Raum. Es war klar, wer in diesem Raum die höchste Autorität hatte. Niemand wagte zu atmen.

Herr Maeda öffnet eine Schublade und zog eine Waffe heraus. »9 mm Automatik«, dachte Kaito und erkannte die Marke sofort, das Design war unverkennbar.

Kaito blieb unbeeindruckt. »Mach keinen Fehler, alter Mann«, dachte er.

»Das ist das letzte Mal! Wo in diesem gottverdammten Fluss ist meine Tochter, wir haben ein Jahr lang den Fluss abgesucht!«, sagte er langsam, aber deutlich erregt und drehte die abgelegte Waffe mit dem Lauf auf dem Tisch in Kaitos Richtung.

»Im Fluss? Herr Maeda, ihre Tochter war nie im Fluss. Was ist mit dem Schrein?«, er griff in seine Tasche. Die Sicherheitsleute zucken zusammen.

Kaito lachte, »Angst vor einem Oberschüler?«, fragte er in den Raum und hielt nun einen gefalteten Zettel in der Hand.

»Was ist das?«, fragte Herr Maeda.

»Ein Zettel!«, antwortete Kaito kalt und belustigt.

»Was steht darauf?«, fauchte Herr Maeda wütend in Richtung Kaito.

»Der aktuelle Aufenthaltsort Ihrer Tochter und die Umstände ihres Todes! Was ist mit dem Schrein!«

»Was soll das heißen, meine Tochter ist im Fluss ertrunken, als ihr Auto von der Straße abkam.«

»Ihre Tochter wurde ermordet. Das Auto war leer, als der Mörder es in den Fluss fuhr und das Beste ist, ich kann es beweisen«, sagte Kaito ruhig, während er Herrn Maeda den Zettel in einer Hand entgegenstreckte. Das war auch für Kaito heftig, das wusste er, aber er mochte Herrn Maeda nicht und er musste auf niemanden Rücksicht nehmen.

Nur das Ticken der Uhr verriet den Außenstehenden, dass die Zeit in diesem Raum weiterlief. Die Männer, alle Männer hatten aufgehört zu atmen und waren erstarrt. Nur

Kaito drehte den Kopf und blickte, ohne es sich anmerken zu lassen, amüsiert in die Runde und dachte, »Ihr seid alle Dreck, aber selbst Dreck könnte, wenn er wollte, verstehen, sonst war es das!«

Herr Maeda nahm die Waffe vom Tisch, hielt sie in Richtung Kaitos Füße und hob sie langsam an. Jetzt hatte er die Beine im Visier, jetzt den Bauch, jetzt das Herz und zum Schluss den Kopf.

Er könnte diesen Bengel, diesen Spinner für seine Arroganz jetzt hier und sofort töten. Wenn er abdrücken würde, dann wäre der Spuk vorbei, Zeugen für einen Angriff auf ihn und damit Notwehr gäbe es genug, aber dieses Amulett und dann noch, dass in seinen Augen nicht die geringste Todesangst zu sehen war. Der Junge zeigte einfach keine Reaktion, nicht weil er vor Angst gelähmt war. Nein, er hatte einfach keine und das in dieser Situation. So wie er sich verhielt, war er kein Penner von der Straße, der Glück hatte etwas zu finden, er war kein einfacher Spinner oder dummer Junkie, es musste mehr dahinter stecken. Er senkte die Waffe und legte sie zurück auf den Tisch.

»Wenn du mich anlügst, bringe ich dich um«, sagte er ohne Umschweife zu Kaito.

Kaito verzog keine Miene und sagte, »Einverstanden, was ist mit dem Schrein?«

»Wenn du überlebst, bekommst du, was du willst«, sagte er und machte eine Handbewegung.

Einer der Sicherheitsleute ging zu Kaito, nahm ihm den Zettel aus der Hand und übergab ihn Herrn Maeda.

Herr Maeda öffnete den Zettel, schaute von Kaito auf den Zettel und fokussierte ihn. Kaito sah, wie Herr Maedas immer größer werdenden Augen über den Zettel huschten. In dem Moment, in dem deutlich zu erkennen war, dass Herr Maeda auf dem Zettel die Stelle erreicht hatte, an der er den Mörder seiner Tochter beschrieben hatte, wusste Kaito, dass er gewonnen hatte. Jetzt brauchte er nur noch abzuwarten und das widerliche Pack noch ein paar Stunden gewähren zu lassen, dann hätte er, was er wollte. Vielleicht sogar alles zusammen. Alles, um Dawns Leben für immer zu verbessern und sie zu einem Teil dieser Gesellschaft zu machen. »Danke dir, Fuchsweib«, dachte er.

Wenn Herr Maeda sich nicht an die Abmachung hielt, würde ihn ein paar Monate später ein Dämon langsam dahinraffen, oder er konnte es auch schneller erledigen, dachte er genau in dem Moment, als jemand rief, »Trommelt alle zusammen, Abfahrt in 5 Minuten« und er unsanft aus dem Raum geschoben wurde.

Die Fahrt zur Mine war langweilig- Vor ihm und neben ihm saß ein Sicherheitsmann. Herr Maeda war in einem der anderen fünf Wagen.

Er überlegte, ob er sie provozieren sollte, indem er sie fragte, ob sie Karten spielen wollten, aber das erschien ihm zu kindisch und er ließ es bleiben.

»Fünf Fahrzeuge, vollgestopft mit Sicherheitskräften, ein ganz schöner Aufwand, entweder ist er doch bei der Yakuza oder er hat Angst vor ihnen. Jedenfalls nicht mein Problem«, dachte er, als die Fahrzeuge nach langer Fahrt vor dem Aufstieg zur Mine anhielten.

»Komm, zeig uns den Weg«, sagte einer der Sicherheitsleute.

Während Herr Maeda im Fahrzeug blieb und die Sicherheitskräfte einen Schutzring um ihn bildeten, stieg Kaito mit vier weiteren Sicherheitskräften zur Mine hinauf.

»Junge, wenn hier eine Bombe drin ist, gehst du mit drauf«, sagte einer von ihnen.

»Daher weht der Wind, deshalb sind alle so nervös«, dachte er.

»Keine Sorge, da vorne ist es schon«, sagte er und ging durch den Seitengang, den er markiert hatte, bis zu dem Bruch in der Wand.

Ein Wachmann schaute hinein, hob mit einem Stock die Jacke an, die Kaito auf Mios Bitte hin über die Tote gelegt hatte, sagte »Verdammt! Lange nicht gesehen« und Kaito dachte, »Wahrscheinlich warst du früher mal bei der Polizei, bist wohl in Ungnade gefallen!«, sagte sich Kaito.

Der Sicherheitsmann informierte Herrn Maeda. Da alles auf Freisprechen eingestellt war, konnte man hören, wie Herr Maeda gegen den Willen der Sicherheitskräfte alles selbst in Augenschein nehmen wollte und wohl losrannte.

»Oh Mann«, dachte Kaito, »das wird dauern, bis der alte Drecksack hier ist.«

Aber Herr Maeda war schneller da, als er gedacht hatte und schaute nun auf das schmutzige, dunkle Grab seiner Tochter.

Herr Maeda erkannte, wie Mio damals und wahrscheinlich wie jeder hier, sofort, was sich dort abgespielt haben musste. Die Kleidung, die neben der Leiche lag und die Lage des Skeletts deuteten darauf hin, dass die Person nicht schon tot war, als sie dort abgelegt wurde.

Jemand schluchzte unerwartet neben ihm. Kaito drehte sich in diese Richtung und sah, wie Herr Maeda mit verzerrtem Gesicht auf den toten Körper seiner Tochter blickte. Er versuchte krampfhaft, nicht vor seinen Leuten zu weinen. Kaito wollte sich gerade über den alten Mann lustig machen, als er daran dachte, wie sein Vater reagiert hätte, wenn er, Kaito, dort gelegen hätte.

»Ich werde jetzt gehen, alles wie abgemacht«, sagte Kaito und stand auf.

Aber jemand hielt ihn am Arm fest.

»Die Blumen und die Jacke, wer hat sie hingelegt?«, fragte Herr Maeda mit weinerlicher Stimme.

»Verdammt«, dachte Kaito, »wenn Mio das nur nicht getan hätte, jetzt wirst du da mit reingezogen. Niemand würde mir das zutrauen.«

»Eine Kollegin von mir wollte nicht gehen, ohne ihrer Tochter wenigstens einen Teil ihres Respekts und ihrer Würde zurückzugeben. Von mir können Sie sowas sicher nicht erwarten.«

Herr Maeda ließ Kaitos Arm los und sagte, »Bringt mir Seto, das Schwein.«

Die Füchse schienen die Person gut beschrieben zu haben. Der Tod wird für Seto eine Erlösung sein, wenn sie ihn erwischen, dachte er und hatte keine Lust zu warten oder länger mit diesen Leuten an einem Ort zu bleiben. Er verließ die Mine in Richtung Straße und wollte noch einmal beim Parkplatz vorbeischauen, die Nacht war noch jung, er hatte genug Zeit.

Er nahm sein Smartphone, das er von den Sicherheitskräften zurückerhalten hatte, schrieb eine SMS an Mio und Yuma und machte sich auf den Weg zum Hotel, als er sah, dass der Parkplatz verlassen war.

Es war kurz vor Mitternacht, als Kaito das Hotel erreichte. Der lange Fußmarsch hatte ihn müde gemacht. Zum Glück fuhr ein Bus den letzten Teil des Weges, er legte sich aufs Bett, um sich kurz auszuruhen, schlief dann aber ein und wachte erst am Morgen wieder auf.

Das Frühstück tat ihm gut, er schaute auf den Fernseher an der Wand des Hotels und las das Laufband des Nachrichtenkanals.

Mit einem Schmunzeln sah er dort, dass die Polizei einen alten Mordfall aufklären konnte und der Schwager eines Unternehmers sich der Polizei gestellt und die Tat gestanden hatte.

Jemand muss ihn gewarnt haben, wahrscheinlich jemand, der einen Familienkrieg innerhalb der Maedas verhindern wollte. Sein Tod wäre langsam und grausam gewesen, aber bei einer Verurteilung würde ihm höchstens eine schnelle Hinrichtung drohen, nicht zu vergleichen mit dem, was Herr Maeda ihm angetan hätte, wenn er ihn vor der Polizei gefunden hätte.

Nach dem Frühstück verließ er das Hotel in Richtung Bahnhof und war gegen Mittag im Büro. Mio war wahrscheinlich in der Schule, wo er nun schon länger unentschuldigt fehlte und überlegte, ob er Herrn Tanaka anrufen sollte, um die Sache zu klären, oder ob er es ohne ihn versuchen sollte.

Am Wochenende würde er wieder vorbeikommen, nach dem Schrein sehen, die restlichen Tribute für die Füchse bringen und seinen eigenen Tribut einfordern.

Nach der Schule kamen Mio und Dawn vorbei, die die Zeit bei Mio verbrachte. Wider Erwarten musste er Mio die Geschichte nur kurz und einmal erzählen, entweder weil keine Geister darin vorkamen oder weil es sie doch mehr berührt hatte, als sie zugeben wollte.

Vermutlich ersteres, denn Mio wollte unbedingt noch einmal mitkommen, auch wenn sie sicher wusste, dass sie keine Füchse sehen würde. Das hatte sie mehr als deutlich gemacht.

Yuma und Mio sahen sich erst einmal nicht mehr. Er wollte nicht wissen, was passiert war und beschloss, Zugtickets für die Fahrt zum Schrein zu organisieren, als Mio ihm einen Brief gab. Als er den Absender sah, verdrehte er die Augen. Sogar ein Brief von der Schule wäre besser gewesen, selbst von der alten Schnepfe, als dieser mit dem Absender ‚Familie Maeda'.

Kaito sagte es kurz und bündig zu Mio.

»Die Maedas möchten, dass du und ich an der Trauerfeier für ihre Tochter teilnehmen.«

Mio wurde nachdenklich und Kaito überlegte, welchen Vorschlag er machen konnte, um abzusagen. Er wollte gerade erklären, warum sie eingeladen wurde, aber Mio antwortete schneller, »Es ist sehr nett von Herrn und Frau Maeda, dass sie uns die Möglichkeit geben, unser Beileid auszudrücken und ihrer Tochter die letzte Ehre zu erweisen.«

»Ich dachte, ich wäre der Verrückte hier. Wie kann man nur auf solche Gedanken kommen. Weißt du, diese Leute sind in meinen Augen krimineller Abschaum«, dachte Kaito, als er den Brief weglegte und stellte erschrocken fest, dass er um den Besuch wohl nicht herumkommen würde.

»Wenn deine Eltern nichts dagegen haben, dass du zur Beerdigung einer Familie mit Yakuza-Vergangenheit oder gar Gegenwart gehst, bleiben wir noch einen Tag länger.«

»In so einem Moment sind alle Familien gleich«, sagte sie und ließ Kaito sprachlos zurück.

Am Abend vor der Beerdigung kehrten sie zu dritt ins Hotel zurück und nahmen ein Taxi zum Schrein.

Tatsächlich waren die Demonstranten und die Absperrung zum Schrein verschwunden und es begannen erste Arbeiten, die nach einer Renovierung des Schreins aussahen.

Arbeiter waren nicht zu sehen. Mio sprach einen Anzugträger an, der sich Notizen machte. Er erklärte, dass er von der Familie Maeda beauftragt sei und die Aufgabe habe, hier Renovierungen zu planen.

Nachdem auch er gegangen war, schickte Kaito Dawn vor, die Kaito signalisierte, dass der Eingang zum inneren Bereich des Schreins unverschlossen war. Die drei sahen sich nach einer guten Gelegenheit um, nutzten einen menschenleeren Moment, stürmten hinein und schlossen die Tür hinter sich.

Der Raum war staubiger als beim letzten Mal, vermutlich wegen der Vermessungsarbeiten, die begonnen hatten. Kaito sah sich um. Der Fuchs lag sichtlich gelangweilt und mit einem typisch göttlichen arrogantem Gesichtsausdruck auf dem Altar. »Nichts hat sich geändert«, dachte er.

»Ich bin gekommen, um unseren Vertrag zu erfüllen«, sagte Kaito zum Fuchs.

Dieser blickte auf, grinste und sprang mit einem Satz auf die drei zu. Kaito und Dawn wichen automatisch zurück. Mio, die ihn nicht sehen konnte, blieb stehen und so stand der Fuchs direkt vor ihr. Mio schaute zu Kaito, dieser ging wieder auf den Fuchs zu und holte die Dose mit den Opfergaben heraus, die damals vereinbart worden waren.

Doch der Fuchs interessierte sich mehr für Mio als für die Opfergaben und schnüffelte an ihr.

»Hey, du perverser Fuchs, was machst du da?«, dachte Kaito und sagte, »Hier spielt die Musik und lass das Mädchen in Ruhe.«

Mio schaute sich um und griff in die Luft, aber der Fuchs bewegte sich, als wüsste er, wohin Mio ihre Arme streckte und sagte zu Kaito, »Ein interessantes Menschenmädchen hast du da mitgebracht. Ihre Aura ist wunderschön. Willst du meine Priesterin werden Mensch, hier bist du sicher«, hauchte er ihr zu.

Kaito ärgerte sich, »Du weißt schon, dass sie dich nicht sehen kann.«

»So meinst du wirklich« und plötzlich stand ein junger Mann vor Mio. Seine Hand berührte ihr Kinn und er hielt ihren Kopf in Position, sodass sich ihre Blicke trafen.

Bevor sie realisieren konnte, was geschah, dachte sie noch »so schön«, während ihr Körper reflexartig zurückschreckte.

»Darf ich vorstellen, der perverse Fuchs des Hauses«, stellte Kaito ihn genervt vor.

Doch weder Mio noch der Fuchs beachteten ihn.

Kaito sah Dawn an und dachte, »Sie hat mir ja gesagt, dass Mios Aura besonders schön ist. Aber dass ein Fuchsgott sich ihr deswegen offenbart, das ist mehr als nur besonders.«

»Hallo perverser Fuchs, ich lege dir die restlichen Opfergaben hier hin und wenn es mit meiner Kollegin länger dauert, stelle ich es dir in Rechnung.«

Mit einer kurzen Kopfbewegung in Richtung Kaito zeigte er ihm seine Verachtung, schnippte einmal mit dem Finger und acht kleine Füchse kamen heraus, stürzten sich auf die Opfergaben und machten sich darüber her.

»Was ist los, gibt es noch mehr Füchse?«, fragte Mio.

»Meine Kinder bekommen die Früchte des Vertrages mit dem Ungeheuer dort. Das es eigentlich nicht geben dürfte« und ohne ihn anzusehen, zeigte er verächtlich auf Kaito.

Mio schaute zu Kaito, der sein Gesicht verzog und sagte, »Hey, perverser Fuchs. Der Deal ist gemacht, jetzt bist du dran.«

»Was meinst du mit Ungeheuer, dass es nicht geben dürfte«, fragte Mio und bereute ihre Frage sofort.

»Hey zusammen, wenn ihr lästern wollt, dann macht es alleine«, sagte er und wurde wütend.

Mio versuchte abzulenken und fragte direkt, »deine Kinder sind um mich herum?«

»Ja, mach die Augen zu, dann kannst du sie vielleicht spüren.«

Mio tat wie ihr geheißen und spürte einen leichten, warmen, sehr angenehmen Wind um sich wehen, sie lächelte und als sie die Augen wieder öffnete, waren die Opfergaben verschwunden.

»Menschengott, Menschengott, wo sind unsere Gaben, wo sind unsere Gaben?«

»Irgendwoher kenne ich das«, dachte er und schaute auf die Stimmen. Die beiden Fuchskinder von damals sahen ihn an und grinsten.

Jetzt verstand er, was gespielt wurde.

»Hey perverser Fuchs, du warst es doch, der alle Ayakashi vom Fluss vertrieben oder gar ausgelöscht hat. Deshalb lag ein Schleier dunkler Energie über der Gegend. Und dann hast du deine Kinder geschickt, um mich noch mehr zu auszuquetschen!«

»Du hast bekommen, was du wolltest«, sagte der Fuchs widerwillig in seine Richtung.

»Ayakashi hätte mir auch helfen können!«

Der Fuchs blickte kurz in seine Richtung, sagte »Licht und Dunkelheit der ewige Kampf« und wandte sich wieder Mio zu, die von seiner Schönheit hin und weg war. Kaito merkte, dass das Gespräch nichts brachte und blickte auf die beiden Fuchskinder, die nun vor ihm standen und sagten, »Kügelchen, Kügelchen, gib uns, was du versprochen hast, Menschengott.«

Kaito holte eine zweite Dose, öffnete sie, stellte sie vor die beiden Fuchskinder und war insgeheim froh, dass der Weg zum Parkplatz am Fluss sich damit erledigt hatte.

Er blickte zu Dawn, die ihrerseits zusah, wie die Opfergaben mit Kaitos spiritueller Energie in den Mäulern der acht Fuchskinder verschwanden.

»Dawn, bitte mach dem ein Ende«, sagte er zu ihr, als er sah, wie die verlegene Mio den Fuchsgott weiter anhimmelte und dieser ihre Schönheit pries.

Dawn lachte auf und sprang zwischen Mio und den Gott.

»Wir haben noch eine Verabredung, wenn die Sonne wieder fällt und Mio muss beim nächsten Sonnenaufgang in der Schule der Menschen sein und jetzt gib meinem Meister, was du versprochen hast«, sagte Dawn energisch zu dem Fuchs.

Mio, überwältigt von der göttlichen Schönheit dieses Fuchses und gleichzeitig gerührt von seinem Angebot, wusste schon lange nicht mehr, wie sie reagieren sollte und war erleichtert über Dawns Eingreifen, auch wenn sie nur ein Fauchen und Miauen verstand.

»Wie schade, du kannst jederzeit vorbeikommen, aber dann lass diese streitsüchtige Hauskatze daheim«, sagte der Fuchs und drehte sich kurz zu Kaito und dann wieder zu Mio.

»Menschenmonster! Die Götter können diese Fähigkeit auf Gottesanwärter übertragen. Such dir einen räudigen Katzengott, der Sie annimmt und ausbildet. Aber bedenke, jeder Gott kann nur eine bestimmte Anzahl unterweisen. So wie meine acht glücklich wären, wenn du ihre Dienerin würdest.« Er warf Mio ein Lächeln zu, das sie nie mehr vergessen würde und verschwand vor ihren Augen.

»Hey Fuchs, nicht so schnell.«

»Was willst du Monster, der Vertrag ist erfüllt.«

Warum war er selbst so wütend, dachte Kaito. Der arrogante Drecksfuchs hatte recht, der Vertrag war erfüllt, mehr konnte der Fuchs sowieso nicht tun. Aber es war einfach zu wenig für den Aufwand.

»Wie können die Götter ihre Aura mit dunkler Energie ausgleichen, sag es mir!«

Der Fuchs blieb stehen, drehte sich um und sagte, »Dunkle Energie? Wovon redest du, Menschenmonster?«

»Wie löscht man dann seine Aura?«, fragte er weiter.

Er drehte sich weg, ging zum Ausgang und sagt »Tausende Jahre Training, eine Hauskatze lernt das nie, nicht in 100 deiner Leben, Monster« und verschwand aus seinem Blickfeld.

»Interessant«, dachte Kaito.

»Mio, du kannst ein Taxi rufen, wir fahren zum Hotel und dann zu ... du weißt schon, zu wem.«

Dawn blieb im Hotel, sie hatte keine Lust mitzukommen, was Kaito nur recht war. Das würde nur Aufmerksamkeit erregen und das wollte er vermeiden.

Der Taxifahrer wusste sofort, wo und warum heute jemand zur Familie Maeda wollte. Er war auch kein bisschen nervös oder angespannt deswegen und begann sogar ungewöhnlich locker über die Familie zu reden, aber nur Gutes.

Er freute sich über die Entscheidung, den Schrein zu erhalten und war der Meinung, dass die Aufklärung des

Falles, der gerade in aller Munde war, etwas damit zu tun hatte und fragte Kaito und Mio, ob sie mehr wüssten.

Mio lächelte nur, am liebsten hätte sie dem Mann die traurig tragische Geschichte erzählt, aber das oberste Gebot des ‚Spirit-KT-Science Institutes' war die Verschwiegenheit über alle Kundenangelegenheiten und Firmeninterna und Kaito nahm das sehr ernst, das wusste sie.

Kaito antwortete kühl, dass sie entfernte Verwandte seien, die leider nur wüssten, was in der Zeitung stand, womit sich der Fahrer zufrieden gab und sich gleichzeitig für seine Neugier entschuldigte.

Er sprach noch eine Weile von der Großzügigkeit der Familie Maeda, die so viel für diesen armen Vorort der Stadt getan habe und von dem Schock vor zehn Jahren, der so viel verändert habe. Jetzt hofften alle, dass die alten Zeiten wieder einkehren würden.

»Schmarotzer«, dachte Kaito.

»Was für ein aufrichtiger, freundlicher Herr«, dachte Mio.

Mio zeigte die Einladungen am Tor des riesigen Familienanwesens vor, worauf hin sie eingelassen wurden. Am Eingang zur Gedenkzeremonie standen verschiedene Personen, aber keine, die Kaito schon einmal gesehen hatte. Sie überreichten die obligatorischen kleinen Geschenke und betraten das Gebäude mit je einem Blumenstrauß, den Mio vorher besorgt hatte und traten vor einen geschlossenen Sarg, vor dem mehrere Bilder der jungen Verstorbenen standen. Während Mio ihren Blumenstrauß auf die linke Seite der Bilder legte, bemerkte Kaito, dass er in der ganzen Zeit, in der er sich mit diesem Thema beschäftigt hatte, kein einziges Mal ein Bild der jungen Frau gesehen hatte.

Es war eine sehr schöne Frau mit glänzendem langem schwarzem Haar. Jedes Bild zeigte sie auf eine besondere Art und Weise, so dass man ihre Lebensfreude förmlich spüren konnte.

»Wie so oft waren es die lieben Verwandten, die dieser Lebensfreude ein Ende setzten. Wahrscheinlich hatte sie ihrem Mörder blind vertraut«, dachte Kaito, als Mio ihn anstupste.

Er verstand sofort, legte die Blumen auf die andere Seite der Bilder, drehte sich um und folgte Mio zu den Stuhlreihen für die Gäste. Eigentlich wollte er gleich wieder gehen. Wie lange wollte Mio da sitzen bleiben, fragte er sich. Er war gerade dabei, Mio diesmal anzustoßen, um klar zu machen, dass er gehen wollte, als eine offensichtlich angestellte Hausdame auf Mio zukam.

»Mio Yamamoto?«, fragte sie leise.

Mio nickte.

»Die Herrin des Hauses, Frau Maeda, bittet höflichst um ein Gespräch mit ihnen. Wären Sie so freundlich, ihr einen Teil Ihrer kostbaren Zeit zu widmen?«

»Hey und was ist mit meiner Zeit, du Hupfdohle. Immerhin werde ich dafür nicht bezahlt«, dachte Kaito und sah Mio dabei zu, wie sie aufstand und mit der Hausdame den Raum verließ, bevor sie Kaito noch einmal kurz zunickte, als wollte sie sagen 'mach keinen Scheiß'.

Die Einzige, die hier Blödsinn machte, war Mio, ihre zuvorkommende Art und gleichzeitig so leichtsinnig, viel zu gut für diese Welt. Und dann noch ihre göttlich schöne Aura, wenn es stimmte, was der Fuchs sagte, dann stand sie auf der Speisekarte aller Dämonen. Im Schrein wäre sie tatsächlich vor den Dämonen sicher. Umso wichtiger, dass Dawn eine Gottesanwärterin würde. Bis dahin einfach besser aufpassen, sagte er sich und bemerkte, dass mehr Leute über ihn tuschelten, als ihm lieb war.

Als er sich umsah, stellte er fest, dass er Herrn Maeda noch nicht gesehen hatte. Beließ es aber dabei weiter darüber nachzudenken. Niemand würde Mio hier etwas antun, da war er sich sicher.

Knapp 45 Minuten später kam Mio zurück und Kaito hatte das Bild vor Augen, wie Hunderttausend Yen die Toilette hinunter gespült wurden.

Eine Frau mittleren Alters, begleitet von mehreren jungen Hausmädchen, verabschiedete sich mit einer Verbeugung von Mio, schaute sich um, erblickt Kaito und verbeugt sich ebenfalls wortlos in seine Richtung.

Kaito erhob sich und erwiderte, wenn auch widerwillig, den ihm entgegengebrachten Respekt. Nach einem kurzen ‚Hallo bin zurück' von Mio verabschiedeten sich Mio und Kaito von den anwesenden, ihnen unbekannten Personen und einem älteren Herrn am Eingang, der eine gewisse Ähnlichkeit mit Herrn Maeda aufwiest. Dann verließen sie das Anwesen und stiegen in ein Taxi, das vermutlich organisiert worden war und am Ausgang wartete.

Zurück im Hotel erklärte Mio, dass die Dame die Mutter der Verstorbenen sei und darauf bestanden habe, die ganze Geschichte von ihr zu hören.

»Es tut mir leid, dass du so lange warten musstest. Ich habe dir nur das erzählt, was du mir über den Fall hier erzählt hast. Ich habe weder Herrn Nakamura oder etwas über Dawn erwähnt, noch andere Fälle erwähnt. Ich hoffe, das war in Ordnung?«, fragte sie Kaito vorsichtig, der etwas gereizt war.

Kaito versuchte sich nach all dem Stress zu beruhigen und sagte, »Das ist in Ordnung, auch wenn sie keine Kunden waren. Wir sollten uns auf den Weg machen«, sagte er, während er mit Dawn auf dem Bett des Hotelzimmers lag und an die Decke starrte.

»Ja bitte, lasst uns sofort gehen, ich will nach Hause«, sagte Mio.

Mio hatte die ganze Zugfahrt über geschlafen. Er konnte nicht schlafen, weshalb Dawn wütend auf ihn war. Zu viele Gedanken gingen ihm durch den Kopf. Vor allem einer, wo er einen Katzengott finden sollte, das würde nicht einfach werden. Wahrscheinlich musste er wieder den Orden um Hilfe bitten und das widerstrebte ihm zutiefst.

Am Bahnhof angekommen, wollte sich Kaito gerade von Mio verabschieden, als er bemerkte, wie sie ihn mehrmals ansah und dann wieder wegschaute.

»Was zum Teufel ist los?«, dachte er und fragte, »Was ist los, ich sehe doch, dass du was willst?«

»Ich habe gerade an meine Großeltern gedacht. Ich hatte dir die Geschichte mal erzählt. Ich würde sie gerne besuchen. Irgendwann mal. Kannst du mitkommen und nachsehen, ob es ein Echo von ihnen gibt?«

Kaito sah Dawn etwas merkwürdig an, sie wollte gerade alles zurücknehmen, als Kaito sehr freundlich antwortete, »Klar können wir das machen, sag einfach wann es dir passt«, aber er dachte sich, dass sie wohl einen Denkfehler machte, denn auf dem Friedhof selber sterben die wenigsten Menschen. Aber das würde er ihr ein anderes Mal erklären.

Mio war überglücklich, bedankte sich und verabschiedete sich von Kaito, sagte noch »bis Montag in der Schule« und dachte »was war das nur wieder für ein merkwürdiger Gesichtsausdruck?«

Kapitel 9 - WOCHENENDE IN LONDON

Einige Zeit später, an einem Freitagabend, stand Kaito vor dem Gebäudekomplex, in dem sich seine Wohnung und sein Büro befanden, ging zum Treppenhaus und machte sich auf den Weg in den zehnten Stock. Während er die Stufen zum Büro hinaufstieg, rief er auf seinem Smartphone das Firmenkonto ab und dachte an die Miete, die am Ersten des Monats wieder fällig war.

»Verdammt, die Miete, die Nebenkosten und Mios Gehalt sind die größten Posten, aber ich will Mio nicht verlieren«, dachte er. Seit dem letzten großen Auftrag von Herrn Kato hatte es nur noch kleinere Aufträge gegeben und so ein großer Auftrag deckte gerade mal die Fixkosten eines Monats. »Der perverse Fuchs war auch ein teurer Spaß«, lachte er. Immerhin hatte die Familie Maeda ihm später eine kleine Anerkennung zukommen lassen, wahrscheinlich auf Anweisung von Frau Maeda, aber ein großer Auftrag wäre sehr willkommen.

Sollte er vielleicht mal versuchen, die Polizei bei ihrer Arbeit zu unterstützen? Gut bezahlt würde das sicher nicht werden und an die schiefen Blicke der Kollegen von Herrn Tanaka wollte er erst gar nicht denken.

Eigentlich durfte er keine Werbung machen, so war es mit dem Orden abgesprochen und das wollte er auch nicht. Zu teuer, zu ineffizient für dieses Geschäft. Dass der Orden sich an seine Auflagen hielt, hatte der Auftrag von Herrn Kato bestätigt. »Es könnte sein, dass der alte Drecksack noch viel zurückhält, aber beweisen kann ich es nicht«, dachte er.

»Tja Dawn, so wird das nichts mit dem Waldprojekt, oder hast du eine andere Idee?«, sagte er zu Dawn, die mit ihm die Treppe hinauflief.

»Lass uns ein Wettrennen machen, wer zuerst oben ist, bekommt ein Festessen«, lachte sie und sprintete los. Kaito konnte nur hinterher schauen. In ihrer Geistform konnte Dawn, auch wenn Kaito sie als menschliches Katzenmädchen war nahm, springen wie eine Katze, da hatte er keine Chance, rannte aber trotzdem los und schrie, »Hey du kleines Biest, du willst mich doch nur wieder abzocken, warte nachher...«, weiter kam er nicht.

»Miau«, würde ein normaler Mensch verstehen, aber für Kaito war es ein klares »Vorsicht, wir sind nicht allein!«

Er hörte auf zu rennen und ging langsam das letzte Stockwerk hinauf. Kein vernünftiger Mensch, der ihn kannte, würde hier etwas Dummes tun, sagte er sich, das wäre Selbstmord und sah nach oben.

Dawn saß am Ende des Geländers und visierte mit starrem Blick ein Ziel im Flur an.

»Okay, da ist jemand am Ende des Geländers, ein Mensch oder was auch immer«, dachte er und drehte seinen Kopf in Dawns Blickrichtung, während er die letzten Stufen hinaufstieg.

»Ein Anzugträger, offensichtlich Ausländer, sehr nobel, wahrscheinlich Anwalt, ausgezeichnet«, dachte er.

»*Hello sir, can I help you*?«, fragte Kaito auf Englisch.

»Ich suche Kaito Tanaka, den Inhaber des Spirit-KT-Science Institute und ich glaube, ich habe ihn gerade gefunden«, sagte der Mann in perfektem Japanisch.

»Sieh an, den darf man nicht unterschätzen«, dachte Kaito und sagte »dann treten Sie doch ein«, während er die Tür öffnete.

Der Mann schaute zu, wie die Katze, die ihn die ganze Zeit nicht aus den Augen gelassen hatte und ihren Herrn, so schien es ihm, vor ihm gewarnt hatte, ins Büro stolzierte und auf dem Sofa Platz nahm.

»Setzen Sie sich, wenn sie wollen«, sagte Kaito und deutete auf den Stuhl vor dem Tisch.

»Danke«, erwiderte der Mann, blieb demonstrativ stehen und sah sich etwas angewidert um.

»Mein Name ist Charles Whitemore, ich bin Anwalt bei KLQS & Partner«, sagte er, machte eine Pause, ging auf Kaito zu und legte seine Visitenkarte auf den Tisch.

Kaito sah sofort, dass dies kein so ein billiges Ding war, wie das von seinem Vater, das hier kostete locker 1000 Yen das Stück.

Kaito kam es wieder hoch, »wann kommt Mio«, dachte er, aber da muss er nun durch, KLQS & Partner war nicht nur eine kleine Anwaltskanzlei, nein, es war eine der teuersten Wirtschaftskanzleien der Welt, extrem exklusiv.

»Hat Ihre Kanzlei nicht vor ein paar Jahren die Oceanic World Voyages Ltd. vertreten?«, fragte er.

Herr Whitemore drehte den Kopf zu ihm, sah ihn an und dachte, »sieh einer an, als ich vor zwei Tagen diesen völlig bescheuerten Auftrag bekam, blieb mir vor Ärger fast das Herz stehen, aber damit hatte ich nun nicht gerechnet« und sagte dann, »Haben Sie sich informiert?«

»Nein, ich mache nur meine Arbeit, was kann ich für Sie tun?«, sagte Kaito und dachte »Mio bitte übernimm den Arsch, schnell!«

Beide sahen sich an, als ein Rums ertönte und die Tür aufflog, »Ich bin zu spät, sorry«, kam es von einer keuchenden Mio, die anscheinend die zehn Stockwerke hochgerannt war. Als sie den Kunden sah, richtete sie sich schnell auf, verbeugte sich, begrüßte ihn und sagte, »Darf ich Ihnen Kaffee oder Tee bringen?«

»Tee«, sagte Herr Whitemore und lächelte zum ersten Mal, seit er den Raum betreten hatte.

Er schaute Mio hinterher, wie sie in die Küche ging und sah die Katze auf dem Sofa sitzen, die ihn immer noch anstarrte. »Was für ein unheimliches Biest, nichts geht über einen treuen Hund«, dachte er und wandte sich wieder Kaito zu.

»Mein Kunde würde sie gerne für einen Auftrag engagieren, aber vorher müssten noch einige Details geklärt werden.«

Kaito verstand sofort, worauf Herr Whitemore hinauswollte, holte einen Vertrag aus einer Schublade und schob ihn vor Herrn Whitemore auf den Tisch.

Herr Whitemore setzte ein falsches Lächeln auf und nahm den Zettel entgegen, legte ihn aber nach sehr kurzer Zeit wieder auf den Tisch zurück.

»Der ist gut verfasst, wer war das?«, fragte er in Richtung Kaito.

»Ein Anwalt, ein japanischer Anwalt«, sagte Kaito etwas genervt.

Herr Whitemore lächelte wieder und wieder war es deutlich aufgesetzt.

»Erst vor Ort wird sich entscheiden, ob sie den eigentlichen Auftrag übernehmen und meinem Mandanten helfen können, bis dahin gehen die Kosten zu Lasten des Antragstellers, dann wird neu verhandelt. Des Weiteren verpflichtet sich ihre Firma zu jeglicher straflimitierten Verschwiegenheit. Verstehe ich das korrekt?«

»Ja, das ist korrekt. Vertragsänderungen nur in Ausnahmefällen, nach Offenlegung des Falles.«

Der Mann war nicht nur gut, das wusste Kaito jetzt, er war sehr gut. Das in so kurzer Zeit zu verstehen, zeigte seine Fähigkeiten. Sein Stundensatz war wahrscheinlich höher als seiner.

Herr Whitemore zog einen Umschlag aus seinem Jackett und schob ihn Kaito zu. »Ein Empfehlungsschreiben, das mir mein Klient für Sie gegeben hat«, sagte Herr Whitemore, während Mio mit dem Tee hereinkam und Herrn Whitemore drei Tassen zur Auswahl reichte. Herr Whitemore nahm eine der Tassen, bedankte sich bei Mio, während er sich dann doch hinsetzte. Mio stellte Kaito eine Tasse auf den Tisch und nahm dann die dritte, während Kaito den Brief öffnete und las.

Kaito ließ den Inhalt des Briefes noch ein wenig auf sich wirken, schaute dann zu Mio, die interessiert zwischen Kaito und Whitemore hin und her blickte und sagte, »Mach einen neuen Fall auf und lege den Brief bitte ab« und reichte ihr das Dokument und den Umschlag.

Mio schaute auf den Umschlag und sagte dann, »Oh, von Herrn...« »MIO!« fuhr Kaito sie an und Mio ließ vor Schreck fast die Tasse fallen. Mio ging wortlos und erschrocken weiter. Was war das, so hatte sie ihn noch nie erlebt, hatte sie etwas falsch gemacht?

Mio überlegte. Es war ein Empfehlungsschreiben von Herrn Kato, das stand sogar auf dem Umschlag, der Anwalt würde es wissen und selbst wenn nicht, dann sein Mandant, warum also das Ganze? Sie war verunsichert und beobachtete, wie Herr Whitemore und Kaito an ihrem Tee nippten.

»Kaito, dieser paranoide Pedant, als würde er hier eine Verschwörung vermuten, als ...«, jetzt verstand sie seinen Gedankengang. Was, wenn der Brief gar nicht von Herrn Kato stammte, sondern eine Fälschung war, dann hätte sie jetzt bestätigt, dass Herr Kato Kunde dieser Firma war, oder es war einfach nur ein Test, eine Art Datenschutz-Test, durchgeführt von einem potentiellen Kunden. »Verdammt und zugenäht sollst du sein, Kaito, du rechthaberischer ... Verdammt, ich habe es vermasselt, hoffentlich geht es nicht meinetwegen schief«, dachte sie.

Der Anwalt nippte noch einmal an seinem Tee, sah Mio an, die zusammenzuckte, doch er nickte nur freundlich und reichte Kaito eine weitere Visitenkarte. Sie war blütenweiß und leicht erhaben stand nur ein einziger Name darauf, »William Kawn Harrington.«

Als Kaito das las, musste auch er schlucken. Er sah Herrn Whitemore an und sagte äußerlich ruhig, »Was könnte der zehntreichste Mann der Welt von mir wollen?«

Herr Whitemore hatte schon genug von dieser verschrobenen Katze, aber jetzt auch noch von diesem Jungen, der vielleicht sogar noch zur Schule ging. Der einzige Mensch neben ihm in diesem Raum schien das Mädchen zu sein, der Junge war wohl eher eine Maschine oder ein Zombie, der Gehirne fraß und deren Gedanken daraus extrahierte, so sah er jedenfalls aus. Oder hatte jemand den Jungen über sein Kommen informiert, unwahrscheinlich, sehr unwahrscheinlich. Das Problem war, dass Herr William niemals zulassen würde, dass so jemand in die Nähe seiner Tochter kam. Aber der Auftrag kam ja auch nicht von ihm, sondern von seiner Frau Grace Samira. Das konnte nur schief gehen, dachte er lächelnd.

Gerade als der Anwalt den Fall vorstellen wollte, sagte Kaito zu Mio, »Komm her und mach dir Notizen.«

»Verdammt«, dachte Kaito gleich danach, »ich wollte das doch nett sagen, um Mio zu zeigen, dass alles in Ordnung ist.«

Mio war jetzt total verunsichert und dachte Kaito würde sie beim nächsten Fehler feuern.

»Soll er doch«, sagte sie sich wütend, nahm einen Stuhl und setzte sich an den Tisch.

Herr Whitemore erklärte, dass die jüngste Tochter der Familie Harrington, Ivy Rose, trotz intensivster ärztlicher Untersuchungen immer schwächer wurde und dass Frau Harrington von Herrn Kato erfahren habe, dass es für diese

Symptome auch andere als gesundheitliche Ursachen geben könne.

Frau Harrington wünschte, dass er dies ausschloss.

Herr Whitemore musste diese Sätze mit Bedacht aussprechen, er hatte in seiner Karriere noch nie so einen Müll von sich geben, geschweige denn auch noch organisieren müssen. Seine letzten Fälle hatte er doch alle gewonnen, hatte er irgendwie einen wichtigen Klienten verärgert, ohne es zu wissen, war er in Ungnade gefallen oder warum saß er jetzt hier in diesem Drecksloch mit zwei Teenagern und einer verstörten Katze und musste diesen Müll von sich geben?

»Ist Herr Harrington damit einverstanden?«, fragte Kaito.

»Nein, verdammt noch mal, niemals, du kleiner Scheißer«, dachte Herr Whitemore und sagte, »Sie sprechen Paragraph drei ihres Vertrages an. In dem alle Erziehungsberechtigten zusichern müssen, dass sie mit dem Vertrag einverstanden sind.«

»Ja, genau« und Kaito hatte wieder einen Beweis für die Leistungsfähigkeit dieses Anwalts.

»Natürlich. Herr Harrington liebt seine Tochter über alles.«

»Ein kurzfristiger Flug nach London wird nicht einfach zu organisieren sein«, sagte Kaito und sah Mio an, die unruhig auf ihrem Stuhl hin und her rutschte, während sie dachte »warum habe ich mich nur so dumm verhalten, jetzt hätte ich die Möglichkeit nach London zu kommen. Kaito, bitte vergib mir und bitte nimm mich mit!«

»Das ist nicht nötig«, sagte der Anwalt, ein Privatjet der Familie Harrington, der zwischen Japan und England pendelt, wartet am Flughafen und wird morgen um 9 Uhr Richtung London starten. Ankunft wäre dann gegen 10.30 Uhr.

»Schnell unterwegs«, sagte Kaito trocken.

Der Anwalt lächelte und dachte, »Da ist der Beweis, dass er kein Mensch ist.«

Jetzt brach es aus Mio heraus, »bitte, bitte nimm mich mit, ich wollte schon immer mal nach London«, flehte sie Kaito an.

Kaito schaute Mio an und sagte, »Das ist kein Urlaub Mio und natürlich wollte ich dich mitnehmen. Die Kundin ist in deinem Alter, da ist es ganz gut, wenn du dabei bist. Sonst glaubt man mir sowieso nichts.«

»Das hast du gut erkannt, du komisches menschenähnliches Ding«, dachte sich Herr Whitemore, »mit dem Mädchen zusammen könntet ihr mit viel Glück vielleicht einen Blick auf Ivy Rose werfen.«

Mio war überglücklich. Der ganze Ärger von eben war wie weggeblasen, London mit einem Privatflugzeug, wenn sie das ihren Freunden erzählen würde. Hmm, aber das durfte sie ja nicht, wurde ihr gerade klar, aber sie freute sich trotzdem.

»Ist es ein Problem, wenn meine Kollegin mitkommt?«

»Nein, es ist genug Platz.«

»Gut, dann sind wir zu dritt, Frau Yamamoto, ich und Dawn, meine Katze.«

Herr Whitemore wollte gerade tief Luft holen, aber er beherrschte sich gerade noch, als Kaito sagte, »Dawn wird sich nicht weiter als zehn Schritte von mir entfernen und ach ja, Dawn ist mir auch sehr, sehr wichtig.«

Der Anwalt lächelte und sagte, »Auch wenn wir Quarantänebestimmungen für Haustiere haben, das wird schon gehen, halten sie sie nur bedeckt, bis wir draußen sind.«

»Mio, hast du eigentlich einen Reisepass?«

Mio erstarrte. »Brauche ich den?«

»Klar, du Hohlbirne, was glaubst du denn?«, dachte Kaito.

»Ich werde meine Eltern fragen.«

»Frag sie auch gleich, ob sie einverstanden sind, ohne das keinen Flug!«

»Klar doch!«

Warum hatte Kaito nur das Gefühl, dass das eher bedeutete, ‚Ich mache, was ich will.'

Während Mio mit ihren Eltern telefonierte, klärten Kaito und Herr Whitemore noch kleinere Formalitäten und unterschrieben die Verträge.

Als Mio in den Besprechungsraum kam und sich freute, dass ihre Eltern einen Reisepass für sie hatten, wollte Herr Whitemore gerade gehen. Als er Mio sah, drehte er sich noch einmal zu ihr um und sagte, »Wissen Sie, Frau Yamamoto, in England gibt es den besten Tee der Welt. Ich habe noch nie etwas Vergleichbares serviert bekommen, außer heute, vielen Dank.«, dann verabschiedete er sich mit einer leichten Verbeugung vor Mio und verließ den Raum.

»Wenn das Mädchen nur nicht mit diesem, ... ach was auch immer er ist, rumhängen würde, dann könnte wirklich was aus ihr werden, der Tee war wirklich hervorragend«, dachte er und blickte auf das alte, heruntergekommene Gebäude, das er vor zirka einer Stunde wirklich betreten hatte um einen durchgeknallten Jungen um einen Exorzismus zu bitten. »Wie tief bin ich gesunken?«

»Mio«, sagte Kaito.

»*Yes, Sir*«, sagte Mio lachend und Kaito ist froh, dass Mio wieder besser drauf zu sein schien, was wohl bedeutete, dass sie morgen mitkam und sich das Thema mit dem Brief auch gleich klären würde.

»Bevor du einen Koffer für maximal zwei Tage packst, die Gültigkeit deines Reisepasses überprüfst und die Erlaubnis deiner Eltern mitbringst«, Mio drehte sich dabei zähneknirschend um, »rufst du Herrn Kato an und lässt dir sein Empfehlungsschreiben bestätigen.«

Mio wurde unruhig, was jetzt, fragte sie sich, war er immer noch sauer oder glaubte er, dass etwas nicht stimmte.

»Wie genau soll ich das machen?«

»Du kannst Herrn Kato direkt auf den Brief ansprechen, schließlich hat er ihn unterschrieben und da er nicht dement ist, sollte er sich daran erinnern können, aber ansonsten hältst du dich bedeckt. Wenn er sich nicht erinnern kann, wird morgen früh die Polizei zum Flughafen kommen und nicht wir. Denn ich will nicht in ein Flugzeug nach London einsteigen, das dann in der Antarktis landet. Aber Wahrscheinlich ist das Schreiben von ihm, also keine Panik, mach ein bisschen Smalltalk und frag ihn noch ein bisschen aus, alles was dein ‚Senpai' wissen könnte, kann uns weiterhelfen.«

Mio verstand die Anspielung genau, sagte aber nichts, sondern nahm den Brief und ging zum Telefon.

»Ich gehe mit Dawn in meine Wohnung und bereite alles Mögliche vor, ich will nicht noch einmal so etwas erleben wie damals. Schließ ab, wenn du gehst.«

Noch bevor Mio fragen konnte, was er mit ‚damals' meinte, war er schon aus der Tür und sie dachte nur, »Morgen quetsche ich es aus dir heraus.«

Kaito schaute zum zweiten Mal ungeduldig auf die Uhr, denn Mio war schon zehn Minuten später als verabredet dran. »Weiber«, dachte er, aber gleichzeitig zollte er ihr großen Respekt, dass sie aus Herrn Kato noch so viel herausholen konnte. Der Auftrag würde nicht einfach werden, aber das hatte er sich schon gedacht.

Er drehte sich zum anderen Eingang und war erleichtert und verärgert zu gleich. Mio kam mit einem riesigen Koffer angerannt.

»Das war ja so klar«, dachte er und verzog die Augen.

Er wollte gerade ausholen, aber Mio unterbrach ihn, »Ich brauche das alles, keine Widerrede.«

Kaito atmete tief durch und sagte dann, »Okay, Gate 102, da starten die Privatmaschinen, lass uns gehen.«

Mio sah wie Kaito losging und ihr Blick fiel auf Dawn, die mit einer Leine neben ihm herlief.

Sie konnte sich ein Lachen nicht verkneifen und fragte sich gerade, wie das wohl für Kaito aussehen würde, als Dawn sich zu ihr umdrehte und sie bitterböse anfauchte.

Jetzt konnte sie sich nicht mehr zurückhalten, musste sich setzen und lachte erst einmal laut los. Dawn war offensichtlich extrem sauer und schaute demonstrativ in eine andere Richtung, während Kaito versuchte, Dawn auf den Arm zu nehmen, um die Situation zu beruhigen. Doch Dawn weigerte sich weiter, was die Situation für Mio noch lustiger machte.

Während verschiedene Leute an ihnen vorbeigingen, die die Situation nicht verstanden und sich wunderten, beruhigte sich Mio langsam und ging dann kichernd voraus, um die Szene hinter sich nicht weiter verfolgen zu müssen.

Doch schlagartig änderte Mio ihr Interesse, als sie plötzlich durch das Gate direkt auf das Rollfeld neben die Maschine traten.

»Damit fliegen wir jetzt nonstop nach London, ich würde so gerne ein Foto machen«, wollte sie sagen und blickte zu Kaito, der schon wieder die Augen verdrehte.

»Kann er Gedanken lesen«, dachte sie.

Mios großer Koffer und Kaitos Handgepäckkoffer wurden entgegengenommen und verstaut. Den zweiten kleinen Koffer, den er bei sich trug, ließ er nicht aus der Hand.

Kaito hatte ihr erklärt, dass sie mit darauf achten solle, dass ihn niemand anfasst.

Mio wollte wissen warum und Kaitos Antwort war einfach, »Weil es tödlich enden könnte.« Sie musste erst schlucken, aber dann dachte sie, dass Kaito wahrscheinlich übertreiben würde. Denn sie erinnerte sich als er bei der Sicherheitskontrolle seine Koffer öffnen musste und dem Sicherheitspersonal erklärte, dass er Künstler sei und das alles zu seiner Kunst gehöre, schien das kein Problem gewesen zu sein.

»Oder vielleicht auch nicht«, dachte sie und schaute ihn an, als er Dawn die Leine abnahm und ihr sagte, sie solle das Leder nicht verkratzen, während die Flugbegleiter Kaito und seine Katze seltsam ansahen.

Herr Whitemore kam kurz nach ihnen und dann wurden auch schon die Türen geschlossen. Das Flugzeug wurde rückwärts aus der Parkposition geschoben und die Turbinen gestartet.

Kaito grüßte Herrn Whitemore mit einem Nicken, das dieser erwiderte. Mio hüpfte unterdessen in dem sehr edel ausgestatteten Flugzeug auf und ab und musste vom Personal ermahnt werden, sich zu setzen und anzuschnallen. Kaito spürte noch den enormen Schub der Maschine, als sie mit der Sonne im Rücken in Richtung London abhob.

Er hatte kaum geschlafen und würde dies nun während des Fluges nachholen, also hielt er die Augen geschlossen und hörte nur noch, wie Mio von ihrem Vater erzählte, wie er ihr als Vorsitzender eines Vereins für japanische Teekultur alles beigebracht hatte und dachte, »Ja, ja, wenn das Frau Whitemore wüsste, Herr Whitemore« und schlief ein.

Nach einer Stunde Flug hatte Mio bereits alles an Bord inspiziert und war mit allen an Bord per Du. Nun schaute sie abwechselnd aus dem Fenster oder zu den Flugbegleitern, die jedes Mal, wenn sie am schlafenden Kaito vorbeikamen, ihre Schrittfrequenz erhöhten. Es war lustig zu sehen, wie Dawn, fast schon wie versteinert auf Kaitos Schoß sitzend, wie eine altägyptische Katzengöttin über ihn wachte und jeden böse ansah, der sich ihm auch nur näherte.

Einige Stunden vor der Landung setzte Kaito Dawn ans Fenster, ging zweimal auf und ab und besorgte sich Essen und Trinken. Mio beobachtete, wie das Personal und die Passagiere verzweifelt versuchten, ihm jeden Wunsch so schnell wie möglich zu erfüllen, nur um wieder Abstand zu gewinnen. Das ließ Kaito eindeutig kalt.

Nach der Landung ging alles ganz schnell. Ein Auto stand schon bereit. Kaito hatte Dawn in seiner Jacke versteckt und Mio versuchte krampfhaft nicht daran zu denken, wie das für jemanden mit spirituellen Fähigkeiten aussehen würde. Sie wollte nicht wieder einen Lachanfall bekommen, nicht vor all den Leuten hier, also ging sie nach vorne, schaute auf den Boden und dachte an ihren Koffer, der ihr auch schon sofort in den Wagen gestellt wurde.

Als sie einstieg, saß Kaito zu ihrer Erleichterung schon mit Dawn im Auto und sie setzte sich lächelnd zu ihm.

»Ist was?«, fragte Kaito Mio, die lachend antwortete »Nein, alles in Ordnung«, während Dawn sich wegdrehte und leise fauchte.

Als der Wagen losfuhr, sagte Herr Whitemore »*family estate.*« Mio fragte, wohin in London sie jetzt fahren würden und Herr Whitemore erklärte, dass sie zum Harrington Landsitz außerhalb Londons fahren würden, was Mio traurig akzeptierte.

Irgendwann erklärte Herr Whitemore, dass sie nun das Tor des Anwesens passiert hätten und in fünf Minuten am Haupthaus ankommen würden.

Es war wirklich beeindruckend. Die Größe und Eleganz war überwältigend.

Der Unterschied zwischen europäischem und japanischem Baustil war deutlich zu erkennen.

Das musste sogar Kaito anerkennen. Mio war hin und weg.

»Jetzt kommt der knifflige Teil«, dachte Kaito, als er die Treppe zum Eingang hinaufstieg und zusammen mit Mio und Dawn in der Empfangshalle wartete.

Eine Tür, oder besser gesagt ein Tor, öffnete sich und Herr und Frau Harrington traten ein, begleitet von einigen

Angestellten und Sicherheitskräften, die ihre Waffen offen am Körper trugen.

Frau Harrington stellte sich mit einem freundlichen Lächeln in ausgezeichnetem Japanisch vor. Sie erklärte, dass dieses Haus international sei, nicht nur wegen der weltweiten Vernetzung der Geschäfte, sondern auch wegen der weit verzweigten Verwandtschaft.

Man konnte Herrn Harrington ansehen, dass Kaito nicht willkommen war.

Kaito erwiderte den Gruß von Frau Harrington, ebenso wie Mio, die noch eine Nachricht von Herrn Kato überbrachte.

»Jetzt kommt der Showdown«, dachte Kaito, als sie alle in einem Konferenzraum saßen.

»*What kind of qualifications do you have*?«, fragte Herr Harrington direkt.

»*I spent two years in the Japanese Spiritual Order Society, where I specialized in demon hunting and disintegration. Since there were no further training opportunities, I started my own business. You mentioned Mr. Hiroshi Kato himself as a reference. Apart from that I am a high school student*«, sagte Kaito in fast perfektem Englisch.

Mio stockte der Atem, war das der Kaito, dessen besuchte Englischstunden während seiner Schulzeit man an zwei Händen abzählen konnte? Vielleicht gerade weil er es perfekt konnte, jetzt wurde es klar, aber woher hatte er es? Seine Eltern, nein, das war ein Tabuthema. Herr Tanaka? Nichts gegen Herrn Tanaka, aber auch das war sehr unwahrscheinlich. Also doch seine richtigen Eltern? Sie blickte leicht zu ihm hinüber und sah wie immer seinen passiven, nichtssagenden Gesichtsausdruck, der die Leute so nervös oder wütend machte.

»Zwanzig der besten Ärzte der Welt konnten nichts finden, was wollen Sie da ausrichten?«, fragte Herr Harrington weiter, diesmal auf Japanisch.

»Sie haben Recht, wenn es ein medizinisches Problem gibt, kann ich nichts tun, ich bin kein Arzt, aber das ist auch nicht Teil des Vertrages. Aber ich kann ihnen in einer Minute sagen, ob es ein medizinisches Problem ist.«

Herr Harrington runzelte die Stirn.

»*How*?«

»*Quite simply if it is not a spiritual problem it will be a medical one*«, sagte Kaito.

»Dafür brauchen sie eine Minute.«

»Ja. Eher weniger«, sagte Kaito und glaubte, ein Déjà-vu zu haben, diesmal nicht mit einer Zicke, sondern mit einem sturen Bock und dachte an den so netten Herrn Watanabe, der alles über sich ergehen ließ, weil er froh war, dass ihm jemand helfen wollte.

»Wie nah müssen Sie … dabei meiner Tochter kommen?«

Immer dasselbe, dachte er, »Erst bestellt ihr mich ein und dann so etwas« und sagte, »Sichtkontakt etwa fünf Meter, das reicht. Dämonen sind leicht zu erkennen.«

Frau Harrington legte ihre Hand auf die von Herrn Harrington und sagte »schauen sie bitte nach Herr Tanaka. Folgen sie mir«, stand auf und ging in Richtung einer geöffneten Tür.

Die gesamte Belegschaft folgte Frau und Herrn Harrington durch den Flur im ersten Stock und Kaito hofft, dass das Haus nicht zu groß war.

Plötzlich miaute Dawn für alle hörbar und Kaito blieb stehen.

Kaito wusste jetzt, dass er eigentlich gar nicht in das Zimmer schauen musste, an dem sie gerade vorbeigelaufen waren. Was immer sich dort hinter der Tür befand, kam direkt aus der Hölle, wenn es denn eine gäbe.

»Ist ihr Haus so groß, dass sie nicht wissen, welches Zimmer ihre Tochter hat?«, fragte er frech und zeigt auf die Tür neben ihm.

Mio war völlig fertig, sie hatte sich auf einen schönen Tag in London gefreut und jetzt das. Kaito spielte mal wieder den beleidigten Besserwisser und das vor einem der reichsten Menschen der Welt und noch schlimmer, vor seinem Kunden, dachte sie.

Klar war das ein Test, das hatte sie auch verstanden und Dawn hatte ihn bestanden. Trotzdem sollte Kaito mal ein Training in Kundenkonversation absolvieren.

»Ich schreibe das auf die Liste für seinen Vater, wenn wir wieder zu Hause sind«, fraß Mio in sich rein.

Ein leises Grummeln und Murmeln, dann sagte Herr Harrington, »Ach ja, wir haben heute ihr Zimmer getauscht.«

Er ging zur Tür, öffnete sie und Kaito schaute mit Dawn, die er auf dem Arm hatte, ein, zwei Sekunden in den Raum, dann trat er zur Seite.

Er wusste, dass es ein Dämon war, aber ein Essentrax, das ist schon was, sagte er sich. Und seine Diener, die er aus der Lebensenergie der Menschen erschuf, waren auch nicht zu verachten und fast vollständig, mit sechs an der Zahl. Wie auch der Panzerdämon hatte dieser hier einen Teil seines Körpers in das Herz des Mädchens gerammt und entzog ihr nun die spirituelle Energie und schwächte sie. Der Panzerdämon war stark, aber träge, dieser hier war schnell, er könnte das Mädchen leicht mit in den Tod reißen, wenn es keine Chance mehr für sich sah. Positive Energie hatte er genug, mehr als genug um dieses Vieh dreimal zu vernichten, das Problem war die Zeit bis es vernichtet war, da helfen nur Tricks, aber bei diesem sturen Bock, fragte er sich? »Shit Happens«, oder wie hieß das Sprichwort. »Egal, in zwei Tagen wäre das Mädchen sowieso tot, wenn nichts passierte und das Geld könnte er gut gebrauchen. Mio ist schon wieder sauer auf mich, wie sauer würde sie sein, wenn er das Mädchen sterben lassen würde. Sie würde es bestimmt seinem Vater erzählen, also dann ...«, dachte er und sagte »lassen sie uns zurückgehen, ich erkläre ihnen was ich gesehen habe und was ich vorschlagen würde.«

»Wir sind ganz Ohr«, sagte Herr Harrington als sie alle zurück im Konferenzraum waren und Kaito den Harringtons die Situation erklärte.

»Sie wollen mir also sagen, dass ein Dämon von meiner Tochter Besitz ergriffen hat und sie sterben wird, wenn Sie ihn nicht vernichten und das kostet etwa 100.000 Yen. Warum so wenig, ich hätte 100.000 Pfund erwartet. Was haben Sie vor? Was müssen Sie machen?«, fragte Herr Harrington leicht sarkastisch.

Immer das gleiche Spiel, dachte sich Kaito und sagte, »Ich brauche nur 30 Minuten, dann sind wir wieder weg, können wir anfangen?«

»Nein können Sie nicht. Ich lasse so jemanden, wie sie doch keine drei Meter an meine Tochter heran!« Frau Harrington legte wieder ihre Hand auf die von Herrn Harrington und er sagte, »wenn, dann soll es das Mädchen dort machen« und zeigt auf Mio.

»Frau Yamamoto ist meine Assistentin und kann diesen Prozess nicht durchführen«, sagte Kaito und versuchte so freundlich wie möglich zu bleiben.

»*I will never let someone like you near my daughter.*«

»*Then your daughter will die a senseless death. I will not come closer than 3 steps*«, sagte Kaito völlig emotionslos.

»*ENOUGH*! We had a deal!«, schrie Frau Harrington ihren Mann an.

»Wenn es meiner Tochter morgen nicht besser geht, fliegen Sie auf eigene Kosten nach Hause und betreten England nie wieder«, sagte Herr Harrington zu Kaito.

»Eine Million extra!«, wenn es ihrer Tochter morgen besser geht, konterte Kaito unbewegt.

Herr Harrington stand auf, ging wieder Richtung Zimmer und sagte, »*You have 30 minutes.*«

Kaito schaute zu Mio, die sehr enttäuscht und verängstig aussah, sie hat sich das alles natürlich ganz anders vorgestellt. Kaito stupste sie an und sagte »Komm schon, wir haben 30 Minuten« und lächelte.

Mio sah ihn an. Das war das zweite Mal, dass Kaito wirklich ehrlich gelächelt hatte und sie schöpfte wieder Zuversicht, stand auf, ballte die Faust und sagte laut, »*We must going!*«

Alle im Raum mussten ihr Lachen unterdrücken, nur Herr Harrington nicht und Mio die es nicht Verstand.

Zehn Minuten später durfte Kaito den Raum betreten. Es waren zwei Sicherheitsleute im Raum, einer war der Mann, der Herrn Harrington nicht von der Seite wich, der andere war jünger, sah aber nicht weniger gefährlich aus, beide trugen offen eine Schusswaffe.

Herr Harrington hatte tatsächlich Abstandsmarkierungen angebracht, die Kaito nicht überschreiten durfte. »Nächstes Mal kostet es eine Milliarde Yen, Arschloch«, sagte er zu sich selbst.

Zwei Hausmädchen, beide noch sehr jung, standen um das Bett von Ivy Rose Harrington und warteten auf Befehle.

Der Anwalt, Herr Whitemore, der vermutlich als außenstehender Zeuge anwesend war, stand etwas weiter entfernt an der Tür und blieb dort stehen. Kaito lachte innerlich, als er sich vorstellte, was in Whitemores Kopf vorging.

Ein anderer Mann, der wie ein Arzt aussah und etwa sechzig Jahre alt war, stand ebenfalls in der Nähe des Bettes und natürlich Herr und Frau Harrington. Es war Mittagszeit, die Sonne stand hoch, die Fenster waren von den Gardinen ein wenig verdunkelt, aber es war hell im Zimmer. Wahrscheinlich hatte Ivy Rose gerade geschlafen. Sie war schwach und müde, die gleichen Symptome wie bei dem Sohn von Frau Kato.

Kaito öffnete seinen kleinen Koffer und Mio versuchte einen Blick hineinzuwerfen. Von Herrn Harrington kam nur ein verächtliches Schnauben. Sonst gab niemand einen Laut von sich.

Kaito holte ein paar kleine Kugeln heraus, die Mio schon kannte und steckte sie ein. Dann gab er Mio vier etwa faustgroße Quader. Zwei von diesen sollte sie in die Ecken Bettseitig platzieren und die anderen beiden in der Mitte an der Wand. Dabei sah er Mio ernst an und Mio verstand sofort, dass dies sehr wichtig war. Dann nahm er noch ein Papiersiegel und steckte es ein, schloss den Koffer und stellte ihn neben die Eingangstür.

Kaito begann, wie vereinbart, Linien und Kreise auf den Boden zu malen, er grinste, als er sich das Gesicht von Herrn Harrington vorstellte, der tatsächlich noch verärgerter aussah als vorher, wie Mio deutlich erkannte. Kaito war gerade dabei, die Kreise in den Randbereichen des Zimmers zu malen, als ihm das Zitat »Störe meine Kreise nicht« des alten griechischen Mathematikers Archimedes in den Sinn kam, der dafür getötet wurde und er dachte nur, hoffentlich gibt es hier kein Blutbad. Mio zeichnete wie vereinbart einen Kreis um das Bett, was sie schon ein paar Mal geübt hatten, aber nur, weil Mio damals darum gebettelt hatte, jetzt war er froh über ihre Beharrlichkeit. Zum Glück war das Zimmer riesig und das Bett stand im hinteren Drittel nicht direkt an der Wand, so war auch noch genug Platz für die anderen Schutzkreise.

Er sagte noch einmal in die Runde. »Es wäre besser, wenn einige den Raum verlassen würden, es könnte heftig werden« und er sah die Diener und Frau Harrington an.

»Niemand verlässt den Raum«, sagte Herr Harrington und sah Kaito weiterhin hasserfüllt an.

»Dann bin ich weder für volle Unterhosen noch für Herzinfarkte verantwortlich«, dachte er sich.

Sein Schutzkreis war etwa drei Meter vom Bett entfernt. Fünf weitere waren für die Hausdamen, den Arzt, Herrn und Frau Harrington mit ihren Leibwächtern und Herrn

Whitemore. Nach etwa 15 Minuten war alles bereit. Dann bat er alle, sich wie besprochen in die Kreise zu stellen.

»Du hast noch 10 Minuten«, sagte Herr Harrington.

»Fuck you, Harrington«, dachte Kaito, als plötzlich der Dämon zu sprechen begann.

»Was willst du von mir, kleiner Menschenjunge?«, hämmerte es in seinem Kopf.

»Verdammt, hat er meine Aura bemerkt, mein Amulett sollte mich doch davor schützen und die Aura verbergen«, dachte Kaito.

Er tat so, als hätte er ihn nicht gehört, wenn der Dämon jetzt ausrastete, war alles vorbei.

Kaito blickte auf und sagte in die Runde, »Hat jemand etwas gesagt?«

»Du hast noch 8 Minuten, du Scheißer, das habe ich gesagt«, sagte Herr Harrington und Frau Harrington musste ihren Mann beruhigen.

Alles war bereit, die Leute standen in den Schutzkreisen und Harrington schaute auf seine Hunderttausend-Dollar-Uhr mit Stoppfunktion. Ohne auf den Dämon zu achten, ging er auf Herrn Harrington zu, in Richtung seines Kreises, lächelte ihn an und sagte dann etwas frech, »Nein, das von ihnen habe ich nicht gemeint« und legte seine Hand um das Amulett. Alle, die vor ihm standen, Herr und Frau Harrington, die Leibwächter und Herr Whitemore, sahen, wie Blut zwischen seinen Fingern hervorquoll, als er das Amulett, welches um seinen Hals hing, umfasste, zudrückte, auf die Knie fiel, seine Hand auf den Kreis am Boden presste und deutlich »DISINTEGRATION« aussprach. Die beiden Leibwächter hatten ihre Waffen gezogen und richteten sie auf Kaito. Im selben Moment erhellte sich der Raum weiter, es war schon hell, aber eine neue Lichtquelle ging vom Bett der Tochter Ivy Rose Harrington aus und ohne Kaito weiter zu beachten, schauten alle automatisch zur Lichtquelle und damit zum Bett. Die Reaktionen waren wie immer unterschiedlich, er hörte, wie die Hausdamen zu schreien begannen und er hörte ein Poltern hinter sich.

Der Leibwächter, der gerade noch auf ihn gezielt hatte, richtete seine Waffe nun auf das Bett.

Frau Harrington trat einen Schritt zurück, ihre Augen weiteten sich, dann versuchte sie vorwärts zu kommen. Gerade als sie den Kreis verlassen wollte und Kaito schrie »*Stay in the Ring*« rief, zog der ältere Leibwächter Frau Harrington wieder in den Kreis und ein lauter Schrei donnerte durch die Köpfe aller Anwesenden. Noch in der Hocke drehte Kaito sich um und sah, wie vier der Diener des Essentrax, sich von ihrem Herrn lösten und mit hoher Geschwindigkeit auf die Anwesenden zusteuerten. Die Augen aller wurden groß und angsterfüllt, als sie erkannten, dass diese Dinger, die wie deformierte Tintenfische aussahen, das Bett von Ivy Rose in ihre Richtung verließen. Plötzlich verschwanden die Biester, als sie die Bettkante überschritten hatten und der Schock der Anwesenden ließ etwas nach. War das alles Einbildung oder ein Traum? Nebenbei war Adrenalinausschüttung wohl so groß, dass niemand, wie sonst üblich, bemerkte, wie die Temperatur rapide sank, aber das war egal, dafür würde alles viel zu schnell gehen, dachte Kaito, als alle, die noch Richtung Bett schauten, ein monströs ekliges grünschwarzes Etwas über dem Bett schweben sahen. Es hatte deutlich mehr Gliedmaßen als ein Tintenfisch, die sich von einer ekelhaft wabernden Mitte aus in alle Richtungen ausbreiteten. Ein heftiger Schlag erschütterte die Gruppe um Herrn Harrington. Ein Schrei und eine der Hausdamen knallte mit voller Wucht gegen die Wand. Das Vieh, das eben noch verschwunden war, hämmerte nun mit seinen Gliedmaßen in Richtung der Hausdamen und des Arztes, die nun alle vor Schreck nach hinten kippten oder zusammenbrachen. Eine Art unsichtbare Barriere, wenige Zentimeter vor ihren Gesichtern, stoppte den heftigen Aufprall mit einem Donnern in ihren

Köpfen und erzeugte goldene Partikel, die das Wesen aufleuchten ließen und sichtbar machten. Die Leibwächter wollten gerade auf das Wesen zielen, als das dumpfe Geräusch eines heftigen Einschlags, ebenfalls nur wenige Zentimeter von ihnen entfernt, gegen ihre Barriere hämmerte, als würden schwere Geschosse eine Betonwand treffen.

Der jüngere Leibwächter erschrak durch den lauten Aufprall der tentakelartigen Gliedmaßen und das erneute Auftauchen der Monster direkt vor ihm so sehr, dass er seine Waffe in die Richtung des Monsters vor ihm abfeuerte, die Kugeln aber geradewegs durch es hindurch in die Wand hinter dem Bett einschlugen. Wegen des Lärms, der in die Köpfe der Anwesenden projiziert wurden, bekam außer seinem Vorgesetzten niemand etwas davon was mit. Mio stand mit großen Augen in dem Kreis hinter Kaito, in dem auch Kaito stand und beobachtete, wie jedes Mal, wenn die Wesen auf die Barrieren trafen, goldene Partikel von ihnen abfielen. »Sternenstaub, so schön, so ästhetisch, so erhaben wie tausende Leuchtkäfer gleichzeitig«, dachte sie, während sie das Schauspiel bewundernd betrachtete.

Plötzlich sagte Kaito laut, »Hey Bastard, was ist mit mir, du Monster« und hob noch in der Hocke, die andere Hand in dessen Richtung.

Stimmen drangen wie von selbst in die Köpfe der Anwesenden, »*I can spare your mother, if you leave.*«

Kaito lachte laut auf und alle, die noch einigermaßen bei Verstand waren, sahen ihn an, »*Take her, nobody needs a Child killer.*« Die letzten beiden Worte verstand Mio nur zu gut, mehr als ihr lieb war und Tränen begannen ihre Augen zu benetzen, ob von der langsam in ihr aufsteigenden Furcht oder von dem, was sie zu hören glaubte, wusste sie nicht. Im selben Moment schnippte Kaito eine kleine Kugel in Richtung des Dämons. »*HOLY LANCE*«, sagte er laut und deutlich. Alle sahen, wie etwas in den Kreis eindrang und sich zu einer Art Lanze oder Speer verformte, während Kaito sich aus der Hocke erhob, einen großen Schritt nach vorn machte und »Stirb« sagte. Der Speer flog auf den grünschwarzen, hässlichen Dämon zu, der, wenn man genau hinsah, Anzeichen von Angst zeigte. Einer der beiden zurückgebliebenen Diener des Dämons trat vor und fing den Speer mit einem Teil seines Körpers ab, der in unzählige Partikel zerbarst, die den Raum wieder hell erleuchteten.

Kaito legte nach und hatte eine neue Kugel in der Hand. Er trat wieder einen Schritt vor, zielte und ... Der Dämon schrie auf und alle Dienerdämonen stürzten sich auf Kaito. Mio schaute auf den Boden und sah, dass Kaito nicht mehr im Schutzkreis stand. Sie schrie, aber Kaito schrie zuerst, »Dawn, schütze mich, schnell.« Dawn sprang von hinten aus dem Kreis auf Kaito zu, aber die Dienerdämonen schlugen Dawn weg, die getroffen vor das Bett fiel und darunter Schutz suchte, während die Dämonen sich weiter auf Kaito stützten. In den Köpfen der Umstehenden war ein schreckliches Lachen zu hören, als die Dämonen auf Kaito zustürmten. Mio schrie Kaito an, griff nach vorne, um ihn zurück in den Kreis zu ziehen, doch es war zu spät, die Dämonen waren nur noch wenige Zentimeter von ihm entfernt, als er laut »*OBLITERATION*« ausrief. Mit einem Schlag wurde der ganze Raum in gleißendes Licht getaucht, die Dienerdämonen zerfielen schlagartig zu Sternenstaub und die entstandenen Partikel erleuchteten den Raum so hell, dass alle geblendet wurden. Das grässliche Gelächter, das kurz zuvor noch zu hören gewesen war, verstummte schlagartig und ein Grollen war im Raum zu hören, das aus der Richtung kam, in der das Biest über dem Bett schwebte. Es war kein Gesicht zu erkennen, nur verzerrte Züge, die mit viel Phantasie an so etwas erinnern mochten. Aber jeder sah, dass sich die Situation verändert hatte und das Ungeheuer wusste es auch. Die vielen Gliedmaßen schossen vom Körper aus in eine Richtung, die hinter dem Monster lag, dort, wo die Tochter Ivy Rose Harrington liegen sollte, vom

Dämon verdeckt und für das menschliche Auge überstrahlt vom Sternenstaub des zerfallenden Dämons. Die Gliedmaßen hämmerten auf die Stelle des Mädchens ein wie ein Maschinengewehr auf einen Baumstamm, 10, 20, 30, so schnell konnte niemand zählen.

»IVY!, IVY!, IVY!«, schrie Frau Harrington mehr als verzweifelt. Sie versuchte erneut, nach vorne zu stürmen, wurde aber wieder von ihrem Leibwächter zurückgehalten. »Lass mich los, IVY!«, schrie sie ihn an und hämmerte mit der Hand auf ihn ein, doch er ignorierte sie. Kaito blickte zu Frau Harrington und fragte sich für einen kurzen Moment, ob so eine Mutter aussah, die für ihr Kind in den Tod gehen würde. Mio sah zu Kaito, dann zu seiner anderen Hand. Sie erkannte sofort, dass Kaito das fünfte Siegel des Pentagramms in der Hand hielt und es kam ihr vor, als würde er seine ganze Energie in dieses Siegel fließen lassen. Zusammen mit dem fünften Siegel in seiner Hand war das Pentagramm so ausgerichtet, dass es den Dämon mit voller Wucht traf. Mio erinnerte sich daran, dass Kaito einmal gesagt hatte, dass Pentagramme weit weniger effektiv seien als Bannkreise, vor allem wenn sie, wie dieses hier, nicht korrekt ausgerichtet waren. Wie war dann das, was sie sah, möglich, fragte sie sich.

»Ist das Kaitos wahre Macht? Kann ein einzelner Mensch so viel spirituelle Energie besitzen, kann er so mächtig sein?«

Ihre Antwort war eindeutig, »Ja, mach ihn fertig Kaito! Kill it!«, rief sie in den Raum und sah zu dem Dämon, der sich schnell auflöste.

Frau Harrington schrie weiter »IVY!, IVY!, IVY!«, aber die Leibwache ließ sie nicht los.

Wie oft der Dämon mit seinen Gliedmaßen auf die Stelle der Tochter eingeschlagen hatte, konnte man nur groß schätzen, aber jeder im Raum sah, wie sich die Gliedmaßen in goldene Partikel auflösten und der Dämon langsamer wurde. Plötzlich zerplatzte er wie eine Seifenblase in unzählige weitere Partikel von Sternenstaub, die erneut den Raum um das Bett erhellten.

Frau Harrington hatte nicht aufgehört zu schreien. »IVY!, IVY!, IVY!« waren jetzt aber die einzigen Worte, die noch zu vernehmen waren. Die Helligkeit nahm schnell ab und gab den Blick auf das Bett frei. Undeutlich war dort etwas zu erkennen. Eine Person saß leicht aufgerichtet im Bett. Etwas später konnte Frau Harrington das Gesicht ihrer Tochter erkennen und ihr Schrei verwandelte sich in einen erleichterten Ausruf »Ivy!« Aber jetzt konnte man noch eine weitere Person erkennen, eine, die hinter Ivy saß, ein Gesicht mit einem Lächeln, das in den Raum geworfen wurde. Ivys Kopf lag zwischen den ausgestreckten Armen dieser anderen Person. Eine junge Frau mit Katzenohren, die von Ivy mit großen Augen angesehen wurde. Auf einmal wurde es still im Raum, sehr still, niemand atmete. Die Hände des Katzenmädchens waren auf die Anwesenden gerichtet, oder besser gesagt auf den aufgelösten Dämon, der noch vor wenigen Sekunden auf sie eingehämmert hatte. Jetzt konnte es jeder im Raum deutlich sehen. Eine Art leerer Raum, in dem keine Teilchen zu sehen waren, bildete sich an den Enden der Handflächen des seltsamen Mädchens. Teilchen, die in diesen Raum eindringen wollten, wurden dort wie von Geisterhand reflektiert, wenn sie versuchten, in den leeren Raum vorzustoßen. Das Mädchen mit den Katzenohren hatte eine Art Barriere geschaffen, indem sie ihre Arme und Hände schützend über Ivy Rose hielt und sie gegen den Dämon richtete, so dass die Schläge des Dämons von geschaffenen Barriere abgefangen wurden.

Dawn lächelte Kaito an, der nur kalt und befehlend sagte, »Dawn hierher.«

Dawn schaute zu dem Mädchen, lächelte sie eine halbe Sekunde an und sprang aus dem Sitzen auf die Bettkante, verließ dann mit einem zweiten Sprung in Richtung Kaito den Partikelbereich und verwandelte sich vor den Augen der Anwesenden wieder in eine Katze, die auf Kaitos Arm landete.

Kaito rief Mio zu, »Los.« Mio verstand sofort und reichte ihm ein Getränk, das sie mitgebracht hatten. »Deckt das Mädchen zu ...« Weiter kann Kaito nicht, als Mio ihm die anderen Flaschen in einem Beutel zuwarf und zu Ivy rannte. Sie legte die Decke über sie und drückte sie auf das Bett. Im selben Moment riss sich Frau Harrington von der Leibwache los, die anscheinend keinen Grund sah, sie weiter festzuhalten und rannte zu ihrer Tochter. Mio schrie in Richtung des Personals, dass Ivy eine was Warmes zu essen brauchte und dass sie die Fenster öffnen sollten. Aber niemand rührte sich. Die eine kauerte auf dem Boden und schrie immer noch, die andere schien bewusstlos zu sein, also rannte Mio selbst zu den Fenstern und öffnete sie.

Erst jetzt bemerkten die Anwesenden die Kälte im Raum und das Eis, das sich gebildet hatte und welches langsam dahin schmolz.

Kaito rief dem älteren Leibwächter ein »Hey« zu und deutete auf den jüngeren. Der Ältere reagierte sofort und schrie den Jüngeren an »*GUN DOWN*«. Er machte einen Schritt auf ihn zu, drückte die Waffe, die immer noch Richtung Bett gerichtet war, in eine sichere Position, nahm sie ihm ab, schlug ihm ins Gesicht und schrie ihn an »*Soldier come to yourself.*« Der Jüngere reagierte sofort, erkannte seinen Fehler, salutierte vor seinem Vorgesetzten und wurde von diesem hinausgeschickt, um sich draußen umzusehen. Dann machte der Leibwächter einen Schritt auf den immer noch am Boden kauernden Arzt zu, hob ihn mit einer Hand auf, schrie ihn an »*TAKE CARE OF THE PATIENT*« und warf ihn in Richtung Bett, wo er erneut hinfiel und wieder aufgehoben wurde.

Inzwischen hatte Mio eine Haushälterin gefunden, die Ivy Rose etwas zu essen brachte.

Herr Harrington stand immer noch regungslos da und sah seine Tochter an. Herr Whitemore hatte sich an die Tür gekauert und Kaito dachte, »Wenigstens ist er noch im Zimmer« und grinste in sich hinein. Als Kaito sah, dass das Haus wieder unter Kontrolle war, ging er mit Dawn zur Tür, aber Mio war schneller, sprang auf Kaito und Dawn zu und sagte ziemlich laut, eher zu laut, »Dawn du warst einfach Spitze meine Göttin« und nahm sie hoch.

Kaito gefiel das gar nicht, denn nun sahen alle wieder sie an. Aber das spielte wohl keine Rolle mehr. Mit einem aufgesetzten Lächeln nahm er Dawn wieder an sich und verließ mit ihr den Raum in Richtung Ausgang. Er brauchte frische Luft, ohne den Hausherrn, den er währenddessen kein einziges Mal angesehen hatte. Diesen Triumph wollte er ihm nicht gönnen.

Kaito bemerkte, wie Herr Harrington ihm folgen wollte, doch dann hörte er jemanden »DAD« rufen und sah aus den Augenwinkeln, wie Herr Harrington zu seiner Tochter in Richtung Bett ging. Kaito atmete erleichtert auf und dachte »Braves Vaterlein«, setzte sich etwas später auf die Treppe am Eingang in die Sonne, die ihn und Dawn wärmte und war froh, dass es auch diesmal kein Blutbad gegeben hatte.

Etwas später kam Herr Harrington doch noch zu ihm, stellte sich neben ihn und fragte, wie es nun weitergehen solle.

»Ihre Tochter hat eine sehr besondere Aura«, sagte er zu Herrn Harrington.

Das hatte er von Dawn erfahren, die Ivys Aura mit der von Mio verglichen hatte, was bedeutete, dass beide von Göttern geschätzt und von Dämonen bedroht waren.

»Der Nachhall dessen, was heute hier passiert ist, wird alle dunklen Spirits für lange Zeit fernhalten, aber wenn Sie möchten, kann ich Ihnen etwas bereitstellen, das noch intensiver wirkt.«

»Vielen Dank, bitte stellen Sie etwas Passendes zusammen, aber ich meinte eher die Auswirkungen der Ereignisse auf meine Tochter.«

»Ich bin kein Arzt, der medizinische Diagnosen stellt, aber ich kann ihnen sagen, dass es kein Dämon war, der die Lebenszeit von Menschen verkürzt, also spätestens morgen übermorgen sollte ihre spirituelle Energie wieder vollständig hergestellt sein und daher sollte es keine Nachwirkungen oder Spätfolgen für ihre Tochter durch den langanhaltenden Entzug der spirituellen Energie geben«, sagte Kaito und sah zu Herrn Harrington herauf.

Herr Harrington schluckte, man sah ihm an, was ihm gerade alles durch den Kopf ging und welche Fragen er hatte, aber er sagte nur »Sicher?«

»Ganz sicher, spirituelle Energie lädt sich schnell wieder auf, keine Sorge. Für alles andere fragen sie ihren Hausarzt«, sagte Kaito und wandte sich wieder ab.

Herr Harrington rief ein Hausmädchen und sagte, dass Herr Tanaka, seine Katze und Frau Yamamoto heute Abend zum Abendessen bleiben würden und Gäste des Hauses Harrington seien und dass ihnen bis dahin jeder Wunsch erfüllt werden könne. Dann verabschiedete er sich von Kaito und ging zurück ins Haus.

Kaito schaute zu dem Hausmädchen, das erschrocken aufsah, es war dasselbe, das schreiend auf dem Boden gelegen hatte.

»Hat Herr Harrington nicht gemerkt, dass dieses Hausmädchen mit den Nerven am Ende ist, oder wollten sie sie loswerden?«, dachte Kaito, stand auf und bat das Hausmädchen um einen Platz, wo er sich ausruhen konnte.

Nachdem Kaito dem Hausmädchen zum zehnten Mal zu verstehen gegeben hatte, dass dieses Gästezimmer, in dem sie sich befanden, genau das Richtige für ihn sei und er sich gerade auf das Bett legen wollte, fragte er noch einmal, wo

Mio war und das Hausmädchen erklärte, dass Frau Yamamoto den Wunsch gehabt habe, London zu besuchen.

» *Is anyone with her?*«, fragte Kaito.

»*Of course, a housekeeper and a chauffeur*«, kam als Antwort.

»*Wake me up 30 minutes before Mrs. Yamamoto is back.*«

»*Yes, Sir*«, antwortete sie und wollte gerade die Tür schließen,

»Herr. Tanaka, darf ich Sie etwas fragen?«

Kaito dachte nur »Respekt, die kann auch Japanisch« und sagte etwas verblüfft »ja bitte.«

»Gibt es einen Himmel und eine Hölle?«, fragte sie.

Wie oft hatte er diese blöde Frage schon gehört, woher sollte er das wissen, wie kam jemand auf die Idee, ihn das zu fragen, oder sah er aus wie ein Engel oder ein Teufel?

Seine Standardantwort wäre hier und jetzt vermutlich unvorteilhaft, wenn dann für jemanden wie Herrn Harrington, aber nicht für dieses Mädchen, was vielleicht nur drei oder vier Jahre älter war als er und den Schock ihres Lebens gerade hinter sich hatte.

»Wie heißen Sie?«, fragte er.

»Olivia Anderson, Sir«, antwortete sie.

»Miss Anderson, es tut mir leid, aber ich weiß es nicht, ich habe noch niemanden getroffen, der mir diese Frage beantworten konnte, aber ich weiß, dass so etwas wie heute viel seltener vorkommt als andere weltliche Tragödien. Trotzdem ist es wichtig, diese Monster zu bekämpfen, ob sie nun aus der Hölle kommen oder nicht. Dieses Haus wird in Zukunft hundertprozentig sicher sein. Sie brauchen sich darüber keine Sorgen mehr machen«, sagte Kaito langsam, damit sie ihn verstand.

Das Hausmädchen verbeugte sich vor Kaito, verließ das Zimmer, schloss die Tür, atmete tief durch und dachte, »Was für ein Monster, zum Glück ist es auf unserer Seite.

Irgendwann wachte Kaito auf. Er war nicht wirklich ausgeruht, aber er konnte auch nicht schlafen, wahrscheinlich war es der Jetlag. Dawn wachte immer noch über ihn und fragte, »Miau, gut geschlafen?«

»Klar, lass uns was essen«, sagte Kaito und begann sich für das Abendessen fertig zu machen.

Später traf er auf dem Flur das Hausmädchen Olivia, die ihm mitteilte, dass Mio in etwa einer Stunde auf dem Anwesen erwartet würde.

Er sagte Olivia, dass er jemanden brauche, der ihn um das Haus begleitet. Da niemand anderes zur Verfügung stand, musste Olivia diese Aufgabe übernehmen. Kaito ging mit Dawn und Olivia um das Anwesen und verglich die Umgebung des Hauses mit einer Navigations-App. Hin und wieder fragte er Olivia nach baulichen Gegebenheiten und erstellte so ein Pentagramm, dessen inneres Pentagon das gesamte Haus abdeckte.

»Ziemlich gute App, die Yuma für ihn gemacht hat, aber wahrscheinlich ein Kinderspiel für einen guten Programmierer«, dachte er.

Er speicherte die Daten und alle gingen zurück Richtung Eingang des Hauses.

Der ältere Leibwächter stand am Eingang. Wollte aber nichts vom Kaito und sagte Oliva, dass die Gruppe aus London zurück sei. Er nickte Kaito zu und entfernte sich vom Haus.

Kaito fragte Olivia, wo Mio sei und sie antwortete, dass sie vermutlich im Speisesaal war, also bat er darum, dorthin gebracht zu werden.

Dort angekommen, lief Mio auf ihn zu und zeigte ihm die Fotos, die sie gemacht hatte.

Er wusste nicht, woher Mio diese Kraft nahm, aber das Zimmermädchen, das Mio begleitete, sah genauso erschöpft aus, wie er sich fühlte.

Frau Harrington kam herein und freute sich, dass alle beisammen waren, stellte eine große Schachtel mit allerlei Pralinen auf den Tisch und fing selbst an, die ersten zu essen, legte dabei Dawn drei Stück zur Auswahl auf einen Teller und sagte in freundlichem Ton »Danke Dir.« Dann nahm sie Mio an der Hand und führte sie aus dem Zimmer. Kaito setzte sich auf den Platz mit seinem Namensschild, betrachtete die Sitzordnung auf dem Tisch, fragte sich, ob Herr Whitemore, der links von ihm sitzen würde, schon neue Unterwäsche gefunden hatte und grinste dabei leicht verschmitzt, was alle noch Anwesenden nervös zu machen schien.

Irgendwann kam Mio zurück, sie war von Frau Harrington in ein gewagtes Abendkleid gesteckt worden und Kaito war alles andere als entspannt, als er sie sah. Dawn machte ein deutliches »Miau« in Richtung Kaito, der gerade Mio ansah, während Frau Harrington und Mio lachten.

Herr Harrington und der Arzt, dessen Namen er nicht kannte, kamen herein und Herr Harrington erklärte, dass Herr Whitemore wegen eines wichtigen Termins nicht kommen könne und alle setzten sich an den Tisch. »Also hat er doch keine neue Unterwäsche gefunden«, dachte Kaito.

Das Essen war hervorragend und Kaito war klar, dass diese Küche mehr als nur ein oder zwei Sterne verdiente. Er war wirklich positiv überrascht und nahm mehr, als er eigentlich essen wollte. Etwas später fragte Herr Harrington, was Kaito vorschlagen würde, damit so etwas nicht wieder passieren könnte und Kaito erklärte Herrn Harrington die Vorgehensweise mit den Ley-Linien und dem Pentagramm, der dies alles regungslos akzeptierte.

Inzwischen unterhielten sich Mio und Frau Harrington über andere Themen und schienen sich gut zu verstehen, als Ivy Rose den Raum betrat. Sie trug ebenfalls ein Abendkleid, trat vor und entschuldigte sich für ihre Verspätung.

Dann ging sie auf Dawn zu, sah sie kurz an, verbeugte sich tief und sagte, »Ich danke Ihnen sehr für Ihre Hilfe, ich stehe ewig in Ihrer Schuld« und verbeugte sich auch in Richtung Kaito, der nur dachte, »Yoo, eigentlich hat das Kätzchen ja kaum etwas getan, aber so ist das in dieser Welt.« Gerade als Ivy sich neben Mio setzen wollte, räusperte sich ihr Vater und sie setzte sich neben ihre Mutter auf die andere Seite des Tisches. Dann sagte sie, »Dawn war ihr Name, ich hoffe, ich darf sie weiter so nennen, können sie uns erzählen, wie Sie den Dämon aufgehalten haben?«

Alle anderen am Tisch wurden unruhig, auch die Angestellten, aber Mio verstand sofort, sprang auf und sagte in Richtung Ivy, »Kannst du ihre göttliche Gestalt sehen?«

Alle sahen Ivy an, dass sie nicht verstand, was gemeint war und Mio fuhr fort, »Jeder hier im Raum außer Kaito kann Dawn nur als Katze sehen, auch ich.«

Als Kaito sah, wie sich Herr Harringtons Gesichtsausdruck veränderte, sagte er schnell, »Ein Effekt, der morgen verschwunden sein wird« und Mio sagte, »Ich bin so neidisch.«

Daraufhin sagte Ivy, »Es wäre wirklich schade, wenn ich Miss Dawn nicht mehr sehen könnte, sie sieht wirklich aus wie eine Göttin« und Dawn miaute in die Runde. Alle lachten, nur Herr Harrington nicht.

Nur zehn Minuten später fragte Ivy, ob Mio und Dawn mit in ihr Zimmer kommen könnten und Kaito wusste, was das für ihn bedeutete, er würde wieder mit diesem Drecksack allein sein.

Mio sah Kaito bittend an. Was blieb ihm anderes übrig, als bei einem solchen Anblick zuzustimmen. So verschwanden die drei aus dem Zimmer und Kaito saß allein mit den Harringtons und dem Arzt am Tisch. Es war der Arzt, der das Schweigen unterbrach.

»Herr Tanaka, auch wenn ich heute den Schreck meines Lebens bekommen habe, so war es doch eine Erfahrung, die ich nicht missen möchte. Sollte in meiner Laufbahn noch einmal so ein seltsamer Fall wie der von Ivy Rose Harrington auftreten, werde ich mich an heute erinnern. Wissen Sie, welche Auswirkungen der Zustand der spirituellen Energien auf die Gesundheit eines Menschen hat?

Es war die ehrliche Aussage eines Mannes, der das nicht nur so sagte, sondern die Gelegenheit nutzte, um sein Wissen wirklich zu erweitern. Kaito erklärte dem Arzt, dass seiner Meinung und Erfahrung nach die spirituelle Energie eines Menschen immer konstant bleibe, es sei denn, man benutze sie so wie heute, dann würde sie sich aber schnell regenerieren und selbst wenn sie sehr stark absinke, würde nichts weiter passieren als, dass eine starke körperliche Schwäche eintrete, die sich aber schnell wieder regeneriere sobald man sich ausruhe. Nur wenn diese von Dämonen oder Yokai vollständig verbraucht würde, wäre es gefährlich und könnte zum Tode führen. Er könnte ihm eine Kopie eines Buches geben, dessen Inhalt aber mit Vorsicht zu lesen sei, da nichts bewiesen sei.

Der Arzt, der sich als James Williams vorstellte, zeigte sich ehrlich interessiert und bedankte sich mehrmals. Als Kaito ihm dann noch von der japanischen Ordensseite, die englischen Partnerorganisation heraussuchte, wurde er immer gesprächiger und erklärte, dass er früher als Kind an Außerirdische geglaubt hatte und wochenlang den Himmel abgesucht habe, bis seine Eltern ihm das Teleskop weggenommen hätten und alle im Raum mussten lachen, diesmal auch Herr Harrington.

Später kamen Mio, Dawn und Ivy zurück und Ivy sagte traurig in die Runde, dass sie Dawn leider nur noch als Katze sehen würde, hielt sie hoch, bedankte sich noch einmal bei ihr und setzte sie zwischen Mio und Kaito auf ihren Stuhl.

Kaito erkannte, dass dies eine gute Gelegenheit zum Aufbruch war und bat darum, die Rückreise antreten zu dürfen, was Herr Harrington unter dem Murren seiner Tochter sofort akzeptierte.

Auf dem Weg zum Auto erklärte Kaito Herrn Harrington, dass er sich wegen des Schutzes wieder melden würde und stieg in das Auto, das Kaito und die anderen vom Anwesen zum Flugplatz brachte.

Herr und Frau Harrington und Ivy sahen dem Auto nach. Ivy sagte, »Mio ist wirklich toll. Ich habe mit ihr vereinbart, dass ich sie in Japan besuchen werde.«

Herr Harrington sagte nur, »Sie kann gerne herkommen, es ist immer ein Platz frei.«

»Vielleicht werde ich auch in Japan studieren, was meint ihr?«

Herr Harrington sagte wieder, »Frau Yamamoto kann gerne herkommen, ein Platz ist immer frei.«

Ivy und ihre Mutter sahen sich an, ihre Blicke trafen sich und sie wussten, dass sie dasselbe dachten, »Kann es sein, dass dieser Mann zum ersten Mal Angst vor einem Menschen hatte?«

Als das Auto hinter einem Hügel verschwand, drehte sich Herr Harrington um, ging ins Haus und dachte, »Oh Gott, was für ein Monster, wer weiß was da noch drinnen steckt. Verschone meine Familie vor dieser Inkarnation in Menschengestalt.«

Der Rückflug verlief ziemlich reibungslos, außer dass Mio immer noch das Abendkleid trug, das Frau Harrington ihr geschenkt hatte und damit das ganze Flugzeug inklusive Pilot aufmischte. Jedenfalls war sie während des Fluges nicht allein und hatte nach der Landung fünf neue Kontakte. Die Fahrt nach Hause war dann zum Glück problemlos, da sie sich auf Drängen von Kaito umgezogen hatte.

Kaito wollte Mio nach Hause bringen, was sie ablehnte. Ob es noch Ärger mit ihren Eltern gäbe, fragte er sich. Er war sich nicht sicher, ob Mio den Brief der Eltern nicht selbst unterschrieben hatte.

Es war schon dunkel, als Kaito nach Hause kam und da sie die Zeit, die sie auf dem Hinflug gewonnen hatten, nun wieder verloren hatten, fiel er einfach aufs Bett.

Er dachte noch, »Wenn Mio morgen klingelt, macht er einfach nicht auf. Scheiß auf Englisch« und schlief ein.

Mio kam nicht, aber zu seiner Erleichterung sah er sie in der dritten Stunde in der Schule. Sie war von vielen Mädchen umringt, die auf Mios Smartphone starrten und Kaito dachte an die Verschwiegenheitsklausel in seinem Vertrag.

»Mio ist nicht dumm, ihr wird schon etwas einfallen«, wusste er.

Am Nachmittag kam Mio schnell ins Büro und wollte sofort wissen, wie Kaito den Dämon getötet hatte.

Er erklärte, dass es sich um das gleiche Prinzip wie bei der Reinigung handelte, nur dass er das fünfte Siegel in der Hand hielt, um den Dämon zu täuschen und dass er dabei nicht auf seine spirituelle Energie geachtet habe, sondern dem Dämon eine volle Breitseite verpasste, um die Nachteile des Pentagramms auszugleichen.

Dawn hatte sich absichtlich treffen lassen, um unter das Bett zu kommen, damit sie auf der anderen Seite unbemerkt die Schutzbarriere errichten konnte.

»Dawn kann einfach so eine Schutzbarriere errichten?«, fragte Mio.

»Alle Spirits, vor allem die mächtigen, können mit ihrer Energie eine Schutzbarriere gegen entgegengesetzte Energien errichten, sie brauchen nicht einmal einen Schutzkreis zu ziehen. Im Gegensatz zu den Menschen, die die Energie erst noch mit Schutzsiegeln oder Schutzkreisen umwandeln müssen. Götter, aber leider auch Dämonen, können sich und andere, je nach ihrer spirituellen Stärke, auf diese Weise schützen.«

»Kannst du das auch, was Dawn kann?«, fragte Mio. »Vielleicht«, sagte Kaito und lächelte.

»Warum schützt sich der Dämon dann nicht vor deinem Angriff?«.

»Ohh das tut er, er versucht es, aber eine Pistolenkugel geht durch ein Blatt Papier, oder denkst Du ich schieße mit Watte?«, grinste er Mio an und sagte weiter »göttliche Energie ist auch mächtiger als dunkle Energie.«

Mio war sauer, dass sie nicht in den Plan mit einbezogen wurde, aber sie verstand den Grund, denn auch für sie sah es so aus, als wäre Kaito in Gefahr, das musste der Dämon gespürt haben.

Mio meinte, dass Dawn Ivy auch so etwas erklärt hatte und dass es ein Dämon der höchsten Klasse war und sie unverschämtes Glück gehabt hatte. Und dass er, Kaito, nur so lange gebraucht hat, weil er ihr Leben nicht gefährden wollte. Sonst hättest du den Dämon in ein oder zwei Sekunden töten können, aber diese Zeit für den Dämon gereicht hätte, um Ivy zu verletzen oder sogar noch mehr.

»Dämonen nehmen ihre Opfer immer mit ins Grab, wenn sie wissen, dass sie sterben werden. Deshalb der Trick. Innerhalb der schützenden Barriere konnte der Dämon seine Macht nicht entfalten und somit ihr Herz nicht zerstören«, hatte Dawn gesagt und damit bei Ivy einen bleibenden, nachdenklichen Eindruck hinterlassen.

»Du hättest mir früher sagen können, dass Ivy und ich die gleiche Aura haben«, sagte Mio zu Kaito. Dawn hatte es Ivy erzählt und auch das dies der Grund für den Dämonenangriff war.

»Ich wollte es dir später erzählen«, sagte Kaito, entschuldigte sich aber nicht, »wofür auch«, dachte er.

»Ivy und ich sind Seelenverwandte«, sagte Mio und betonte, dass sie sie hier in Japan besuchen kommt und ihr schon geschrieben hat.

»Ich will mich da nicht einmischen, aber ihr lebt in verschiedenen Welten, also sei vorsichtig«, sagte Kaito.

Mio sah ihn an und schwieg, sagte dann aber, »Wir leben im 21. Jahrhundert, auch Ivy braucht Freunde« und lachte wieder wie immer.

Kaito beließ es dabei.

Ein paar Tage später sagte Mio zu Kaito, »Schau mal, da stimmt was nicht mit dem Kontostand.«

Kaito zuckte zusammen und lief hektisch zum Notebook, wo Mio die Konto-App geöffnet hatte.

»Der Eingang hier ist komisch groß und wir haben die einzige Rechnung, deren Eingang wir noch erwarten, noch nicht an KLQS & Partner geschickt.«

Mio hatte recht, der Eingang war riesig und kam nicht vom Vertragspartner der Harrington Familie, also KLQS & Partner, sondern von einer anderen Firma.

»Such die Firma im Internet«, sagte Kaito erstmals gelassen, denn zum Glück war es eine Einzahlung und keine Abbuchung.

»Könnte es eine Fehlbuchung der Bank sein? Das wäre wirklich schade«, sagte Mio.

»Immer möglich.«

»Nein, es ist keine Fehlbuchung, diese Firma ist die Vermögensverwaltung der Familie Harrington«, sagte Kaito aufgeregt und seine Augen wurden größer.

Jetzt verstand er und sagte, »Nun, wir waren in England, als ich sagte, ich will eine Million mehr. Dort rechnet man in britischen Pfund und nicht in Yen« und er schrie laut »YES!«

»Aber du hattest doch Yen im Kopf!«

»Ja, aber das wusste der Sack nicht und wir waren zu dem Zeitpunkt nicht in Japan, sondern in England.«

»Du meinst den Vater von Ivy Rose, unseren lieben Kunden«, sagte Mio und lächelte leicht. »Ivy hat sich übrigens tausendmal für ihren Vater entschuldigt.«

»Ändere die Rechnung auf den neuen Betrag, der überwiesen wurde und schicke sie als bezahlt raus!«, sagte Kaito etwas kälter.

»Irgendwie finde ich das etwas seltsam?«

Kaito sah sie mit einem strengen Blick an. Mio wollte gerade zurückrudern, als sie Kaitos unheimlichen Ausdruck wahrnahm und er lächelnd sagte, »Dämon oder Gehaltserhöhung, was ist dir lieber?«

»Gehaltserhöhung«, kam es aus ihr herausgeschossen und Kaito sagte süffisant »Braves Mädchen«, drehte sich zu Dawn und meinte lachend »Jetzt kann das Waldprojekt beginnen.«

Kapitel 10 - ALTER IST RELATIV

Als Mio einige Tage später das Büro betrat, traf sie auf einen gut gelaunten Kaito.

»Du siehst heute aber motiviert aus.«

»Ja. Ich habe alle Raten für mein Waldprojekt zusammen.«

»Stimmt, du hast es erwähnt, was genau ist das?«

»Ein Waldstück in den Bergen hier, auf das ich eine Option gekauft hatte, kann ich jetzt bezahlen, ich möchte dort einen Ort für Ayakashi einrichten.«

»Einen Ort für Ayakashi? Seit wann interessierst du dich für etwas anderes als Dämonen und Dawn?«, fragte Mio interessiert.

»Ich wollte sehen, ob Dawn und die Ayakashi doch zusammen leben können.«

»Du weißt doch, dass Ayakashi dunkle Spirits sind, Kaito!«, fragte Mio misstrauisch.

»Klar. Und genau deshalb müssen wir testen, ob ihre Schwester und die anderen Ayakashi sich nicht doch mit Dawn vertragen würden«, sagte Kaito.

»DAWN HAT EINE SCHWESTER!«, ruft Mio.

»Ja, aber sie ist ein Ayakashi.«

»Wo ist sie, wie geht das, warum weiß ich das nicht?«

»Alles zu seiner Zeit, jetzt muss ich erst mal das Waldstück kaufen, das ist leider teurer als gedacht und der Aufwand ist enorm.«

Es klopfte an der Tür und Mio rief »Herein.«

»Schon wieder ein Mann im Anzug, sehr gut«, dachte Kaito, als Mio auf ihn zuging und ihn begrüßte.

Er stellt sich als Vertrauter der ehrenwerten Frau Natsuki Endo vor, welche vor Ort eine Beratung für eine Fluchaufhebung möchte. Um was für einen Fluch es sich genau handelte, wisse er nicht, aber er sei befugt, die Kosten für diese Beratung im Voraus zu bezahlen, Verschwiegenheit vorausgesetzt.

Nachdem Kaito den Vertrag mit dem Mann unterschrieben hatte, die Adresse übergeben war und sie sich über die Kosten der Beratung geeinigt hatten, ging der Mann zur Tür, drehte sich um, bedankte sich, sagte »Bis morgen« und verließ das Büro.

»Was denkst du, Kaito?«, fragte Mio.

»Nun, Hausbesuche zur Beratung sind nichts Ungewöhnliches. Flüche gibt es eigentlich nicht. Ich habe noch nie einen gesehen. Meistens sind es Dämonen, deren Angriffe sich auf die Menschen auswirken und diese dann an einen Fluch glauben lassen. Man sollte also auf einen Dämon vorbereitet sein. Aber der Name ‚Natsuki Endo' sagt mir nichts, die Adresse scheint dafür ein sehr großes Anwesen zu sein. Schau doch mal nach, ob du mehr herausfinden kannst wer sich hinter dem Namen verbirgt, damit wir nicht in etwas Dummes verwickelt werden.«

Als sie am nächsten Tag mit dem Taxi von der Haltestelle zu dem Anwesen fuhren, fragte Mio. »Du hast also doch deinen Koffer für das Beratungsgespräch mitgenommen?«

»Wie besprochen. Es ist besser, vorbereitet zu sein, wer weiß, was wirklich kommt.«

Mio fragte den Taxifahrer frei heraus, ob er die Adresse kenne. Er bejahte und erzählte, dass der Familie Endo die großen Werke im Industriehafen hier gehören, aber mehr wisse er nicht.

Ein Hausmädchen wartete schon auf sie und führte sie in ein Empfangszimmer, wo alle drei Platz nahmen. Kurze Zeit später kam eine Frau um die 60 herein, gefolgt von mehreren Personen und stellte sich als Natsuki Endo vor. Kaito und Mio bedankten sich für den Auftrag und das Vertrauen und stellten sich ebenfalls vor.

Frau Endo, erzählte, dass ihre Mutter seit einiger Zeit aus einer Art Koma nicht mehr aufwachte und trotz intensiver medizinischer Untersuchungen niemand etwas finden konnte, außer dass sie halt sehr alt ist und vor langer Zeit ihre Mutter angeblich von einer Hexe verflucht wurde. Sie wollte, dass dieser Fluch, wenn es ihn denn gäbe, entfernt würde und bat nun Herrn Tanaka, dies zu überprüfen.

Dawn miaute und Kaito streichelte Dawn und fragte misstrauisch, »Alles klar, Dawn?«

»Nichts ist klar, merkst du es nicht, hier stimmt etwas ganz und gar nicht!«, sagte Dawn.

Aber er merkte es auch, wozu dieser Aufwand, die unglaubwürdige Geschichte, die Mutter müsste über 80 sein, kein Dämon würde sie als Ziel wählen, es sei denn …

Er hatte ein ungutes Gefühl. »Natürlich«, sagte er, »wir werden nachsehen, ob sich hier ein schädlicher Spirit eingenistet hat, aber ich werde mich kurz vorbereiten«, er öffnete seinen kleinen Koffer, holte das Amulett und zwei Bannsiegel heraus und steckte sie ein, während er sich das Amulett um den Hals legte.

»Folgen Sie mir«, sagte Frau Endo, als Kaito ihr signalisierte, dass er bereit war.

»Wenigstens keine Diskussion mit dem Auftraggeber, das ist schon mal gut«, dachte er, während er Frau Endo mit Dawn im Arm folgte und Mio hinter ihm herlief, die die schöne und sehr teure Dekoration des Hauses betrachtete und sich kaum davon losreißen konnte.

Das Haus schien endlos. Am Ende eines ungewöhnlich schmalen und langen Ganges war eine Tür, vor der ein

Mann Wache stand und Kaito dachte nur, »Wenn das eine Falle ist, gibt es heute viele Tote« und bereitete sich auf etwas Unerwartetes vor.

Mio, wie immer ganz in Gedanken versunken, betrachtete die schönen und sehr teuren Dinge, an denen sie weiter vorbeigingen.

»Manchmal ist sie wirklich treudoof«, dachte Kaito, als sie an der Tür ankamen.

Frau Endo sagte, »Meine Mutter wird schlafen, es wäre sehr nett, wenn sie das leise überprüfen könnten.« Kaito nickte und Frau Endo öffnete die Tür.

Dawn sprang als erste von der Tür weg und miaute leise. Kaito hörte Dawn »WEG!« sagen und sah den Grund dafür nur mit einem Auge, als er Mio mit beiden Händen einen sehr festen Stoß seitlich rechts zu der Tür gab und sie mit voller Wucht gegen den dort stehenden Wachmann prallte, der ihren Stoß etwas abfing, bevor Kaito selbst, den Schwung ausnutzend, nach links zur Tür wegsprang, hinfiel und nun auf einem Bein kniete. Frau Endo war so geschockt, dass sie die Tür zum Schlafzimmer wieder schloss. Die Wache erschrak, als Mio auf ihm landete. Er war sehr verärgert, wie man leicht sehen konnte und wollte gerade, nachdem er Mio zur Seite geschoben hatte, nach Kaito greifen, als dieser seinen Finger auf Frau Endo richtete und sagte, »Rufen Sie den Wachmann zurück, oder Sie sehen uns nie wieder.«

Frau Endo erschrak leicht und signalisierte dem Wachmann nicht einzuschreiten. Dieser zögerte zuerst in seiner Wut über diesen möglichen Angriff auf ihn und damit auch auf Frau Endo, akzeptierte es aber.

Mio wollte gerade losschreien, als Dawn auf Mio sprang, ihre Krallen in sie schlug und laut miaute.

Mio schrie »Autsch, Dawn was ...« und wollte sie von sich wegziehen.

Kaito sagte in einem äußerst befehlenden Ton »Mio, bleib ruhig!« und ihr wurde schlagartig klar, dass dies kein dummer Streich eines pubertierenden Jungen war, der sie ärgern wollte. War ihr Leben in Gefahr? Sie erstarrte.

Kaito zeigte noch auf Frau Endo, die eingeschüchtert vor der verschlossenen Tür stand und ihre Hände schützend vor sich hielt. Kaito nahm seine Hand wieder herunter, stand auf und sagte zu Frau Endo, »wir müssen reden, vor allem über die Wahrheit.«

Ohne ein Wort zu sagen, ging Kaito den Gang zurück, aus dem sie gekommen waren, in Richtung des Empfangszimmers. Der Wachmann wollte etwas sagen, aber Frau Endo schüttelte den Kopf, dankte ihm und ging ihnen nach.

Der Wachmann schien trotzdem Alarm geschlagen zu haben, denn Frau Endo wurde bereits von mehreren Sicherheitsleuten und Hausdamen im Empfangszimmer erwartet. Mio schwieg und sah zu Dawn, die neben Kaito stand. »Vor ein paar Minuten war alles noch so harmonisch und jetzt«, dachte Mio und fühlte sich schlecht.

Frau Endo sah Kaito an und Mio bemerkte, dass sie als Hausherrin eines so großen Hauses ungewöhnlich unsicher war, die Frau war 60 Jahre alt, da müsste sie doch viel souveräner auftreten, als sie es gerade tat. »Was um Himmels willen ist hier los?«, fragte sie sich.

Kaito fragte, »Sollen wir die Runde verkleinern?«

Mio wurde immer unruhiger und dachte, wie kann er so etwas fragen. Aber Frau Endo verstand wohl. Sie blickte sich um und befahl einem Hausmädchen und einer Wache zu bleiben, die anderen sollten wieder an ihre Arbeit gehen.«

Als sich die Türen hinter ihnen geschlossen hatten, blickte Kaito sich noch einmal um und sah Angst in den Augen der Hausdame, aber auch in denen von Mio und Frau Endo. Die Emotionen der Wache konnte er nicht lesen, er war auch um die sechzig Jahre alt, wahrscheinlich ein langjähriger Vertrauter und die Hausdame war aufgrund ihres Alters wahrscheinlich auch eine Vertraute. »Na gut«, dachte er.

»Frau Endo«, begann Kaito, »bitte lügen Sie mich nicht an, ich weiß, es ist unangenehm, aber die Sache muss geklärt werden. Wie alt ist ihre Mutter, beziehungsweise wer ist diese Frau wirklich und wie alt sind Sie?«

Mio schlug die Hände auf den Mund, so eine Unverschämtheit hätte sie von Kaito nie erwartet und wollte gerade etwas sagen, als Dawn sie anfauchte. Sie wollte weinen, blieb aber ruhig.

Mio bemerkte, dass das Personal nicht mit der Wimper zuckte, nicht einmal Frau Endo wurde wütend, wie man es in so einer Situation erwarten würde. Eher unterwürfig wirkte die alte, mächtige und reiche Frau, die nun zu Boden blickte.

Sie hob den Kopf und sagte zu Kaito, »Ich bin 30 Jahre alt und die Frau im Raum ist eine Vorfahrin in der siebten Generation, geboren gegen Ende der Edo-Zeit.«

Mio, die auf den Boden schaute, hörte die Worte von Frau Endo, konnte sie aber nicht zuordnen, da so vieles nicht zusammenpasste und dachte, sie hätte sie aufgrund der Situation falsch verstanden und schaute sie an. Sie blickte in das Gesicht einer 60-jährigen Frau, die vor ihren Augen zu weinen begann. Schnell schaute sie zu Kaito, der ebenfalls auf den Boden starrte und dann zu der Haushälterin, die zu Frau Endo lief, um sie zu stützen.

Mio schaute zwischen den Leuten hin und her und wusste nicht, was sie tun sollte. Da sprang Dawn auf sie zu und Mio fing sie auf und drückte Dawn an sich. »Danke Dawn«, flüsterte sie ihr zu.

Frau Endo setzte sich an den Tisch vor ihr und Kaito tat es ihr gleich.

Kaito sah, dass es für Frau Endo unmöglich war zu sprechen und begann, das Schweigen zu brechen.

»Frau Endo, wenn Sie nichts dagegen haben, werde ich alles mit meinen Worten ergänzen, darf ich das?«, fragte er.

Sie nickte und sah auf den Tisch.

»Ihre ‚Mutter' hat vor langer Zeit einen Pakt mit einem Exsuctor-Dämon geschlossen, aber dieser hier reduziert nicht die Lebenskraft des Wirtes, sondern die seiner Nachkommen und gibt dann einen Teil davon an den Wirt zurück, um ihn und damit sich selbst am Leben zu erhalten.«

Weiter kam er nicht. Frau Endo blickte auf und schrie fast in Richtung Kaito, »WAS IST MIT MEINEN KINDERN!«

Mio stand regungslos wie in Trance im Raum, ihr Herz klopfte wie verrückt. »Warum macht es das?«, fragte sie sich, es ist doch nur ein Traum. »Wach auf Mio, wach auf Mio«, hoffte sie zu hören, aber es kam nichts, sie sah zu Dawn hinunter, die sie ansah.

»Wo sind ihre Kinder?«, fragte Kaito ruhig.

»Ich habe sie nach Tokio geschickt«, weit weg von hier, schrie sie.

»Dort sind sie vor dem Dämon sicher. Seine Reichweite ist abhängig von seinem Alter, aber nicht mehr als 1000 Schritte.«

Frau Endo sah Kaito mit gläsernen Augen an und sie schluchzte »Gott sei Dank.«

»Das war eine weise Entscheidung, Frau Endo«, sagte Kaito.

»Was ist mit den anderen Leuten hier?«

»Sie müssen Blutsverwandte sein, damit der Dämon auf die Lebensenergie dieser Menschen zugreifen kann.«

Deutlich konnte Mio sehen, wie die Last dieser Grausamkeit von den Menschen in diesem Raum abfiel, auch wenn niemand es wagte, sich zu bewegen oder gar zu sprechen.

»Töten Sie dieses Monster«, kam es aus Frau Endo fast schon panisch heraus.

»Natürlich werde ich das tun.«

Frau Endo sah Kaito mit großen, geröteten Augen an.

»Was wollen sie dafür? Sagen sie es, alles was sie wollen!«

Kaito fühlte sich in dieser Situation sehr unwohl. Sicher, Geld konnte er immer gebrauchen, aber in dieser Situation über so was zu verhandeln?

Jemanden wie Herrn Harrington könnte er bluten lassen, aber Frau Endo, hier und jetzt?

»Monopole können grausam sein«, dachte er.

Er verwarf seine Gedanken und sagte trocken, »Wir werden uns schon einigen!«

»Ihre ‚Mutter' ist ungefähr 200 Jahre alt, wissen Sie, was das für sie bedeutet?«

»Ja.«

Mio wollte fliehen, wo ist die Tür, fragte sie sich, wohin sollte sie gehen, aber sie blieb stehen.

Kaito öffnete seinen Koffer und dachte an gestern, wo sie noch lustig fast gescherzt hatten, ob sie ihn brauchen würden und nahm einige Siegel heraus. Er schloss ihn, ging zu Mio und drückte ihr den Koffer in die Hand.

Dann streichelte er Dawn noch einmal über den Kopf und hielt ihr gleichzeitig den Daumen hin. Sie biss hinein und trank etwas von seinem Blut, das herausquoll.

Mio verstand und verstand auch nicht. Aber in dieser Situation konnte sie sowieso nichts sagen und schwieg.

»Der Dämon ist sehr schnell und kann im Gegensatz zu den vorherigen seine Verbindung zum Opfer sofort trennen, ohne selber zu sterben. Geh mit Dawn in den Garten und warte dort auf mich, keine Widerrede«, sagte er.

Mio war noch nie so glücklich über eine Abfuhr wie heute, sie hauchte gerade noch ein ‚Ja' heraus und verließ mit schnellen Schritten den Raum in Richtung Ausgang.

Kaito sagte zu allen Anwesenden, »Der Dämon ist schnell, wenn er merkt, dass er in Gefahr ist, wird er versuchen zu fliehen oder versuchen, jemanden zu töten, bevor er selbst stirbt. Sie sollten auch hier bleiben.

»Nein, ich komme mit Ihnen. Nao, du bleibst hier. Die Hausfrau sah zu Boden und nickte.

»Ich komme auch mit«, sagte der Mann. Frau Endo nickte ihm freundlich zu.

»Wenn der Dämon tot ist, haben Sie wahrscheinlich noch ein paar Sekunden, bevor ihre Mutter auch stirbt, Sie sollten wissen, dass es gut möglich ist, dass ihre Mutter nicht wusste, worauf sie sich einließ. Dämonen lügen und betrügen immer, auch die Menschen, mit denen sie Verträge schließen.«, sagte Kaito, wohl wissend, dass es wahrscheinlich nicht so war.

Frau Endo hatte sich etwas beruhigt, man sah nun ein Gesicht, das sich rächen wollte und entschlossen war, dabei zu sein, um Frieden zu finden.

»Danke Herr Tanaka, ich habe verstanden. Ich lasse sie vorgehen, tun sie, was sie für richtig halten.«

Kaito stand vor der Tür und sagte sich, dass er auch ein Pentagramm hätte erstellen können, aber das war ihm zu mühsam. Mit der einen Hand zerbrach er eine Bannkugel in viele kleine Stücke, die alle sein Blut aufsaugten, mit der anderen nahm er das Amulett ab, verletzte seine Handfläche, legte das Amulett seitlich auf den Boden und nahm ein Schutzsiegel aus der Tasche, das sein Blut von der Handfläche aufsaugte. Damit öffnete er die Tür und rannte ohne ein Wort zu sagen auf den Dämon zu, der in seiner kleinen, dunkelgrünen, hässlichen Gestalt über einer sehr alten Frau schwebte.

Kaito lachte, als er sah, wie der Dämon erschrak.

»Wahrscheinlich sieht dieses Stück Dreck gerade einen ‚Dämonenkaiser' auf sich zu rennen«, formte es sich in seinem Kopf.

Er sah, wie der Dämon die Verbindung über seine Gliedmaßen aus dem Herz der alten Frau rausriss. Dann schaute der Dämon sich um zu entkommen. Aber er sah nur eine

Möglichkeit und bewegte sich in Richtung Tür, von wo aus Kaito auf ihn zurannte.

Kaito schleuderte die Scherben der Bannkugel aus seiner linken Hand auf den ankommenden Dämon, der völlig überrascht zusammenzuckte und aufschrie.

»Geh dahin, wo du hergekommen bist«, sagte Kaito, als er den am Boden liegenden Dämon erreichte, der an den vielen Treffern goldene Partikel absonderte und sich aufzulösen begann.

Der Dämon schlug noch einmal mit einem seiner Arme zu und traf Kaito am Unterarm. Der Dämon lachte, aber Kaito sagte nur »Idiot« und der Arm, der ihn getroffen hatte, zerfiel zu Sternenstaub. Der Dämon schrie auf, Kaito schlug seine rechte Hand mit dem Schutzsiegel auf den Hauptkörper des Dämons, der sich mit zuckenden Bewegungen in goldene Partikel verwandelte und verschwand.

»Viel Spaß bei meiner Mutter«, dachte Kaito, stand auf und wandte sich wieder der Tür zu.

Sein Arm tat höllisch weh, könnte gebrochen sein, dachte er. Um einen Arzttermin würde er wohl nicht herumkommen.

Frau Endo und der Wachmann standen regungslos da. Kaito wusste nicht, wie viel sie mitbekommen hatten, aber nach ihrem Gesichtsausdruck zu urteilen, eine ganze Menge.

»Schnell, kommen sie«, sagte Kaito zu Frau Endo und deutete auf die Frau im Bett.

Sie verstand und ging so schnell sie konnte zum Bett ihrer Mutter.

Kaito stand auf, ging zur Tür, hörte noch »Gomen nasai« und dann, wie Frau Endo zu weinen begann. Er blickte kurz zurück und sah, wie die Frau auf dem Bett langsam zu Asche zerfiel und dachte, »Einer der wenigen unnatürlichen Effekte, die normale Menschen wahrnehmen können und der die Existenz der Paralleldimension beweist.«

Mio hatte sich wieder beruhigt und beschloss, weiter zu arbeiten. Schließlich war sie Angestellte. Also ging sie zurück in den Empfangsraum. Auch Dawn hatte nichts dagegen. Insgeheim wusste sie natürlich, dass sie wissen wollte, wie es Kaito ging. »Hat er es geschafft?«, fragte sie sich.

Als sie seine Stimme von der Tür des langen Korridors hörte, war sie erleichtert.

Kaito betrat den Raum und sah Mio und Dawn dort stehen.

»Was machst du hier?«, fragte er.

»Dawn hat es mir erlaubt«, antwortete sie schnell.

Auch Frau Endo betrat den Raum und setzte sich an den Tisch. Die Hausdame und die Wache waren nirgends zu sehen.

»Vielen Dank, Herr Tanaka«, sagte sie und sah Kaito ganz ruhig an.

Kaito wusste instinktiv, dass er noch bleiben musste, um Fragen zu beantworten.

»Soll ich einen Krankenwagen oder einen Arzt rufen?«, fragte sie.

Da bemerkte Mio, dass Kaito seine linke Hand festhielt.

»Schon gut, das hat noch Zeit, ich gehe später zum Arzt.«

Mio war außer sich und wollte sofort zu ihm gehen, aber Dawn hielt sie davon ab.

»Wie lange habe ich noch?«, fragte Frau Endo Kaito.

»Diese Art von Exsuctor-Dämon verkürzt die Lebenszeit von Blutsverwandten um etwa die Hälfte, wenn sie sich in einem Umkreis von ein paar hundert Metern aufhalten. Wenn sie ihm die ganze Zeit über ausgesetzt waren, sind sie jetzt 60 Jahre alt, Frau Endo«, sagte Kaito.

»Und meine Kinder?«

»Wie lange waren sie hier?«

»Als ich an mir merkte, dass der Fluch der Endos auch mich getroffen hatte, das war vor etwa vier Jahren, habe ich die Kinder mit drei und vier Jahren aus dem Haus gebracht«, sagte sie mit tränenerstickter Stimme.

»Nun, dann haben sie maximal drei oder vier Jahre verloren, eher weniger, da sie wohl nicht immer im Einflussbereich des Dämons waren und bei einer heutigen Lebenserwartung von über 80 Jahren ist das vertretbar, wenn man bedenkt, wie schnell in der heutigen Welt ein Leben auch ohne Dämon erlöschen kann und verzeihen Sie mir meine Ausdrucksweise.«

»Ich bitte Sie. Nehmen Sie kein Blatt vor den Mund!«

»Jahrelang haben wir mit diesem Fluch in unserem Haus gelebt, es war so offensichtlich, dass man etwas hätte tun müssen, alle vor mir haben geschwiegen und sind gestorben. Wofür? Wozu? Meine ‚Mutter' hatte immer beschwichtigt und Maßnahmen verhindert. Erst als sie nicht mehr ansprechbar war, hatte ich den Mut, etwas zu unternehmen.«

Mio bereute schon wieder, dass sie zurück im Zimmer war.

»Ich habe also noch etwa 20 Jahre zu leben? Was soll ich in dieser Zeit machen, was würden sie machen Herr Tanaka?«

»Ich bin ein Oberschüler, ich habe nicht das Recht Ihnen so etwas zu sagen.«

»Auch wenn sie nach außen wie ein Oberschüler wirken, ihr Geist ist es sicher nicht, dass sehe ich in ihren Augen und ich möchte von Ihnen und nur von Ihnen wissen, was sie an meiner Stelle machen würden.«

Kaito wird innerlich unruhig, was sollte er Frau Endo in so einer Situation sagen, einer Frau die gerade 30 Jahre ihres Lebens verloren hatte. Dann sagte er,

»Ihre Kinder werden irgendwann das Erbe der Endos antreten. Ihre ‚Mutter' hatte dieses in ihrer langen Lebenspanne, mittels ihrer großen Erfahrung, aufgebaut, vermehrt und durch alle wirren dieser Zeit bis heute gebracht. Sorgen sie in den nächsten 10 bis 20 Jahren dafür, dass

Ihre Kinder verstehen, dieses Erbe weitsichtig und besonnen, aber vor allem Weise, weiterführen. Mehr kann ich Ihnen nicht sagen, Frau Endo.«

»Vielen Dank, Herr Tanaka«, sagte Frau Endo, was für Kaito eher wie eine Bestätigung dessen klang, was sie schon wusste.

In der Zwischenzeit waren der Wachmann und das Dienstmädchen in den Raum zurückgekehrt, der Wachmann hielt eine Kiste in der Hand und wartete auf Anweisungen.

Mio ging wieder hinaus, es war ihr egal, was Frau Endo dachte, sie störte sowieso nur und sie würde lange brauchen, um den heutigen Tag zu vergessen.

»Sie sehen blass aus, Herr Tanaka, soll ich einen Arzt rufen?«, fragte Frau Endo erneut.

»Nein danke, aber wenn Sie ein Bier hätten, Alkohol hilft besser bei der Regeneration.«

Sie lächelte ein wenig und gab der Hausdame ein Handzeichen.

»Nun noch kurz zu diesem Thema. Das ist die Kette, die meine Mutter immer getragen hat«, sagte Frau Endo und deutete auf die Schachtel, die der Wachmann geöffnet vor sich liegen hatte.

»Diese Kette hat sie nie abgelegt. Sie muss Teil des Fluches sein, oder?«

»Nun, es kann gut sein, dass der Dämon an diesem öffentlich sehr wertvollen Schmuckstück hing. Dämonen wissen, dass solche Stücke vererbt und innerhalb großer Familien weitergereicht werden. Flüche gibt es nicht, nur Dämonen und dieser ist nun ausgelöscht, damit ist auch das Schmuckstück wieder ein ganz normales Schmuckstück, sie können es bedenkenlos tragen.«

»Nehmen sie es als Geschenk«, sagte Frau Endo und Kaito verzog ein wenig die Mundwinkel.

»Wir nehmen keine Sachleistungen als Bezahlung an«, sagte er fast automatisch.

»Es ist ein Geschenk und ...«

Kaito unterbrach, »Wenn ich so etwas Wertvolles besitze, werde ich verhaftet, das geht wirklich nicht. Verkaufen sie es auf einer Auktion und spenden das Geld oder bewahren sie es in einem Tresor auf. Wie gesagt, jetzt wo der Dämon vernichtet ist, ist es nur noch ein wertvolles, ungefährliches, aber sehr schönes Schmuckstück«, sagte Kaito.

»Vielen Dank, Herr Tanaka, mein Chauffeur bringt sie jetzt ins Krankenhaus, keine Widerrede!«

Kaito ging zum Ausgang, sah Mio mit Dawn dort sitzen und wollte gerade einen Schluck von dem Bier nehmen, das ihm noch gereicht wurde, hielt aber inne, stellte das Bier neben Mio und sagte ihr, »nimm einen Schluck, es beruhigt etwas.« Mio sah zu Kaito, dann zum Bier, dann wieder zu Kaito und sagte, »Ich werde doch nicht wegen einem verdammten scheiß Dämon zur Trinkerin!«, stand auf und ging mit Dawn zum Hoftor.

Kapitel 11 - IM AUFTRAG DES ORDENS

Am nächsten Tag war Mio wieder der Alte, zumindest schien es für Kaito so. Er schrieb ein Protokoll, das Mio zwar ablegte, aber nicht wie sonst immer durchlas. Sie fragte Kaito auch nicht nach weiteren Details der Dämonenvernichtung und beließ es dabei.

»Wir müssen dieses Jahr noch die Inneneinrichtung erneuern, um die Steuerlast zu senken, kannst du das übernehmen?«, fragte Kaito.

»Wie viel darf ich ausgeben?«, kommt es freudig von Mio zurück, die es kaum erwarten konnte, loszulegen.

»Zwei Millionen Yen für das Büro und zwei Millionen für meine Wohnung.«

»Aber deine Wohnung ist doch nicht das Büro«, sagte sie fragend mit schelmischem Gesichtsausdruck, »ist das nicht ein bisschen, na ja, ILLEGAL!«, schrie sie laut und lachte.

Kaito fühlt sich ertappt und sagte, »Das ist ein Bürogebäude, hier wohnt niemand, ich schlafe nur ab und zu im zweiten Büro, weil ich so viel arbeiten muss. Das andere Büro ist eigentlich für besondere Besuche von Spirits gedacht«, antwortete er lachend und dachte amüsiert, »verdammt Mio weiß einfach schon zu viel, aber es ist schön, dass sie wieder die Alte ist.«

»Yoo, mit einer göttlichen Katze. Was treibt ihr denn so am Abend?«

Dawn fauchte Mio an und Mio entschuldigt sich bei Dawn.

Die Klingel über der Bürotür zeigte an, dass jemand eingetreten war. Mio schaute auf und sagte, »Hallo Herr Nakamura, schön Sie zu sehen, was gibt es Neues?«

»Der Störenfried ist da«, sagte Kaito.

»Frau Yamamoto, wann bringen sie ihrem Monster bei, freundlich mit Kunden umzugehen, notfalls auch einprügeln, das hilft immer«, sagte er lachend.

»Der Exsuctor hat uns alle überrascht, oder wie bist du nochmal an den Verband am Arm gekommen?«

»Keine Ahnung was du meinst, bin vom Fahrrad gefallen, ist nur eine Verstauchung. In drei Tagen ist alles wieder gut«, sagte Kaito.

»Du solltest zu einem Psychologen gehen Kaito, das ist schon krankhaft«, sagte Herr Nakamura und ging auf Mio zu.

»Ein Muculentus, der Traum eines jeden hübschen Mädchens, das wird euer neuer Auftrag sein«, sagte er direkt an Mio gewandt.

»Halt dich von meiner Angestellten fern, du notgeiler Otaku …« und fragte weiter »… zusammen mit dem kleinen Arschloch?«

»Nun, er ist jetzt groß, stark, schnell und gut und immer noch ein Arschloch, also fast richtig. Du sollst ihn unterstützen, im Notfall beschützen und seinem Vater einen ehrlichen Bericht geben. Ich hoffe, der Fuchs war es wert«, sagte Herr Nakamura.

»Wann?«

»Diesen Samstag!«

»Gut. Da hinten ist die Tür.«

»Frau Yamamoto kommt Ivy Rose Sie mal besuchen?«, fragte Herr Nakamura Mio ohne Vorwarnung.

Mio war geschockt, woher wusste Herr Nakamura das alles, das konnte doch nicht sein, dachte sie, hatte der Orden das Büro verwanzt?

»Dann sehen wir uns alle am Samstag beim Orden, Abfahrt 10 Uhr. Bis dann«, sagte er und ging zur Tür, drehte sich noch einmal um und sagte zu Dawn »Du siehst heute richtig süß aus. Hast du neue Klamotten von deinem Herren bekommen?« und sprang schnell aus der Tür. Dawn fauchte ihn noch an, aber er war schon weg.

»Der Orden scheint ...«, weiter kam Mio nicht. »Der Orden ist weltweit vernetzt und hat seine Informanten vor allem in den höheren Kreisen, ohne die es solche Aufträge wie den von Herrn Kato nicht geben würde«, unterbrach Kaito sie.

»Was war das mit dem Traum eines jeden Mädchens?«, fragte sie.

»Blödsinn, der Muculentus ist eine Art Schleim und nein, er löst keine Kleidung auf, aber er ist der einzige Dämon, der stinkt wie die Pest, wenn man ihn verletzt und da er ziemlich massig ist, muss man nah an ihn heran, um ihm einen vollen Impakt zu verpassen.«

»Willst du mitkommen? Das Problem ist nicht der Muculentus, sondern ...«

»Das kleine große Arschloch«, vervollständigte Mio den Satz.

»Solche Typen bin ich aus der Schule gewohnt, also kein Problem, ich komme auf jeden Fall mit«, sagte Mio und rief im Internet die Webseiten von Möbelhäuser auf.

»Herr Nakamura hätte uns ruhig mitteilen können, dass sich der Treffpunkt geändert hat und er nicht mitkommt. Jetzt sind wir zu früh«, sagte Mio zu Kaito, als sie einige Tage später am Zielort aus dem Taxi stiegen. Es war ein Ordenshaus, im Hof standen zwei Fahrzeuge, die gerade von zwei Männern beladen wurden.

Kaito ging auf die beiden jungen Männer zu, die etwas älter als Kaito zu sein schienen, so um die zwanzig, schätzte Mio.

Als sie Kaito sahen, stoppten sie das Beladen des Wagens und begrüßten Kaito sehr freundlich. Kaito rief Mio zu sich und stellte die beiden Männer als Herr Shimizu und Herr Fujiwara vor. Sie begrüßten sich und fuhren mit dem Beladen des Wagens fort.

Kaito erklärte, dass er die beiden Männer aus der Ordenszeit kannte.

»Man kann ganz normal mit ihnen reden und sie wissen, wie weit sie gehen können und was zu tun ist«, sagte Kaito und Mio dachte, »das ist wohl das größte Lob, das man von Kaito bekommen kann«, als von der Seite ein lautes »Hey du hässliches Monster, auch wieder da« zu hören war.

Mio drehte sich zu der Stimme um und sah, dass Kaito sich nicht zu der Person, sondern in die andere Richtung drehte und dachte ironisch »Wer kann das wohl sein?«

Sie sah einen Mann, ebenfalls um die 20 Jahre alt, sehr gut gebaut, groß und muskulös, mit einem schönen Gesicht, aber einem sehr überheblichen Gesichtsausdruck.

»Mensch Kaito altes Haus. Ach nee, kleiner Junge, darfst du schon allein auf Toilette! Aber Spaß beiseite, danke fürs Kommen. Vater hat wohl nicht alle Tassen im Schrank, mich am Wochenende schuften zu lassen, der alte Sack.«

Mio sah, wie die beiden anderen Männer die Augen verdrehten und sich jeder in ein Fahrzeug setzte.

»Mann, was denkt sich Vater eigentlich, am Wochenende ist Pirschtag und damit meine ich keine Geister, sondern menschliche Hoppelhäschen oder wie nennst du dein Häschen Kaito. Mio war ihr Name, oder?«

»Bist du so gut wie du das Maul aufreißen kannst?«, fragte Mio in Richtung des jungen Mannes.

»Hey, hey, darf ich mich vorstellen, Koji Ito, aber du kannst auch Ito-sama sagen, hübsche Mio-chan.«

»Darf ich Ito-kun schlagen?«, fragte Mio in Richtung Kaito und aus dem ersten Wagen kam ein Lachen.

»Die ewige Jungfrau Fujiwara kann sich wohl nicht zusammenreißen, bei so viel Schönheit in seinem Auto, lasst uns gehen«, sagte Koji in Richtung Mio. Dawn fauchte, als Koji an ihr vorbei zum zweiten Auto ging.

»Der Bettvorleger klebt immer noch halbnackt an dir Kaito. Wolltest du mir nicht mal deine Schwester vorstellen Dawn-chan?«, sagte er mit einem hämischen Lachen, setzte sich in den Wagen und schloss die Tür.

Kaito und Dawn saßen auf dem Rücksitz, Mio war der Beifahrer und Herr Fujiwara, der ziemlich nervös wirkte, war der Fahrer.

»Herr Fujiwara, vielen Dank für Ihre Unterstützung. Ist er immer so ein Arsch?«

»Ja, er ist nicht nur der Sohn des Ordensführers, er hat leider auch sehr starke spirituelle Fähigkeiten und erledigt seine Aufgaben fast immer perfekt, deshalb kann ihm niemand etwas anhaben.«

»Stärker als Kaito?«

»Nein, nein, so habe ich das nicht gemeint. Stärker als jeder andere im Orden in seinem Alter, selbst erfahrene Jäger zollen ihm Respekt.«

»Wir werden sehen«, sagte Kaito, als Dawn miaute und alle außer Mio zu lachen anfingen.

»Verdammt, ich will auch wissen, was Dawn gesagt hat«, sagt sie, aber lacht dann mit.

Drei Stunden später fuhren sie an einem Dorf vorbei und Herr Fujiwara erklärt, dass in diesem Dorf immer wieder Tiere übelst zugerichtet wurden. Der Dorfälteste hatte den Orden kontaktiert, als dies nicht aufhörte. Ein Jäger des Ordens hatte dann den Muculentus gefunden, in einer Höhle, etwa einen Kilometer weiter in den Bergen, dorthin fuhren sie nun.

Als sie ankamen, sagte Kaito zu Mio, »Bleib immer hinter mir, genauer gesagt, immer näher am Ausgang als ich. Ansonsten mach, was du willst.«

Mio nickte, sie wusste, dass Kaito das nur zu ihrer Sicherheit gesagt hatte, auch wenn er es hätte netter ausdrücken können, aber daran würde sie wohl noch arbeiten müssen und lächelte leicht.

»Hier für euch, aber nur für den Notfall, sonst will ich es zurück«, sagte er zu Herrn Fujiwara. Dieser nahm zwei Bannsiegel von Kaito an, bedankte sich, nahm einen Wasserkanister aus dem Wagen und ging zum anderen Wagen.

»Kannst du einen kleinen Wasserkanister mitnehmen, Mio?«, fragte Kaito.

»Klar, einer geht bestimmt, wofür sind die?«

»Für später zum Waschen, das werden sie brauchen.«

Kaito und Mio nahmen jeder einen Kanister, liefen den anderen, die schon losgegangen waren, einen Pfad hinterher und erreichten kurz darauf einen Höhleneingang. Koji öffnete eine Kiste, die er mitgebracht hatte, gab jedem eine Lampe und sagte zu Mio, »Damit Dir ein Licht aufgeht.«

Mio sagte nichts und sie gingen in die Höhle. Nach 50 Metern sagte Koji, »wir warten hier, bis sich die Augen adaptiert haben. Wasser hier an die Wand!«, stellte die Lampen auf schwaches Rot und zeichnete in der Zwischenzeit einen Schutzkreis um alle.

Mio war sprachlos, dieser Arsch hatte einen sinnvollen Satz gebildet, oder ist das Standardwissen, hätte Kaito an so was gedacht, fragte sie sich.

»Das Ding wird etwa 100 Meter tiefer in der Höhle sein, es ist etwa so groß, so schnell und so wenig gelenkig wie eine Kuh, aber es sieht im Dunkeln besser als wir. Wenn wir es zum ersten Mal erwischen, können wir es durch den Sternenstaub besser sehen als es uns. Wegen seiner großen Masse werden Fernschüsse es nicht töten, aber ihr beide ärgert es damit und lenkt es von vorne mit Fernschüssen ab und erzeugt dabei Licht. Ärgert es so lange wie möglich, haltet es in Schach oder lasst euch verfolgen und fallt dann zurück. Ich werde versuchen, es zu umrunden und mit einem Bannsiegel von hinten zu vernichten. Ein Treffer von diesem Ding tut richtig weh, also wenn es auf euch zukommt, fallt auf jeden Fall zurück.

Schaltet jetzt eure Lampen aus, haltet sie griffbereit für den Fall, dass wir fliehen müssen, nur ich mache jetzt meine an und gehe vor. Kaito, wenn du was siehst sofort melden, das gilt auch für euch beide, klar!«, sagte Koji befehlend und wollte weitergehen, doch er blieb stehen, schaute zu Kaito und sagte, »was hast du mit Mio ausgemacht, sie kann ihn doch nicht sehen oder?«

»Sie bleibt in meiner Nähe, hinter mir«, sagte Kaito.

»Mio, egal was passiert, entferne dich nie weiter als drei Meter von Kaito, er ist der Einzige der dich beschützen kann, wenn etwas schief geht, klar«, sagte Koji und Mio sah im schwachen roten Licht der Lampe einen neuen Ausdruck in Kojis Gesicht, der sie leicht beunruhigt.

Mio musste erst einmal verarbeiten, was sie gehört hatte, dieses Arschloch, dieser Drecksack, dem sie noch vor 30 Minuten die Pest an den Hals gewünscht hatte, machte sich tatsächlich Sorgen um seine Leute, um Kaito und auch um sie. Dieser Koji hatte hier wirklich eine Art Teambesprechung abgehalten und alle hatten zugehört, auch Kaito. Außerdem schien er viel mehr von Kaito zu halten, als sie anfangs gedacht hatte.

»Ja, verstanden«, sagte Mio.

»Okay, dann los, langsam, vier Meter Abstand zu mir.«

Die nächsten hundert Meter waren länger als gedacht, Mio wurde kalt und sie fragte sich, ob es nur die Höhle oder schon der Dämon war. Sie blieb links hinter Kaito, Koji war vor ihr und die anderen beiden in der Mitte, auf einmal ging das Licht aus und Mio erschrak. Sie konnte nichts mehr sehen. Plötzlich hörte sie Koji sagen, dass sich der Dämon etwa 30 Meter vor ihnen in einer Vertiefung in der Wand versteckt hatte.

Kaito stellte seine Lampe auf die schwächste Stufe, nahm Mio bei der Hand und stellte sich mit ihr an einen Felsen in der Nähe der Höhlenwand und sagte zu Mio, »Halte dir mit einer Hand ein Auge zu und nimm die Hand erst weg, wenn es zu dunkel ist, um etwas zu sehen und jetzt schau nach vorne, gleich geht es los.«

Mio verstand den alten Piratentrick und hielt sich rechtzeitig eines ihrer Augen zu, gerade als eine Lichtquelle von vorne die Höhle erhellte.

Reflexartig kniff sie das geöffnete Auge zusammen, öffnete es langsam wieder und sah die Bestie. Ein Dämon, eher doppelt so groß wie eine Kuh und hässlich, schleimig und schmutzig, sie wäre besser zu Hause geblieben.

Wie verabredet schossen die beiden mit Zwillen ihre Bannkugeln auf den Dämon, aber es passierte nicht viel, außer dass die Höhle, die an dieser Stelle viel geräumiger war, aber eigentlich völlig dunkel sein sollte, sehr gut beleuchtet war. »Was war das, war es Einbildung oder hatte es wirklich angefangen zu stinken, wie Kaito erklärt hatte«, dachte Mio.

Mio wollte gerade fragen, als sie bemerkte, dass Kaito selber etwas in der Hand hielt, Bannkugeln vermutete sie. »Ob seine bei dem Ding auch nur so wenig Schaden anrichten wie die von den beiden?«, fragte sie sich und merkte, dass sie Koji nicht mehr sehen konnte. »Ist ihm etwas zugestoßen?«, überlegte sie sich hektisch.

Plötzlich sah sie einen Schatten, der sich hinter der Position des Dämons auf ihn zubewegte. Koji hatte sich tatsächlich hinter den Dämon geschlichen und griff ihn nun von der anderen Seite an. Da der Dämon aber an der Höhlenwand stand, war ein Angriff in seinen Rücken nicht möglich. »Hatte so ein Biest überhaupt einen Rücken?«, fragte sie sich.

Der Dämon erkannte, dass es um seine Existenz ging und begann, von vorne auf die beiden Angreifer zuzustürmen. Diese bewegten sich mit beeindruckender Sicherheit rückwärts, hielten die Bestie auf Abstand und schossen weiter abwechselnd auf den Dämon.

»Wenn sie näher als bis zu dem Punkt da vorne kommen, ziehen wir uns auch zurück«, sagte Kaito und Mio nickte.

Mio sah, wie Koji in Richtung des Dämons beschleunigte, der von ihm weglief und auf seinen Rücken zielte. Der Dämon schien das zu bemerken und änderte plötzlich seine Richtung. Eine Art Arm zischte auf Koji zu. Mio erschrak, aber Koji wich ihm fast spielerisch aus, sprang über einen zweiten herannahenden Arm und hämmerte ein Bannsiegel auf den Dämon.

Die Wirkung war nicht so stark, wie sie es erwartet hatte und wie sie es von Kaito kannte, aber der Dämon war ordentlich verletzt und die Höhle nun taghell erleuchtet.

»Ein verletzter Dämon ist nicht weniger schlimm als ein unverletzter«, sagte Kaito zu Mio, die weiterhin zu Koji sah.

Der Gestank wurde immer schlimmer und Mio hoffte, dass es nicht noch schlimmer wurde.

Mio sah, dass Koji schnell war, sehr schnell, viel schneller als Kaito, seine Bewegungen waren fast übermenschlich. Die Arme des Dämons schlugen wieder in Kojis Richtung, aber er war schon wieder woanders, hatte ein neues Bannsiegel bereit und schlug es auf die Stelle, wo der Arm des Dämons herkam, der dann in einer Flut von Partikeln herunterfiel und ebenfalls zu Sternenstaub wurde. Der zweite Arm des Dämons kam von hinten und Mio schrie auf, als der Arm mit hoher Geschwindigkeit auf Koji zuflog. Koji hielt seine beiden Unterarme schützend in die Richtung des ankommenden Dämonenarms und wurde mit voller Wucht getroffen. Koji flog etwa drei bis vier Meter zurück und der letzte Arm des Dämons zerfiel zu Sternenstaub.

Koji lachte nur, stand auf, holte zwei weitere Bannsiegel hervor, sprang nach oben über den wütenden Dämon und haute ihm die beiden Siegel wie in einem FX-Actionfilm von oben auf den Körper.

Der Dämon zerfiel zu Sternenstaub und der Gestank wurde unerträglich.

Mio sah zu Kaito, der weiter zu Koji sah, dann drehte er sich um und sagte, »Lass uns zurückgehen, schnell, sonst müssen wir uns auch noch waschen.«

Auf dem Weg zum ersten Stoppunkt fragte Mio Kaito, »Er war gut, oder?«

»Gut ist kein Ausdruck, er war mehr als sehr gut, viel besser als damals«, sagte Kaito anerkennend. Mio bemerkte erst jetzt, dass Dawn fehlte und schrie fast panisch »wo ist Dawn.«

»Bleib ruhig«, sagte Kaito. Sie wartet beim Wasser, sie mag den Gestank nicht.

Und so war es dann auch. Die Lampen wurden gegen die Wand gerichtet, um genug Licht zu haben und Koji sagte, »Wird der alte Sack zufrieden sein?«

»Dass du gegen Ende über den Dämon gesprungen bist, war dumm von dir«, sagte Kaito, »was hättest du getan, wenn die beiden Siegel nicht ausgereicht hätten, den Dämon zu töten?«

»Dann hätte ich den Schmerz ausgehalten und noch zwei weitere Siegel drauf geschlagen. Die Arme waren ab und das ist der Trick, nicht wahr, Kleiner?«, lachte Koji.

»Was ist mit deinen beiden Unterarmen?«

Er zog sein Hemd aus und streckte Kaito seiner muskulösen Arme entgegen. Deutlich waren zwei Armschienen mit Siegelinschriften zu erkennen.

»Das hat dem Drecksack mehr wehgetan als mir und ja, es tut immer noch weh.«

»Tricky«, sagte Kaito anerkennend.

»So, jetzt waschen, keiner kommt ins Auto ohne sauer zu sein.«

Die beiden Männer schütteten sich das Wasser über.

»Ich mag keine nassen Klamotten an mir«, sagte Koji und begann sich komplett auszuziehen, schaute in Richtung Mio und grinste. Sie wandte sich ab und ging in Richtung Ausgang, kurz vor einer Kurve drehte sie sich noch einmal um und Kaito, der neben ihr ging, fragte, »Großer Arsch oder geiler Arsch?«

Mio erschrak, wurde rot und machte einen Schritt auf Kaito zu. Der wusste aber schon, was ihm blühte und rannte aus der Höhle.

»Bleib hier, du Bastard«, rief sie ihm hinterher und rannte weiter in Richtung Höhlenausgang.

Koji und die beiden anderen kamen später mit neuen Kleidern aus der Höhle.

»Wo habt ihr die denn her?«, fragte Mio.

»Wenn du meine Freundin wärst, hätte ich dir auch was zum Umziehen mitgebracht, wie wäre es Mio-chan, Interesse an einem weiteren Abenteuer?«

»Drecksack«, sagte Mio, ging weiter und bereute wieder, dass sie in der Höhle so gut von ihm gedacht hatte.

»Wie der Vater, so der Sohn«, lachte Koji laut und schaute zu Dawn, die neben Kaito stand.

»Dawn-Chan, hat dich der Fuchsgott eigentlich gut besprungen oder hat sich der Weg nach Sakura-no-Mura nicht gelohnt. Ich würde gerne eines deiner Kinder aufziehen, die werden bestimmt prächtig.«

Dawn machte einen Schritt auf ihn zu und schlug ihm ihren scharfen Fingernägeln in seine Wange, die zu bluten begann.

Lachend wischte er sich das Blut aus dem Gesicht und sagte, »So aggressiv und ungestüm wie eh und je, das gefällt mir.« Als er plötzlich mit einer angedeuteten Bewegung das Blut von seinen Händen in Richtung Dawn schnippen wollte, sprang Dawn zurück und Kaito schrie, »Wage es und du stirbst hier« und zeigte mit dem Finger auf Koji.

Koji hob beide Hände in die Luft und sagte selbstgefällig, »Ich bin wie ein Engel des Lichts, so etwas würde mir nie in den Sinn kommen« und lief lachend an Dawn und Kaito vorbei in Richtung Auto.

Die beiden anderen waren so beschämt, dass sie Kaito wortlos die beiden Schutzsiegel übergaben, sich tief verbeugen und ebenfalls zu den beiden Wagen liefen.

Kaito umarmte Dawn und flüsterte ihr ins Ohr, »Hast du es gemerkt?« und Dawn antwortete, »Ja habe ich. Miau.«

Die Rückfahrt war kein Problem, da Koji im anderen Auto saß, obwohl alle im Auto immer noch verärgert waren. Am Ordenshaus angekommen, fuhren Kaito, Mio und Dawn sofort mit dem Taxi, das sie schon vorab bestellt hatten, zum Bahnhof.

Koji rief noch etwas wie »Spaßbremse« und war schon im Haus verschwunden.

Als sie im Zug saßen, wurde Mio klar, dass der Grund für Kaitos Austritt aus dem Orden wohl Koji oder dessen Vater gewesen sein musste. Kaito hatte es einfach nicht nötig, dort Mitglied zu sein, dafür war er einfach zu gut. Alle anderen mussten sich fügen, »die Starken fressen die Schwachen«, dachte Mio und die Wut stieg weiter in ihr auf.

Man sollte Koji kastrieren, diese Ratte, sagte Mio in die Runde und Dawn miaute zustimmend. Doch Kaito wurde seltsamerweise immer besser gelaunt, je mehr er auf seinem Smartphone herumtippte.

»Was ist los, bist du nicht genauso sauer wie ich?«, fragte Mio.

»Nein, ich fand den Tag super!«, antwortete Kaito.

»Hm? Erde an Kaito«, sagte Mio. »Du hast doch gerade alles gehört, oder?«

»Klar«, sagte Kaito und wandte den Blick von seinem Smartphone zu ihr.

»Mio, hast du gehört, wie Koji den Fuchsgott in Sakura-no-Mura erwähnt hat?«

»Ja und?«, sagte Mio.

»Der Fuchsgott, bei dem wir waren, war in Sakura-Dori und nicht in Sakura-no-Mura.«

»Ja, ich weiß, vielleicht hatte er sich verhört oder was verwechselt. Na und?«

»Das, was er gesagt hat, war unlogisch, es passte nicht zusammen, also habe ich nachgeschaut. In Sakura-no-Mura gibt es tatsächlich einen Schrein, aber der ist einem Katzengott gewidmet und da fahren wir morgen hin.«

Mio verstand sofort, dass es vielleicht ein Freud'scher Versprecher von Koji war und sagte laut »Du Idiot, du Arschloch, du Drecksack, ich hoffe, du hast dich verplappert« und alle lachten.

Kapitel 12 - GLÜCKSKATZEN

Kaito wartete ungeduldig am Bahnhof, er hatte für alle teurere Fahrkarten besorgt und war sehr ungeduldig und ein wenig verärgert, dass Mio schon wieder ein paar Minuten zu spät war. Aber als alle ihre Plätze gefunden hatten und der Zug losfuhr, sah Mio, dass Kaitos Laune immer besser wurde.

Mio fragte sich, wie Kaito es geschafft hatte, dass Dawn nicht in einer Katzenbox sitzen musste, sondern neben ihm sitzen durfte. Andererseits, wie sollte sie in eine Box passen und wie würde das wohl auf Kaito wirken? Schnell wandte sie den Blick ab, um nicht lachen zu müssen wie auf dem Flug nach London.

Da Dawn eine stoische Ruhe ausstrahlte, während sie auf einem Kissen saß, das Kaito mitgenommen hatte, wurde Dawn zur aktuellen Attraktion und mehrmals zum Objekt der Begierde von Möchtegern-Fotografen, die Kaito aus gutem Willen über sich ergehen ließ.

Dawn hingegen schien die Aufmerksamkeit eher zu genießen und sonnte sich am Fenster, während sie auf die vorbeiziehenden Felder blickte.

Nach dem Umsteigen in den zweiten Zug, der fast leer war, fragte niemand mehr nach Dawn. Man merkte sofort, dass die Zeit hier anders verging. Die Zugfahrt dauerte viel länger bei viel kürzerer Strecke. »Welcome to the Middle Ages«, dachte Kaito und streckte sich erst einmal, als er ausstieg und Mio einen Bus suchte, der dann noch einmal 30 Minuten unterwegs war.

»Wie wahrscheinlich ist es, dass in diesem Tempel auch ein Gott wohnt?«, fragte Mio.

»Es gibt so viele Schreine und so wenige Götter, da wäre es schon ein Glücksfall, wenn dieser von einem Gott bewohnt wäre. Aber ich bin guter Dinge. Schauen wir uns um.«

Die beiden verabredeten, sich in fünf Minuten an dieser Stelle wieder zu treffen und Mio rannte los.

Kaito ging zum Bäcker, den er sah, kaufte für alle eine Kleinigkeit und kehrte zum Treffpunkt zurück. »Mio wird es schon schaffen«, dachte er.

Keine fünf Minuten später lief Mio auf Kaito zu und sagte, »Gute Neuigkeiten, der Schrein ist am Ende der Stadt in Richtung der Berge, nicht weit von hier und heute Abend gibt es eine Prozession zu Ehren des Katzengottes.«

Kaito war wieder verblüfft von Mios Kommunikationsfähigkeit, »wie schafft sie so etwas«, fragte er sich immer wieder, während sie zum Schrein aufbrachen und das Gebäck aßen.

Der Schrein war schlicht, aber groß. Ein traditionelles Tor markierte den Eingang, gefolgt von einem Weg mit Kirschbäumen auf beiden Seiten. Auf dem großen Platz standen Wächterstatuen, die den zentralen Schrein und den Schrein selbst beschützen sollten.

Kaito sah sofort die nebligen goldenen Lichtschwaden reinster göttlicher Energie, die nur von den höchsten göttlichen Wesen ausgehen konnte. Jetzt war es klar, hier gab es einen Gott. Dawn selbst zeigte es auch, sie wirkte nachdenklich und in sich gekehrt, fast ergriffen blickte sie in Richtung des Schreins. »Wie mächtig ist er?«, fragte er fröhlich lächelnd in Dawns Richtung.

Aber Dawn schwieg ehrfürchtig und Kaito sagte hämisch zu sich selbst »Hoffentlich gibt es noch freie Stellen, sonst helfe ich nach.«

»Größer als gedacht, das ist weniger gut«, sagte Kaito zu Mio.

»Warum?«, kam es zurück.

»Ohne Aufmerksamkeit zu erregen, kommen wir nicht an den Gott ran, ganz zu schweigen von dem ollen Priester da drüben, der uns schon gesehen hat.«

»Hey Kaito, ein bisschen mehr Respekt oder ich muss mit Herrn Tanaka reden«, kam es spöttisch zurück.

»Dann reden wir eben direkt mit ihm«, sagte Mio und wollte gerade auf ihn zugehen. Doch Kaito hielt sie zurück. Wir wissen nichts über ihn. Wir müssen erst herausfinden, auf welcher Seite er steht.«

»Was meinst du mit ‚auf welcher Seite'?«, fragte sie Kaito.

»Wie er zum Orden steht, denn die waren bestimmt schon hier. Komm mit«, sagte er und ging auf die leere Gebetshalle zu.

»Wahrscheinlich ist hier heute Abend zum Fest die Hölle los«, dachte er und lächelte über den ketzerischen Vergleich.

Während er eine Dose mit Opfergaben aus seiner Tasche holte, sagte er zu Mio, »Zwei Teenager, die offensichtlich nicht von hier sind, mit einer Katze am Katzenschrein, der wahrscheinlich nur von den Einheimischen oder den Nachbardörfern besucht wird, da fallen wir auf wie bunte Hunde.«

Dawn miaut. »Gefällt dir der Hundevergleich nicht«, lachte Kaito wieder und fuhr fort, »Lass uns den alten Priester nervös machen«, setzte sich, nahm eine Opfergabe aus der Dose, legte sie wie immer auf eine mitgebrachte Schale und ritzte sich demonstrativ in den Finger und drückte ihn auf die Opfergabe.«

Mio war nicht sehr erfreut. Es war offensichtlich, dass er den Priester provozieren wollte. »Hätte man das nicht friedlicher regeln können?«, fragte sie.

»Psst und komm runter zu mir«, sagte Kaito und begann etwas lauter zu beten

»Oh Manitu, oh Manitu ...«

»Hey, jetzt reicht's, was soll der Scheiß?«, unterbrach Mio verärgert.

Aber der Priester war schon da, lächelte und sagte, »Es ist schön, dass die Jugend von heute den Weg des Glaubens wiederentdeckt und sich respektvoll den alten Traditionen widmet. Gehören Sie einem Orden an?«

Mio zuckte bei dieser offensichtlich provozierenden Frage leicht zusammen, aber Kaito lächelte nur, das Wort ‚Orden' hatte der Priester etwas zu provokant ausgesprochen.

»Ich bin ausgetreten, Herr Ito und ich waren uns nicht einig.«

»Zu meiner Linken sitzt übrigens Frau Yamamoto, eine Freundin von mir und zu meiner Rechten Dawn, sie möchte eine Audienz beim Gott dieses Schreins.«

Der Priester war sichtlich verärgert und sagte, sie sollen bitte gehen und ihre Opfergabe wieder mitnehmen, während er auf eine leere Schale hinunterblickte.

»Da scheint jemand anderer Meinung zu sein« und er nahm eine andere Opfergabe und legte sie auf die Schale. Gerade als der Priester die Schale wegnehmen wollte, verschwand die Opfergabe vor seinen Augen. Er erschrak und erstarrte, fasste sich aber nach kurzer Zeit wieder und dachte, »was ist das für ein Trick von diesem Bengel?« Kaito sagte, »Es ehrt mich, dass Sie uns empfangen, würden Sie uns Einlass gewähren?«

Ein heftiger Windstoß öffnete die Tür zum Inneren des Schreins und Kaito sagte zum Priester, »lassen sie uns drinnen weiterreden, oder wollen sie ihren Gott verärgern.«

War es Zufall, ein mieser Trick des hässlichen, arroganten Jungen oder wirklich eine göttliche Offenbarung? In all seinen 70 Jahren hatte er so etwas noch nicht erlebt. Immer wieder hatte er auf eine Offenbarung gewartet, seit er den Schrein übernommen hatte, aber vergeblich und nun kam so ein Bengel und dann passierte genau das. Er konnte seine Wut kaum unterdrücken, aber wenn es tatsächlich …

Kaito legte eine dritte Opfergabe auf die Schale in der Hand des Priesters und legte seine Hände zum Gebet an. Der Priester zog die Schale mit der Opfergabe von Kaito weg, hielt sie neben sich, schaute sie an, blinzelte und als seine Augenlider wieder öffneten, war auch diese Opfergabe wie die vorherige verschwunden. Er sah Kaito an, der immer noch die Hände zum Gebet zusammen hatte.

»Wer seid ihr?«, fragte er und sah sich um, ob noch weitere ihm unbekannte Personen auf dem Gelände waren. Nein, nur diese beiden waren neue Gesichter.

»Wie geht es dir, alter Mann …« Mio rammte ihm den Ellenbogen in den Magen und Kaito musste husten.

»Entschuldigung. Kaito Tanaka hier kann wirklich den Gott dieses Schreins sehen, leider ist er manchmal etwas, naja, wie soll ich sagen, ungehobelt! Aber mit dem Orden haben wir nichts zu tun, er kämpft alleine gegen Dämonen und für die Menschen und für diese Information, dass es hier einen Katzengott geben soll, hat er einen Fuchsschrein in Sakura-Dori vor dem Abriss gerettet«, sagte Mio.

Der Priester schaute Mio lange an und Kaito wollte gerade sagen »noch länger und es kostet was«, als der Priester sagte »das sollt ihr gewesen sein?«

»Ich kann keine Geister sehen, Herr Tanaka hat das gemeistert.«

»Ich mag die Exorzisten des Ordens nicht.«

Mio schaute ihn etwas verwundert an und fragte dann mit ehrlicher Stimme, »Sie würden Menschen lieber sterben lassen?«

Der Priester merkte, dass dieses Mädchen anders war und fragte, »Was genau wollt ihr?«

»Ich möchte in den Schrein und direkt mit dem Katzengott sprechen«, sagte Kaito dem Priester ins Gesicht.

Der Priester dachte an das Gerücht von Sakura-Dori, wo ein seltsamer Junge mit einer Katze gesehen wurde, kurz bevor die lang vermisste Tochter der Familie Maeda gefunden wurde und sich alles änderte.

»Ihr wascht euch und zieht euch um, bevor ich euch reinlasse«, sagte er nach ein paar Sekunden.

»Einverstanden, vielen Dank«, sagte Mio schnell und warf Kaito einen bösen Blick zu, bevor er wieder etwas Dummes wie ‚das kostet extra' oder so sagen konnte.

»Sieht das okay aus«, fragte sich Kaito, als er mit Dawn vom Umziehen zurück zum Schrein lief. Mio war schon da und plauderte wieder locker mit dem Priester. Kaito versuchte jeden Gedanken daran zu unterdrücken.

Als der Priester Kaito sah, drehte er sich zum Schrein um und ging als erster durch die noch offene Tür.

Kaito, Mio und Dawn knieten nieder und der Priester schloss die Tür.

»Was genau wollt ihr nun hier?«, fragte er.

Kaito holte die Dose mit den Opfergaben heraus, stellte sie vor sich auf den Boden, öffnete sie und sagte in Richtung des Altars, »Ich möchte mit dem Gott dieses Schreins verhandeln. Mein Wunsch ist, dass du Dawn die Macht gibst, sich so zu materialisieren, wie sie es wünscht.«

Der Priester wurde nervös, man merkte, dass er sich nicht länger zum Narren halten lassen wollte.

Er kniete nieder und wollte Kaito die Opfergaben abnehmen und dem Spuk ein Ende bereiten, als es plötzlich hinter ihm dunkel wurde. Die Kerzen auf dem Altar schienen erloschen oder verdunkelt zu sein.

»Du hast mir so lange treu gedient und nun willst du mir nehmen, was mir gehört?«, fragte eine Stimme hinter ihm und Kaito dachte, hoffentlich überlebt das sein Herz.

Der Priester blickte erschrocken auf, merkte aber, dass die Stimme von hinter ihm kam und drehte sich um.

»Für einen Priester war das aber eine recht merkwürdige Reaktion, auf allen Vieren mit dem Rücken zum Boden rückwärts zu laufen und dabei zu schreien«, dachte Kaito, als er dem Mann bei seinen akrobatischen Verrenkungen zusah. Doch der Priester bemerkte seinen Fehler schnell und nahm wenige Sekunden, nachdem er seine Gliedmaßen sortiert hatte, eine würdevolle Haltung vor seinem Gott ein.

Ein wohliges Gefühl durchströmte Mio, als sie das Wesen hinter dem Priester betrachtete.

Der Katzengott war stämmig und kräftig, etwa zwei Meter groß und wirkte wie ein freundlicher Mann mittleren Alters mit der Anmut einer großen Raubkatze. Sein Gesicht hatte sowohl menschliche als auch katzenhafte Züge, mit hohen Wangenknochen, mandelförmigen, goldenen Augen mit grünlichem Schimmer, zwei flauschigen Katzenohren und einem riesigen buschigen Schwanz.

Sein Lächeln strahlte eine warme Güte aus, die eines Gottes des Glücks würdig war.

Plötzlich tauchten acht kleine Katzendiener um den Gott herum auf und stürmten auf die Gaben zu, die dann schnell in ihren Mäulern verschwanden. Kaito vermutete an Mios Reaktion, dass auch der Priester sie nicht sehen konnte, sonst wäre es vermutlich um den alten Mann geschehen.

»Sag mir, Junge, wer bist du, oder sollte ich besser fragen, was du bist?«

»Hi Großer, ich bin Kaito Tanaka Spiritual Deriver und Chef von Spirit-KT-Science Institute. Ach ja und ich bin ein Mensch, wäre nett, wenn ihr Götter das auch so sehen könntet.«

»Hey«, zischte Mio ihn an, die den Katzengott die ganze Zeit ehrfürchtig mit großen Augen wie ein kleines Kind ansah.

Der Katzengott lachte und Kaito sagte leicht enttäuscht zu ihm, »Wie ich sehe, hast du schon acht Diener.«

»Du hast meine Frage nicht beantwortet, Junge.«

»Ich bin jemand, dem Dawn wichtiger ist als alles andere Leben in dieser Welt und nur ein Dienervertrag mit dir kann ihre Sicherheit über meinen Tod hinaus garantieren«, sagte Kaito und betonte einige Worte etwas mehr als sonst, so dass Mio sie nicht ganz so ernst nahm, aber er wusste, dass er es genau so meinte.

Der Katzengott ging zu Dawn, hielt seine Hand über sie und Dawn verwandelte sich von einem Moment zum anderen in ein Katzenmädchen.

Das war zu viel für den Priester. Als er das sah, hämmerte er einen Kopf mit dem Gesicht nach unten auf den Boden und ließ ihn dort liegen und Kaito hoffte, dass er nicht erstickte.

»Willst du das auch?«, fragte der Katzengott Dawn.

»Ich will mit Kaito zusammenleben.«

»Spirits des Lichts und Menschen passen nicht zusammen.«

»Das sehe ich anders und es ist meine freie Entscheidung.«

»In nur 80 Jahren wird der, den du liebst, nicht mehr da sein. Was passiert, wenn du nicht vergessen kannst?«

Dawn zögert.

»Das werde ich nicht, niemals, genauso wie alle anderen, die folgen werden und so soll es auch bleiben«, sagte sie und Kaito dachte, »hey, hey, mach mal langsam, so alt bin ich noch nicht.«

»Du bist schon sehr stark für deine kurze Existenz, viel stärker als meine acht Kinder.«

»Und du hast den Schrein von Myojin gerettet«, sagte er zu Kaito.

»Das war eine weise Entscheidung, sonst wäre der perverse Fuchs später gekommen und hätte hier um Unterschlupf gebettelt. Oder wie hast du ihn genannt?«, sagte er und lachte so laut, dass sich alle die Ohren zuhalten mussten.

»Diener müssen ihren Göttern dienen, das gilt auch für meine Kinder.«

»Deine Dienerplätze sind sowieso schon alle vergeben, vielleicht können wir uns anders einigen«, sagte Kaito fragend.

»Wie kommst du denn darauf, hat der intrigante Fuchs das gesagt?«

»Ja«, sagte Kaito, war sich aber nicht mehr sicher, was der listige Fuchs genau gesagt hatte.

»Neun Diener, einer für jedes unserer irdischen Leben. Ich werde es dem dummen Fuchs noch einmal erklären, wenn ich ihn in ein paar hundert Jahren wiedersehe, anscheinend hat er ein schlechtes Gedächtnis und vergessen, das Katzen gegenüber Füchsen bevorzugt sind«, sagte er spöttisch.

»Nur meine Kinder werden eines Tages die Macht der Manifestation besitzen.«

»Dawn wird bei mir bleiben, was willst in Tausch dafür?«, fragte Kaito den Gott.

Der Priester lebte noch, sah Kaito, auch wenn es zunächst so aussah, als sei er gestorben, er richtete sich auf und wandte sich dem Gott genauso zu wie Mio es tat, die das bemerkte und lächeln musste.

»Ich nehme das Menschenmädchen, sie soll meine Dienerin werden«, sagte er und zeigte auf Mio.

Während Mios Reaktion eher verwirrt war und man ihr ansah, dass sie, wenn sie eine Dienerin werden sollte, dann eher vom Fuchsgott als vom Katzengott, war die Reaktion des Priesters so komisch, dass sogar der Katzengott es bemerkte.

»Das Fallen und Aufstehen und wieder Fallen und abwechselnde Anbeten von Mio und dem Gott könnte ein Internethit werden«, dachte Kaito, aber dann sagte er, »Mio steht nicht zur Verhandlung.«

»Vielen Dank, du Arsch, warum klingt das so, als wäre ich dein Eigentum?«, dachte Mio.

»Ich werde dir einmal im Jahr so eine Kiste mit Opfergaben wie heute bringen, das sollte deinen neunten Diener ausgleichen, außerdem was sind schon lausige 80 Jahre für dich.

Weiter ist heute eine Prozession zu deinen Ehren, was hältst du davon, wenn wir den Katzengott von Sakura-no-Mura dabei noch bekannter machen?«

»Ich kann mich zeigen, wann immer ich will, das solltest du wissen Junge.«

»Aber nicht im Glanz goldenen Sternenstaubs«, sagte Kaito langsam und der Gott verstand und lächelte.

Kaito und Mio verließen das Heiligtum, um sich umzuziehen, während der Gott noch ein paar ernste Worte mit dem Priester sprach, der dann überschwänglich zu Kaito in die Umkleide ging, was Kaito wiederum so wütend machte, dass er den Priester erst einmal vor die Tür setzte.

Mio versuchte ihn zu trösten, kam aber nicht weit, weil er wieder anfing, sie anzubeten.

Schließlich machte Mio ihm klar, dass er mit allen normal reden sollte und nach zähen Verhandlungen willigte er ein, was schwieriger war, als mit dem Gott selbst zu verhandeln.

Kaito erklärte dem immer noch etwas nervösen Priester, was er an diesem Abend vorhatte und er stimmte zu. Nicht, dass er sich geweigert hätte, aber er war immer noch sehr aufgeregt. Er war begeistert von der Idee und versicherte Kaito, dass sie jede Unterstützung bekommen würden, die sie brauchten.

In gespannter Erwartung auf den Abend ließ er Kaito und Mio auf ihren Wunsch hin allein.

Die Sonne ging langsam unter, ein goldener Schimmer lag über Sakura-no-Mura. Bunte Laternen erhellten die Straßen und außerhalb des Schreins lag der Duft von Essen und Süßigkeiten in der Luft.

Kaito hatte alles vorbereitet, die Siegelkreise lagen auf Papier im Schrein und Dawn wartete mit dem Gott im Schrein.

»Wahrscheinlich machen die Katzen gerade Katzensachen«, grinste Kaito, während er darauf wartete, dass die Prozession zum Schrein zurückkehrte, um dort zu enden.

Weit nach Sonnenuntergang war es soweit, die Träger der Sänfte steuerten auf das Tor des Schreins zu und Kaito ging in das Innere des Schreins und nahm Dawn in die Arme.

»Lass es uns heute richtig krachen lassen«, sagte er und küsste sie.

»Ja, Miau«, sagte Dawn mit großen, glücklichen Augen.

Kaito überprüfte noch einmal die Siegelkreise, sein Amulett, einige Bannsiegel und Bannkugeln, die er zur Sicherheit mitgenommen hatte und wartete dann auf Mios Zeichen.

Die Sänfte wurde nun vor dem Schrein abgestellt und der Priester trat vor, um die letzte Zeremonie des Tages zu vollziehen, die Gottheit zu segnen und sie im Beisein aller Teilnehmer wieder in den Schrein zurückzubringen. Genau an diesem Punkt gab Mio Kaito das vereinbarte Zeichen.

»ASCENT SPIRITS«, sagte Kaito kühl und beobachtete, wie Geister aller Art aus dem Siegelkreis traten. Er grinste Dawn an und Dawn sprang.

Mio stand nun am Tor und sah dem Priester zu, wie er die letzten Worte an die Gottheit richtete, als plötzlich jemand mit dem Finger in Richtung des Heiligtums deutete und laut sagte, »Was ist das?«

Goldene Partikel verteilten sich aus dem Schrein in alle Richtungen und verglühten kurz vor den Anwesenden. Immer mehr Leute schauten, einige fingen an zu schreien und Mio hoffte, dass keine Panik ausbrechen würde. Aber es waren eher freudige Schreie als Angst.

Die Partikel gelangten bis auf das Dach, von wo aus ein Leuchten die Menschen magisch anzog und nach oben blicken ließ.

Das Leuchten über dem Heiligtum wurde heller und das Schreien lauter, als die Menschen dort eine Gestalt sahen, die in goldene Partikel gehüllt auf dem Dach des Heiligtums saß und sie ansah. Die Gestalt war nun eindeutig als Mensch in Katzengestalt zu erkennen, die ersten Smartphones wurden gezückt und Fotos gemacht und Mio dachte schadenfroh »Ätsch, vergesst es.«

Dann verblasste die Gestalt wieder, aber jeder konnte in den verblassenden Partikeln noch erkennen, dass die Gestalt wie eine Katze mit einem mächtigen Satz vom Dach sprang und in den Schrein zurückkehrte.

Die Partikel verschwanden und es wurde still, so still, dass das Mio meinte, die Videoaufzeichnung der Smartphones zu hören. Plötzlich fing der erste an zu jubeln und dann gab es kein Halten mehr, das Geschrei war so laut, dass man es im ganzen Dort hören konnte.

Die ganze Nacht und den ganzen nächsten Tag gab es kein anderes Thema. Diejenigen, die nicht dabei waren, glauben es nicht, weil es keine Beweise gab, weil die Fotos und Videos nichts davon zeigen. Aber die, die dabei waren, glaubten umso mehr an eine göttliche Offenbarung, weil es keine Beweise gab, trotz der vielen Aufnahmen, denn nur die, die dabei waren, konnten es sehen, sie waren die Auserwählten und das bestärkte sie umso mehr.

Das alles interessierte Kaito nicht mehr, sie saßen schon lange im Zug zurück nach Hause und Dawn erzählte Kaito, wie der Gott ihr den Segen einer Dienerin gegeben hatte und sie sich darauf vorbereiten sollte, in tausend Jahren einen eigenen Schrein zu übernehmen.

Kaito lächelte, aber irgendetwas an dieser Aussage stimmte ihn traurig und er dachte, »1000 Jahre? Wird es dann noch Geister oder Menschen geben und wie werden sie dann leben?«

Alle stiegen aus dem Zug und Mio verabschiedete sich mit einem dankbaren Lächeln für diesen schönen Tag. Kaito schaute auf sein Smartphone, das gerade lautlos klingelte, so hatte er es im Schrein eingestellt und seitdem nicht mehr umgestellt. Es war sein Vater, er nahm ab.

»WO ZUM TEUFEL BIST DU?«

»Am Bahnhof? Was ist los?«

»BLEIB DORT, ICH HOLE DICH AB!«, schrie er und legte auf.

»Verdammt, was ist passiert? War es wegen ihm, aus seiner Vergangenheit, war es wegen Frau Tanaka oder ihrer Tochter? Verdammt, manchmal bist du wirklich nervig, Herr Tanaka.«

Kapitel 13 - SCHWESTERN

Er sah Dawn an, die neben ihm stand. Es war schon nach Mitternacht, er war müde und wollte ins Bett, morgen hatte er Schule, Englisch die ersten zwei Stunden mit der alten ..., egal, er konnte nicht mal mehr darüber lachen, was zum Teufel war los, dachte er und wartete.

»Steig ein«, sagte Herr Tanaka, nachdem er die Beifahrertür seines zivilen Dienstwagens geöffnet hatte. Dawn sprang zuerst rein und weiter auf den Rücksitz. Kaito stieg ein und los ging's. Herr Tanaka stellte ein Blaulicht auf das Dach und gab weiter Gas.

»Hey alter Mann, WAS SOLL DAS?«, Kaito wurde ungewohnt laut.

»Hör zu, Nao, die siebenjährige Tochter des Bürgermeisters wurde entführt, Yakuza wahrscheinlich, Grund ist vermutlich seine Kandidatur zur Wiederwahl. Die Nominierung muss in sieben Tagen erfolgen. Wenn wir die Tochter bis dahin nicht finden und er kandidiert, dann ist das ein großes Dilemma.«

»Ihr seid zu blöd, die entführte Tochter zu finden«, fragte Kaito etwas verärgert und müde zugleich.

»Hey, was soll das, hast du die Situation noch nicht erkannt?«

»Dawn, putz dem Kleinen die Ohren und ihr solltet euch überlegen, wer Dawn hier einbürgern wird! Wir fahren zum Stützpunkt. Dort bekommen wir weitere Informationen.

Deine Aufgabe sollte klar sein, finde ihr Versteck und damit das Mädchen.«

Eine Viertelstunde später betrat Kaito einen Besprechungsraum in einem Gebäude auf Regierungsgelände. Dass sie so einfach auf das Gelände und in das Gebäude gelassen wurde, sprach Bände. Herr Tanaka, sein Adoptivvater, war wohl mehr als nur ein einfacher Polizist oder hatte noch bessere Beziehungen, als er dachte.

»Setz dich da hin und hör zu, ich komme gleich zu dir«, sagte er und deutete auf einen Stuhl weiter hinten in den Sitzreihen. Viele Blicke richteten sich auf ihn, aber sie waren eher analytisch als wertend und wandten sich schnell wieder dem Besprechungstisch zu, an den sich auch Herr Tanaka begab.

Kurze Zeit später sagte jemand laut »Alle hinsetzen, Briefing« und die Stühle füllten sich. Herr Tanaka setzte sich neben Kaito und deutete auf das Podium vor ihm.

Ein älterer, drahtiger Mann, ein hoher Offizier oder Beamter mit vielen Sternen, vermutlich der Kommandeur einer Spezialeinheit, begann als Erster und sagte, »Ich fasse zusammen. Der Sicherheitspeilsender der Zielperson wurde auf dem Weg zum Südwald gefunden. Die visuellen, IR- und Radar-Drohneneinheiten untersuchten sowohl das südwestliche als auch das östliche Waldgebiet vom Meer bis in die Bergregionen auf einer Strecke von 50 Kilometern. Gefundene Auffälligkeiten zu früheren Daten oder sonstige Anomalien wurden analysiert und als negativ bewertet.

Auch die Auswertung von zugänglichen Audio- und Videoüberwachungsdaten sowie von Smartphone-Bewegungsanalysen und Fahrzeug-Geotracking-Daten im Umkreis von 100 Kilometern ergaben keine Hinweise auf den weiteren Fluchtweg der Täter. Letzter Kontakt bleibt der Tunnel im südlichen Stadtgebiet. Dort tauchten sie in die Kanalisation ab und teilten sich in mehrere Gruppen auf. Die Mantrailer konnten keine eindeutige Spur finden. Wir gehen nun davon aus, dass sie sich in einen Bereich ohne Überwachungsmöglichkeit begeben haben, dort umgestiegen sind und sich nun auf dem Weg in eine andere Stadt oder in einen sicheren Unterschlupf befinden. Straßensperren wurden aktiviert, bisher ohne Erfolg.

Weiteres Vorgehen ...«

Herr Tanaka stand auf, zog Kaito hinter sich her und sagte beim Hinausgehen, »Finde das Mädchen so schnell wie möglich, wohin soll ich dich bringen?«

»Ich kann euch nur helfen, wenn das Mädchen im Wald versteckt ist und wenn der schon durchsucht wurde, dann ...«

»Wer weiß, vielleicht wurde etwas übersehen, geh einfach nochmal alles systematisch durch, was dir sinnvoll erscheint«, unterbrach er ihn, als sie ins Auto stiegen.

»Fahr mich in den Ostwald zu dem Pachtgrundstück, das ich erwerben möchte.«

Herr Tanaka gab Gas, aber die Fahrt würde dauern, wusste Kaito. Sollte er noch Fragen stellen? Aber in der kurzen Zeit war es sowieso nur möglich, den Wald absuchen zu lassen, wenn sich die kleinen Biester überhaupt dazu überreden ließen. »Naja, wenn nicht, drohen hilft immer«, dachte er.

»Warte Vater«, sagte Kaito plötzlich aus seinen Gedanken versunken heraus und wunderte sich über sich selbst. »Kauf schnell ein oder zwei Flaschen Sake oder Schnaps, dann lässt es sich leichter verhandeln.«

Herr Tanaka sah seinen Sohn kurz an. In seiner ganzen Dienstzeit hatte er schon viel Unsinn und Quatsch gehört und gelernt, dies zu erkennen. Er schaute noch einmal zu seinem Sohn und verstand, dass dies kein Scherz von ihm war. Er bog ab und hielt mit quietschenden Reifen vor einem 24-Stunden-Laden, stürmte ohne ein weiteres Wort hinein und mit zwei Flaschen Sake wieder hinaus.

Wenig später stand er mit seinem Auto am Ende eines Feldweges. Alle stiegen aus und liefen gemeinsam noch ein paar hundert Meter über das angrenzende Feld, bis sie am Anfang eines Waldgebietes standen. Herr Tanaka nahm eine der Flaschen, die er mitgenommen hatte, gab sie Kaito und meinte rasch, »Los, was nun?«

Kaito sagte zu Dawn »bleib ein Stück hinter mir«, ging genau bis an den Rand seines Pachtgebietes und rief » ALLE HIERHER, SOFORT!«

Herrn Tanaka blies plötzlich ein heftiger Windstoß ins Gesicht und er hörte die Bäume ächzen. Der Wind nach und es war wieder ruhig. Es war ruhiger als zuvor, dachte er und ein kalter Schauer lief ihm über den Rücken.

Kaito öffnete eine Flasche Sake und stellte sie an einen Platz am Waldrand, wo sie im hellen Mondlicht gut zu sehen war.

»Ich suche ein Mädchen, sieben Jahre alt, ihr Name ist Nao, sie wurde von Menschen entführt und ist vielleicht irgendwo im großen Ostwald zwischen Meer und Bergspitzen versteckt. Findet sie und nehmt das hier als erste Bezahlung. Wenn ihr sie findet, gibt es viel mehr«, sagte Kaito und lauschte.

Herr Tanaka sagte nichts. Er war sich immer noch nicht sicher, ob Kaito nur ein guter Schauspieler war oder ob das alles echt war, aber jetzt zählte jede Sekunde und jede Hilfe. Alles konnte entscheidend sein. Jede Möglichkeit musste in Betracht gezogen werden und so viele Probleme hatte Kaito schon auf seine merkwürdige Art gelöst, warum nicht auch hier. Im Moment konnte er sowieso nicht viel helfen, also hörte er einfach zu, egal was hier passierte.

Er blickte auf die Flasche hinunter und dachte, »Hä, die ist ja leer«. Ausgetrunken konnte Kaito sie nicht haben, selbst wenn er sie weggeschüttet hätte, hätte er es gemerkt. Er hatte gesehen, wie er sie geöffnet und hingestellt hatte. Er wollte gerade Fragen stellen, als Kaito sagte.

»Warum nicht?«

»Okay, wenn ihr es hättet, könntet ihr es tun?«

»Okay, ich hole es, wartet hier«, sagte Kaito und drehte sich zu Herrn Tanaka um.

»Es ist so wie ich es mir schon gedacht habe, Ayakashi können nicht viel mit Personenbeschreibungen oder Namen anfangen, sie brauchen etwas, auf das die Aura des Mädchens übergegangen ist, dann können sie diese Aura finden. Tut mir leid, ich hätte es gleich sagen sollen.«

»Ich verstehe nur die Hälfte, woher sollen wir das nehmen, was wäre das?«, fragte Herr Tanaka.

»Nun, es müsste ein Gegenstand sein, kein Lebewesen. Etwas, das diesem Mädchen über einen langen Zeitraum sehr wichtig war.«

Herr Tanaka schaute Kaito an und nach einigen Sekunden des Schweigens fragte er aufgeregt, »Wenn ein Mantrailer das Teil schon an der Nase hat, geht das dann auch?«

»Ja, kein Problem.«

»Warte hier, ich bin gleich zurück«, sagte er und lief zum Auto.

Kaito wollte ihm nachrufen »VATER PASS AUF«, aber er ließ es und sagte zu sich selbst »Herr Tanaka fahren sie vorsichtig« und sah zu Dusk und Dawn, die sich aus einem Meter Entfernung ansahen.

»Dusk, lass Dawn in Ruhe, du weißt, dass sie dunkle Energie nicht mag. Was macht der Wald den ich dir anvertraut habe, ist in der letzten Zeit was passiert?«, sagte Kaito zu einem anderen katzenähnlichen Wesen, mit deutlich dunkleren Haaren, dunklen Augen und ebenso knappen Kleidern wie Dawn, nur deutlich dunkleren. Er grinste ein wenig, war aber zu müde für Gedankenspiele.

»Nein, außer ein paar Wanderern und Schulkindern, die sich verirrt hatten, ist hier noch niemand vorbeigekommen, Miau. Es gibt fünfzehn neue Ayakashi und ich habe drei böse Yokai vertrieben. Wie wäre es, wenn du mich belohnst, Miau?«

»Der Sake sollte doch erstmal reichen und ist es nicht selbstverständlich, dass du dein Zuhause beschützt?«

»Dawn bekommt göttliche Energie von Dir und was ist mit mir, ich will dunkle Energie, Miau.«

»Eifersüchtige Katze«, dachte Kaito und sagte, »Schau dich um, hier wabert sowieso viel zu viel herum. Habt ihr euch gestritten oder hast du die drei Yokais ausgelöscht?«

»Pah«, sagte Dusk und schaute weg.

»Ist sie noch stärker geworden, noch selbstbewusster, oder bilde ich mir das nur ein? Bei der Menge an negativer Energie hier wäre das kein Wunder«, dachte er und fragte einen kleinen Ayakashi neben Dusk »Was ist hier passiert, dass hier so viel dunkle Energie ist, sag du es mir« und er dachte, dass er dieses kleine Fellknäuel doch irgendwoher her kannte.

»Ich rede nicht mit Menschen und nehme nur Befehle vom Boss Dusk entgegen.«

Kaito setzte ein höhnisches Grinsen auf, als er den Ayakashi, als den von damals aus der Schule erkannte, machte einen Schritt nach vorne, schnappte sich ihn, der laut protestierte und warf ihn mit voller Kraft etwa 20 Meter weit in die Büsche am Waldrand und schaute grinsend zu, wie er sich wieder aufrappelte und fluchte. Noch lachend drehte sich Kaito zu Dusk um und fragte noch einmal nachdrücklich, »Was genau ist hier passiert und seit wann bist du hier der Boss?«

»Nun, finde es heraus, großer Waldbesitzer der Menschen, Miau«, sagte Dusk, lachte ebenfalls und sprang ein paar Meter in den Wald rein.

»Wenn ihr das Mädchen bis Sonnenuntergang findet, können wir über eine weitere Belohnung reden«, sagte er, als er Herrn Tanakas Auto hörte.

Ein paar kleinere Ayakashi ärgerten Dawn und Kaito sagte zu ihnen, »Wenn Dawn zuschlägt und ihr zu Sternenstaub werdet, ist das euer Problem«, was sie wiederum ablenkte und Dawn einen Sprung auf sie zu machte, ausholte und erst sehr kurz davor stoppte.

Die Ayakashi flohen schreiend und Dawn wollte ihnen folgen, aber Dusk stellte sich ihr in den Weg und fauchte sie an.«

»Hey ihr zwei, hört auf, da kommt Herr Tanaka mit der Aura, die ihr suchen sollt und keine Widerrede«, sagte Kaito.

»Wen faucht Dawn an?«, fragte Herr Tanaka und gab Kaito ein Stofftier in einer Tüte.

»Dusk, Dawns Schwester, aber sie ist ein Ayakashi und die beiden verstehen sich nicht so gut, wie ich mir das wünsche. Das hatte ich dir schon mal erzählt.«

»Ich sehe die Schwester von Dawn nicht, wo ist sie?«

»Da sie ein Ayakashi ist, kannst du sie auch nicht sehen, dass Menschen Dawn überhaupt sehen können ist schon ein Wunder. Es ist selten, dass göttliche Wesen direkt in einen Körper inkarnieren.«

»Okay, keine Ahnung was du redest, wie geht es weiter?«, fragte Herr Tanaka.

Kaito öffnete den Beutel, faltete ihn so, dass er das Plüschtier nicht berührte, aber werfen konnte und warf es in einen kurzen Bogen zu Dusk.

Jetzt und hier war Herr Tanaka überzeugt, dass die Welt, wie er sie bisher kannte, nicht das war, was er sah. Das Stofftier, das Kaito in einem Bogen auf einen Busch zugeworfen hatte, ... es war, wie sollte er sagen, ... kurz vor dem Aufprall auf den Boden einfach verschwunden, einfach weg, wie Magie, wie ein Zaubertrick oder besser wie in einem Comic aus Kindertagen, wo es ‚PUFF‘ machte und etwas verschwand. Der Mond schien hell, die Flugbahn des

Kuscheltiers war deutlich zu erkennen, keine Ausrede, es sei zu dunkel oder ein Trick war hier möglich.

Er wusste nicht, was er fragen sollte oder wollte und war am Überlegen, als Kaito zu sprechen begann, »das sollte reichen, schau, dass du das Mädchen findest und nein, das Stofftier darfst du nicht behalten, gib es zurück.«

Wieder ein heftiger Windstoß und das Stofftier fiel wie aus dem Nichts vor Herrn Tanaka zu Boden. Kaito hob es mit der Innenseite des Beutels auf, schob den Beutel wieder darüber und schloss ihn. Er drehte sich zu Herrn Tanaka und sagte, »Ich bleibe mit Dawn hier. Ich melde mich, wenn sie etwas finden.«

»Bist du sicher?«

»Es ist eine warme, wolkenlose Sommernacht und ich bin müde, mir passiert nichts, Dawn passt auf mich auf«, sagte Kaito, ging in den Wald und suchte eine geeignete Ecke, um sich hinzulegen.

Als Kind hatte er das oft gemacht. Herr Tanaka wusste das jedoch nicht. Er kannte nur den Grund dafür, aber nicht die Konsequenz daraus, dachte Kaito.

Die Müdigkeit war groß und er hatte keine Lust zu diskutieren, er schnitt sich in den Daumen und gab Dawn etwas Blut, angereichert mit einer großen Menge umgewandelter göttlicher Energie. Dawn würde über ihn wachen, das wusste er, schrieb Mio noch eine Nachricht, dass er am Montag später käme und sie ihn nicht suchen müsse und schlief ein.

»Miau, Miau, Miau«, machte es vor ihm und er dachte, er träume noch, doch er wachte auf und sah Dawn und Dusk vor sich sitzen.

»Die beiden hübschen Catgirl-Schwestern vereint, das ist ja süß, was gibt's?«, sagte Kaito als er sich streckte und überlegte was er hier im Wald machte.

Dusk grinste, »Dein Herrchen scheint perverse Träume gehabt zu haben, Miau«, sagte Dusk zu Dawn und lachte hämisch.

»Wir haben sie gefunden und Dusk ist nur eifersüchtig«, sagte Dawn schnell.

»Hey, Moment mal, du rattiger Möchtegern-Götterbote, ich habe sie gefunden und wo ist meine Belohnung, Miau?«

Kaito wurde der Ernst der Lage wieder bewusst. Er hatte die Tochter des Bürgermeisters völlig vergessen und vor allem nicht damit gerechnet, dass Dusk etwas finden würde. Jetzt war er hellwach, das Adrenalin trieb ihn an.

»Wo?«, fragte Kaito. Dusk stoppte ihre Diskussion mit Dawn und begann den Weg zu erklären, während Kaito mit seinem Finger die Satellitenansicht des Kartenprogramms nach Dusks Anweisungen verschob.

»Da müsste es sein, Miau. Ein Haus mit roten Holzwänden und einem Blumenfeld drum herum«, sagte Dusk.

»Kaito schaute auf das Smartphone und dachte, »Mist, zweieinhalb Jahre alt und Winteransicht«, vergrößerte das gefundene Haus, drehte das Smartphone zu Dusk und fragte, »Ist es das?«

»Hä? Miau?«, fragte Dusk zurück und schaut auf das Ding vor ihr.

Dawn lachte »dummes dunkles Waldkätzchen, weiß nicht was ein Smartphone ist.«

»Haltet die Klappe«, sagte er laut und beide verstummen. Er schaute auf das Bild vor ihm und suchte nach einem eindeutigen Ankerpunkt für Dusk, während er fragt »woher weißt du, dass sie genau da ist.«

»Das Haus wirkt kalt, aber ihre Aura ist tiefer in der Mitte des Hauses und deutlich zu spüren, Miau«, sagte Dusk.

Kaito erschrak und fragte, »Lebt sie noch in der Welt der Menschen?«

»Ja, Miau, sage ich doch«, bestätigte Dusk und Kaito wird wieder bewusst, dass Ayakashi, die wenig Kontakt zu

Menschen haben, logischerweise das Leben der Menschen nur schwer verstehen.

Ein kaltes Haus bedeutet für sie, dass es unbewohnt ist, dass man nicht hineinsehen kann, dass die Fenster wahrscheinlich verbarrikadiert sind. Alles sollte unbewohnt aussehen. Ein Trick der Kidnapper vermutlich.

Eine Aura, die ‚tiefer' liegt, muss nicht bedeuten, dass sie vergraben wurde, sondern dass sie im Keller des Hauses festgehalten wird.

Nun hat er einen möglichen Anker gefunden und sagte, »Beschreibe mir die nächsten Felsen um das Haus herum.«

»30 Menschenschritte nördlich ist ein spitzer weißer Fels und 40 Schritte südwestlich ein grauer runder Fels, Miau.«

Kaitos Herz klopfte, es passte, hatte sie sie wirklich gefunden? Was, wenn die Information falsch waren und Dusk ihn nur verarscht hatte?

»Sind noch andere Leute im Haus?«

»Ja, vier, Miau.«

»Warum hast du das nicht gleich gesagt?«

»Ich sollte nach einer Aura suchen, Miau.«

»Schon gut, danke«, sagte er und tätschelte ihren Kopf.

Kaito kopierte die GPS-Daten und machte einen Screenshot, »und los«, sagte er und drückte auf den Sendeknopf seines Messengers.

Keine zehn Sekunden später klingelte das Telefon.

»DU HAST SIE?« kommt es fragend aus dem Telefon.

»Schau mal, was ich geschrieben habe. Überprüfe das Haus dort, ich bin mir zu 70% sicher, dass sie dort ist.«

Es wurde still, dann ein »Warte«, dann wieder Stille.

»Wenn Dusk sagt, dass ihre Aura dort ist, dann ist sie dort. Wir Katzen können Auren sehr genau spüren«, sagte Dawn.

»Du lügst mich doch nicht an?«, fragte Kaito Dusk.

»Bekomme ich auch eine Belohnung, wenn ich lüge, Miau?«

»Nein, du dumme Katze, ganz bestimmt nicht!«

»100% sicher«, sagte Kaito laut ins Smartphone.

»Wir holen Sie ab, 20 Minuten«, sagte jemand und legte auf.

»Belohnung?«, fragte Dusk.

»Später, wenn wir das Kind lebend haben, bekommst du eine große Menge.«

»Miau, ich will sie aber jetzt.«

»Wie kleine Kinder«, dachte Kaito und schrieb Herrn Tanaka, dass er etwas zu essen mitbringen sollte.

Er zeichnete einen Schutzkreis in den Boden und sagt zu Dawn »geh zwei Meter hinter mich« und du dunkles Kätzchen in den Kreis, schnitt sich leicht in den Finger und sagte »DARK ENERGY.«

»Genug, wenn wir das Mädchen lebend haben, gibt es noch viel mehr und ich will bis dahin nichts mehr hören.«

»Miau«, sagte Dusk hämisch und schaute zu Dawn.

Kaito ging zur Straße und sah Dawn an, dass sie niedergeschlagen war. »Du kriegst später was«, sagte er, als sie traurig zu Boden blickte.

»Miau. Die faule Möchtegerngöttin hat nichts gemacht«, miaute Dusk.

Kaito war froh, als er einen Geländewagen auf sich zukommen sah und sagt zu den beiden, »Kommt mit und seid ruhig.«

Herr Tanaka und ein weiterer Mann stiegen aus und winkten Kaito zu sich.

»Das ist Herr Kimura, der Einsatzleiter«, sagte Herr Tanaka und Kaito erkannte den Mann vom Briefing wieder.

»Wie kommst du darauf, dass das Mädchen dort ist?«, fragte er und musterte ihn dabei.

Kaito war wütend auf Herrn Tanaka, seinen Vater, »was sollte das, soll er Herrn Kimura jetzt einen Schnellkurs in Ayakashi-Wissenschaften geben, oder wie stellte sich sein toller Polizistenvater das vor?«, dachte er.

»Tut mir leid, das muss ich ablehnen, Betriebsgeheimnis. Ich kenne die Hütte dort, sie müsste leer sein«, log er, »sie haben noch keine Spur, also wäre eine erneute Überprüfung mit einer Drohne ein sinnvoller und vernachlässigbarer kleiner Aufwand, oder sehe ich das falsch?«

Herr Kimura rollte mit den Augen, sah Herrn Tanaka an, der ihn anlächelte, nahm ein Funkgerät und gab den Befehl, dass eine VIS/IR-Drohne die übermittelten GPS-Daten noch einmal überprüfen sollte und sagte zu Kaito, »Sie wissen also, dass sich jemand in dem Gebäude befindet, der dort nicht sein sollte?«

»So ist es.«

»Woher sie das wissen, wollen sie nicht sagen.«

»Richtig.«

»Status?«, fragte Herr Kimura in das Funkgerät.

»Anubis-4 Drohne im direkten Überflug, hochauflösende VIS- und IR-Daten verfügbar. Analyse beginnt, Ende«, kommt eine Stimme zurück.

»Finales Ergebnis?«, fragte Herr Kimura.

»Finales Ergebnis?«, fragte Herr Kimura noch einmal und lauter.

»Einen Moment, bitte.«

Stille und eine kurze Zeit später dann, »Eine Person im Eingangsbereich visuell bestätigt, schwache Infrarotsignaturen deuten auf mögliche weitere Personen im Haus hin, Personenidentifikation gestartet, bitte um weitere Instruktionen, Ende.«

»Vergleich mit erstem Überflug gestern, Ende?«

»Dieser war negativ, aber nicht hochauflösend, Ende.«

»Person identifiziert, drei Verurteilungen wegen Körperverletzung, kein Haftbefehl offen, Ende.«

Herr Kimuras Augen wurden größer »Aufklärung des Geländes, Daten sofort an HQ übermitteln, Ende.«

»Hier Alpha-1, neues Ziel identifiziert, Koordinaten werden übermittelt, Bodendrohnen zum Abwurf im Zielgebiet vorbereiten, Spezialeinheiten nach Aufklärungsdaten positionieren, Ende.«

»Herr Tanaka, fahren Sie, ich sage ihnen wo lang«, sagte Herr Kimura.

Kaito wollte gerade zurück in den Wald gehen, als Herr Kimura sagte, »alle ins Auto, auch die Katze, wenn es sein muss.«

Kaito dachte sich seinen Teil und sagte, »Alle rein, los« und deutete auf die offene Autotür. Dawn sprang auf den Rücksitz und Dusk folgte ihr.

Kaito sah zu Dusk, die wohl zum ersten Mal in einem Auto saß und interessiert aus dem Fenster schaute.

Herr Kimura tippte nervös mit den Fingern auf der Armlehne herum. Man sah ihm an, dass er einige Fragen an Kaito hatte und sich zu ihm umdrehen und ihn ausquetschen wollte, aber er tat es nicht und Kaito war dies auch sehr recht.

Herr Tanaka bog dann mit dem Geländewagen auf Anweisung von Herrn Kimura einfach auf eine Wiese ab und fuhr auf ein Waldgebiet hinter einer Wiesenkuppe zu.

Als der Wagen über die Kuppe in die Senke einfuhr, staunte auch Kaito nicht schlecht, zwei Fahrzeuge mit schwer bewaffneten Einsatzkräften hatten sich dort bereits versammelt und Kaito musste respektvoll anerkennen, »Ja, die waren sehr schnell.«

Ein Mann kam auf Herrn Kimura zu, grüßte und gab einen Bericht ab, dass sich eine Bodendrohneneinheit dem Haus genähert hatte und Stolperdrähte identifiziert werden konnten, sie aber noch keinen Einblick in das Haus bekommen konnten. Der Mann überreichte Herrn Kimura ein Tablett mit einer visuellen Live-Übertragung aus dem Gebiet um das Haus, auf dem die identifizierte Person mit ihrer Blickrichtung permanent markiert war. Ein roter Punkt auf dem Bild war vermutlich die Position der Bodendrohne, die sich von hinten dem Haus näherte.

Beeindruckend, dachte Kaito und streichelte Dawn.

»Kaito, kannst du uns einen Blick in das Haus verschaffen?«, fragte Herr Tanaka für Herrn Kimura deutlich hörbar.

»Dusk könnte das«, antwortete er mürrisch und wollte dem Mann von den Spezialkräften eigentlich nicht zu viele Informationen geben. Schließlich war er ein Bundesbeamter.

»Brauchst du eine Innenansicht?«, fragte Herr Tanaka Herrn Kimura direkt.

»Klar! So schnell wie möglich. Wir haben keine Beweise, dass die Zielperson da drin ist. Wir können also nicht einfach das Haus stürmen«, sagte er und blickte ungläubig zwischen Kaito und Herrn Tanaka hin und her.

»Dusk, sieh dich im Haus um, geh zu dem Mädchen in den Keller, sieh dich dort um und gib alles an Dawn weiter. Fass nichts an und errege keine Aufmerksamkeit.«

»Was bekomme ich dafür, Miau?«

»Immer dasselbe mit diesen Ayakashi«, dachte er, nahm Dusk am rechten Ohr, schüttelte leicht ihren Kopf und sagte, »Wenn das Mädchen wohlbehalten gerettet wurde, bekommst du deine Belohnung.«

Kimura sah zu, runzelte die Stirn und sagte nichts. Hunderte von Spezialeinheiten hatten die Wälder durchkämmt, aber nichts gefunden. Dieser Junge hatte etwas gefunden, was bisher übersehen worden war, es war der einzige brauchbare Hinweis bisher. Deshalb würde er so tun, als hätte er nicht gesehen, dass ein Junge mit einer imaginären Person sprach, in die Luft griff und vorher mit einer Katze gesprochen hatte.

Kaito öffnete die Tür des Wagens und ein kleiner Windstoß überraschte Herrn Kimura, der noch in Gedanken war.

Dusk war schnell, sah Kaito, schneller als Dawn. Sie sprang den Hügel hinauf, vorbei an den Spezialeinheiten, die sich dort postiert hatten und war schon verschwunden.

Wahrscheinlich rannte sie jetzt direkt auf das Haus zu, das durch die Bäume selbst vom Hügel aus nur schwer zu erkennen war.

Etwas später miaute Dawn für alle gut hörbar und Kaito überlegte, wie er das, was Dusk Dawn telepathisch mitgeteilt hatte, an Herrn Kimura weitergeben konnte.

Dusk und Dawn waren Schwestern, geboren zur gleichen Zeit aus einer kohärenten Verschmelzung von positiver und negativer Energie. Zehn Mal im Lotto den Jackpot zu knacken, hatte eine höhere Wahrscheinlichkeit, wusste er von Shy.

Die Fähigkeiten, die die beiden besaßen und miteinander verbanden, waren selbst ihm nur ansatzweise bekannt. Da war zum Beispiel die direkte Telepathie über mittlere Entfernungen. Über große Entfernungen konnten sie sich zwar nicht verständigen, aber sie wussten immer, in welcher Richtung sich der andere befand.

»Schade, dass sich die beiden nicht vertragen, zusammen mit Dusk wären sie ein unschlagbares Team. Wir drei sollten eine Detektei aufmachen«, dachte Kaito und musste grinsen.

»Was gibt es da zu lachen, Herr Tanaka?«, fragte Herr Kimura Kaito.

»Das Mädchen ist im Keller, sie sitzt in einer Ecke, Hände und Füße sind gefesselt, aber es geht ihr gut. Drei weitere Personen sitzen an einem Tisch, etwa drei Meter von dem Mädchen entfernt, zwischen ihr und der Treppe, die direkt zum Eingang des Hauses führt. Die drei Personen sind bewaffnet. Direkt über dem Mädchen fällt ein schwaches Licht ein, dort scheint es einen Zugang zu geben, warten Sie«, sagte Kaito zu Herrn Kimura, der regungslos zuhörte.

»Sag Dusk, sie soll vorsichtig von außen schauen, wie der Zugang aussieht, wo das Licht einfällt«, sagte Kaito zu Dawn und beobachtete Herrn Kimura, der passiv zusah und keine Miene verzog.

»Es ist ein vertikales Kellerfenster, geschützt durch ein horizontales Gitter, wie man es oft in Kellern findet. Dieses ist größtenteils von Zweigen und Blättern verdeckt«, sagte Kaito zu Herrn Kimura.

»Bodeneinheit! Kellerfenster auf der Nordseite durch Äste und Blätter verdeckt. Bodendrohne soll das prüfen und wenn möglich Sichtkontakt zum Ziel herstellen, Ende«, sagte Herr Kimura in das Funkgerät.

»Rodger, schalte auf Bodendrohne, Ende«, kam es zurück.

Herr Kimura stellte das Tablett so vor sich hin, dass Kaito und Herr Tanaka es auch sehen konnten und dieses zeigte nun die Sicht der Bodendrohne, die sich langsam vorwärts bewegte, während man auf einem zweiten PiP, einem Bild-in-Bild, die Person draußen sah, die weiterhin am Eingang des Hauses Wache zu halten schien und sich langweilte. Die Drohne erreichte den Ort, den Kaito Herrn Kimura übermittelte.

Dawn miaute und Kaito sagte hektisch, »Dusk soll die Drohne in Ruhe lassen.«

Herr Kimura runzelte wieder die Stirn und sagte in das Funkgerät »nur die Sensoren benutzen, jede manuelle Veränderung könnte den Lichteinfall erhöhen und uns verraten.«

»Analyse abgeschlossen«, kam es zurück, »Zugang bestätigt, bitte um Genehmigung zum Einsatz der visuellen Endoskoplanze, Ende.«

»Genehmigt, Ende.«

Dann schaltete das Video wieder um. Erst war wenig zu sehen, dann ein Raum und nun drei Personen an einem Tisch, Herr Kimura schluckte.

»Sagt ihr, sie soll zu dem Mädchen gehen und auf sie aufpassen«, sagte Kaito zu Dawn und Herr Kimura nickte ihm zu.

»Können sie den Boden vor dem Fenster sehen? Die Zielperson soll sich dort aufhalten, Ende«, sagte Herr Kimura über Funk.

»Negativ und durch das Glas zu brechen ist zu riskant«, kam es zurück.

»Können Sie das Mädchen sehen, wenn es aufsteht?«, fragte Kaito Herrn Kimura.

»Können sie die Zielperson erkennen, wenn sie 50 Zentimeter von der Wand entfernt steht, die Zielperson ist 120 Zentimeter groß?«, wiederholte Herr Kimura in das Funkgerät.

»Analyse läuft, warten«, kam es zurück.

»Positiv, das Gesicht wäre im Sichtfeld der Drohne.«

»Kannst du sie dazu bringen aufzustehen?«, fragte Herr Kimura.

»Dawn, frag Dusk, ob sie das kann, das Mädchen ist jung, vielleicht schafft sie es?«, sagte Kaito und Dawn miaute, sie hatte verstanden was Kaito meinte und sagte zu Dusk, sie solle versuchen ihre Gedanken auf das Mädchen zu projizieren, sie solle aufstehen und um Essen bitten und sich dann wieder hinsetzen, wenn keine Antwort käme. Plötzlich kam ein Funkspruch.

»Vierte Person identifiziert«, kam es aus dem Funkgerät und alle schauten auf das Tablett. Dort war deutlich der Hinterkopf eines jungen Mädchens zu sehen, aber nur ihre langen dunklen Haare waren zu erkennen.

Kaito schrie Dawn an, »SIE SOLL ZUR DECKE SCHAUEN ODER ZUR WAND HINTER IHR.«

Plötzlich schaute das Mädchen auf und alle im Wagen blickten in das Gesicht eines verängstigten, weinenden Mädchens, das sich wieder hinsetzte, als sie zusammenzuckte.

»Zugriff vorbereiten. Die Sicherheit der Zielperson hat oberste Priorität. Drei Geiselnehmer im Keller eliminieren, kein Risiko eingehen, vierte Person möglichst lebend ausschalten«, sagte Herr Kimura in den Funk, nachdem er das Gesicht des Mädchens gesehen hatte. Kaito überlegte, ob er Shy einsetzen sollte, verwarf diese Idee aber sofort wieder, das was nun folgte, war Aufgabe der Menschen und er hatte sowieso schon zu viele Informationen preisgegeben.

»Geiselnahme ist ein Kapitalverbrechen und wenn dabei noch Unschuldige gefährdet werden, macht dieser Staat keine Kompromisse und das ist gut so«, dachte Kaito, als plötzlich Herr Kimura ihn am Arm packte und sagte, »Weißt du, was das für eine Kiste ist?« Er deutete auf eine Kiste, die im Raum in der Nähe des Mädchens stand und Kaito erkannte, dass Herr Kimura eine Bombe befürchtete, die bei einem Angriff zum finalen Triumph der Geiselnehmer führen könnte.

»Dusk, was ist in der Kiste neben dem Mädchen?«, sagte er zu Dawn.

»Luft, Holz und etwas dunkle Energie«, kam es zurück.

Kaito sagte, dass sie leer sei und erklärte Herrn Kimura dann den besten Weg von der Eingangstür in den Kellerbereich und erwähnte zwei kleine Barrieren, die die Geiselnehmer aufgebaut hatten. All dies gab er an die Einsatzkräfte weiter.

»In Position, Audioverbindung zum Zielobjekt hergestellt«, kam es aus dem Funkgerät.

Dawn miaute und Kaito schrie, »Nein, lass das, pass auf das Mädchen auf. Verdammt!« und er schaute zum Tablett, wo man sehen konnte, dass sich die Kiste plötzlich bewegte.

»Warten«, sagte Herr Kimura in den Funk.

Herr Kimura sah, wie einer der Männer aufstand und zur Kiste lief, während seine Waffe noch auf dem Tisch lag. Er holte mit dem Fuß aus und kickte die Kiste in Richtung des Mädchens und lachte »dreckige Ratte, geh zu der Göre und ärgere sie.«

»ZUGRIFF«, sagte Herr Kimura über Funk, während der Mann auf dem Bildschirm lachte und einer Ratte nachjagte, die unter der Kiste hervorsprang, von welcher man an der Flugbahn erkennen konnte, dass sie leer war.

»Dusk, pass auf das Mädchen auf«, wiederholte Kaito, während er auf dem PIP-Bildschirm sah, wie der Mann draußen zusammensackte. Kurze Zeit später wurde es heller im Bild, die Kellertür öffnete sich und die Männer sprangen auf, zwei von ihnen fielen sofort wieder zu Boden, aber der dritte wurde nur am Bein oder an der Hüfte getroffen und bewegte sich immer noch auf das Mädchen zu, senkte eine Waffe in ihre Richtung und ... Herr Kimura stockte der Atem, warum fiel das Schwein nicht um, wenigstens den Oberkörper hätten sie treffen können, oder haben die anderen beiden die erste Kugelsalve, die für ihn bestimmt war abgefangen ... Plötzlich hörte man eine Art Fauchen und der Mann schrie auf, hob seine Waffe wieder, anstatt sie weiter zu senken und wurde von Kugeln durchsiebt.

Kaito, selber erschrocken von dieser Szene, schaute schnell zu Dawn. Erleichtert sah er, dass Dawn neben ihm saß. War das Dusk, die da eingegriffen hatte? Wie hatte sie das gemacht? Hatte sie sich materialisieren können? Nein, das hielt er für unwahrscheinlich. Er würde sie wohl später befragen und dachte sich »jetzt spielt er den nervigen Polizisten« und grinste.

Alles andere war fast schon Routine, er sah zu, wie die Einheiten das Mädchen aufnahmen und das weinende Kind sicher und sehr schnell aus dem Haus zu einem Fahrzeug brachten. Er dachte an Koji, der in der Höhle genauso schnell gehandelt hatte wie diese Leute hier im Haus und sagte sich, »In so einer Einheit wäre er besser aufgehoben als im Orden.« Er wollte gerade aus dem Wagen steigen, als Herr Kimura und Herr Tanaka ihn aufhielten und beide dasselbe sagten, »Nicht so schnell.«

Kaito verdrehte die Augen und setzte sich wieder.

Auf dem Weg zurück in die Stadt musste er einige Fragen über sich ergehen lassen, die er aber zum Ärger von Herrn

Tanaka größtenteils mit den Worten »Betriebsgeheimnis« und »Bitte Auftragsformular ausfüllen« abblockte. Auf Drängen erklärte er dann, dass ein Ayakashi ihm diese Informationen gegeben habe. Über die Ratte, die wohl eher eine größere Maus war, gab er vor, nichts zu wissen, was natürlich gelogen war und er Dusk dafür die Ohren lang ziehen sollte, weil sie die Maus unter die Kiste gelegt hatte. Aber letztendlich hatte es geholfen, wahrscheinlich wollte sie auch dafür eine Belohnung.

»Das wird teuer«, dachte Kaito und erklärte Herrn Kimura deutlich, dass er bitte verstehen solle, dass seine eigenen Leute für den Erfolg der Operation verantwortlich waren, was dieser nach wenigen weiteren Sekunden wortlos akzeptierte. Was hätte er auch in den offiziellen Bericht schreiben sollen. Seine Aufgabe war erfüllt. Wer genau dahinter steckte, wie die Geiselnehmer so nahe an die Tochter des Bürgermeisters herankamen und vor allem, wie sie es geschafft hatten, nach der Entführung zu verschwinden und hier unterzutauchen, musste eine andere Abteilung untersuchen und er schaute zu seinem alten Militärfreund Herrn Tanaka, der sich schon immer mit merkwürdigen Menschen umgeben hatte, so wie er selber einer war zum Beispiel und jetzt mit dem Oberschüler vor ihm, dachte er und ließ den kleinen merkwürdigen unscheinbaren Jungen auf Wunsch von Herrn Tanaka zusammen mit seiner ebenso merkwürdigen Katze in der Nähe des Stadtzentrums aussteigen.

Kaito schlenderte noch eine Weile durch die Innenstadt, setzte sich in ein Café und dachte darüber nach, was als nächstes passieren würde. Seine größte Sorge war, wie er das alles Mio erklären sollte und was ihm passieren würde, wenn er es ihr nicht erzählte, wenn sie es herausfand. Dann ging er ins Büro. Es war Nachmittag, als er die Treppe zu seiner Wohnung und seinem Büro hinaufging, »ob Mio schon da war«, dachte er.

Ja, sie war da, sie sah die Nachrichten, in denen der Entführungsfall jetzt landesweit als Sondersendung rauf und runter lief. Sie sah ihn an und sagte nur süffisant, »Da hast du mir aber was zu erklären.«

Es war ein langer Nachmittag. Alle Teile der Geschichte, in denen Dusk, die Schwester von Dawn, vorkam, mussten dreimal wiederholt werden und da er auf die Frage, warum er ihr Dusk noch nicht vorgestellt hatte, keine bessere Antwort hatte als »Weil du sie nicht sehen kannst«, gab es auch noch Ärger.

Nach etwa vier Stunden war der Spuk vorbei und Mio ging mit einem glücklichen und zufriedenen Gesicht nach Hause.

»Dawn, was glaubst du, wie Dusk es geschafft hat, den Mann aufzuhalten?«, fragte er Dawn, obwohl er merkte, dass Dawn unglücklich und eifersüchtig war, weil sie im Moment nur die zweite Geige spielte.

»Das solltest du doch wissen, oder?«, antwortete sie etwas sarkastisch, »in einer Stresssituation und dann auch noch in unbehaglich engen Räumen wie diesem Keller, können sich dunkle, mächtige Geister in den Gedanken der Menschen manifestieren, sie dadurch ablenken und Reaktionen hervorrufen. Dass sogar wir ihr Fauchen hören konnten, zeigt uns, dass sie in den letzten Jahren wirklich gewachsen ist«, schmollte sie weiter.

Kaito verstand, klar, das hätte er wissen müssen, nahm ein Buch aus dem Regal, blätterte es durch und blieb bei ‚Kapitel 11. Dunkle Wesen und ihr Einfluss auf die Menschen' hängen. »Das werde ich wohl noch einmal lesen«, dachte er, legte das Buch auf den Tisch, ging zu Dawn, drückte sie an sich und sagte, »Ab morgen werden wir deinen Status erhöhen.«

Dawn miaute verlegen und glücklich.

Da Mio auch am nächsten Tag wegen Dusk nicht locker ließ, machte Kaito ihr einen Vorschlag.

Sie sollte Dusk die Belohnungen bringen und aus ihr herauskitzeln, wie stark sie war. Der Plan war, ihr die Belohnung nur zu geben, wenn Mio sicher sein konnte, dass es wirklich Dusk war.

Mio war Feuer und Flamme und ohne zu zögern machte sie sich auf den Weg. »Es wird eine Weile dauern bis sie zurückkommt«, dachte Kaito und malte einen Siegelkreis mit Blut auf ein großes Blatt Papier. Er wusste, dass das einzig Gefährliche an Mios Mission war, dass er verheimlicht hatte, dass er Dawn in der Zwischenzeit mit einer riesigen Menge positiver göttlicher Energie versorgen würde und dass er Mio nicht dabei haben wollte. »Die Ayakashi im Wald sind harmlose Winzlinge im Vergleich zu Mio, wenn sie das herausfindet«, sagte er laut in den Raum und Dawn gab ein fragendes »Miau?« von sich.

Den ganzen Tag über hatte Kaito Dawn immer wieder einen enormen Schub göttlicher Energie gegeben und Dawn versuchte immer wieder, sich zu verwandeln, wie der Katzengott es ihr erklärt hatte. Kaito hatte nicht erwartet, dass es ihr schon nach einem Tag gelingen würde, wofür die Götter Hunderte oder gar Tausende von Jahren brauchten. Aber insgeheim hoffte er schon, dass sie noch bis Ende des Jahres ein Effekt erzielen würden.

Gegen Abend stürmte Mio wieder ins Büro und war überglücklich.

Sie erzählte, dass sie Dusk an der beschriebenen Stelle fünf Mal befohlen hatte, sich wie besprochen vor sie zu setzen, wenn sie die Belohnung von Kaito haben wollte und Kaito lachte in sich hinein, wie Dusk wohl darauf reagiert hatte. Aber schon nach dem zweiten Mal spürte sie deutlich eine Präsenz förmlich an sich kleben und ihr Körper wurde schwerer und als sie einen Schritt zurück machte, hörte sie eine leise aber impertinente Stimme in ihrem Kopf »Miau, gib her, gib her du Menschenweib, Miau« oder so ähnlich soll es in ihrem Kopf geklungen haben. Sie befahl ihr noch einmal, sich zu setzen und sich ihr zu zeigen, aber nichts geschah.

»Du bist nicht weggelaufen?«, fragte Kaito amüsiert.

»Von wegen, ich habe sie abgeschüttelt und ihr noch einmal deutlich gesagt, dass ich wieder gehen würde und zwar mit der Belohnung, wenn sie nicht Sitz macht. Dann war alles ruhig. Ich habe die Schachtel aufgemacht, wollte sie vor mir hinstellen, aber schwupps war alles weg«, erzählt sie stolz.

Danach habe sie noch 30 Minuten gerufen, dass sie sich zeigen sollte, aber die Präsenzen waren wie weggefegt gewesen und sie sei dann zurückgefahren.

Kaito war froh, dass Mio zufrieden war und ihm eine weitere Fahrt zu Dusk erspart bliebe. Kaito erklärte Mio, dass er sich ab morgen um Dawns Status kümmern würde.

Bevor Mio kombinieren konnte, verließ er das Büro mit den Worten, dass er noch einkaufen müsse und verabschiedete sich für heute.

Etwa zwei Wochen später stand plötzlich Herr Tanaka im Büro und Kaito hatte ein ungutes Gefühl.

»Was gibt's?«, fragte Kaito.

»Du beziehungsweise ihr alle habt eine Einladung beim Bürgermeister«, sagte Herr Tanaka und Kaito verzog das Gesicht.

»Ich war nicht dabei«, korrigierte Mio.

»Mio, du bist dafür verantwortlich, dass der hier« und Herr Tanaka zeigte auf Kaito, »sich brav, wohlerzogen, diszipliniert und ach du weißt schon verhält.«

Mio grinste, Kaito grummelte, Dawn miaute.

»Das Mädchen redet die ganze Zeit von einem Katzenmädchen, das ihr Mut zugeflüstert hat, als sie in den Händen der Entführer war. Das war doch nicht Dawn, oder?«

»Nein, das war Dusk, aber es ist ausgeschlossen, dass sie mit uns kommt.«

»Warum?«

»Verdammt, weil sie ein dunkler Ayakashi ist, sie mag keine Menschen und wenn überhaupt, dann hört sie nur auf mich, keine Ahnung ob und was passiert, wenn sie mitkommt«, sagte Kaito und wurde lauter.

»Na gut, aber Dawn kommt doch mit, oder?«

»Natürlich kommt Dawn mit, ich lasse sie nicht allein.«

»Hier ist die Einladung, bis demnächst«, sagte Herr Tanaka und verließ das Büro.

Kaito war schlecht gelaunt und verließ wortlos das Büro. Mio wollte etwas sagen, aber Dawn stoppte sie mit einem lauten Miau.

Einige Tage später trug Mio das Abendkleid, das ihr Frau Harrington geschenkt hatte. Als Kaito das sah, wollte er schon die Augen verdrehen, als Mio ihm erklärte, dass Herr Tanaka ihr die Erlaubnis dazu gegeben hatte und sogar gesagt hatte, dass eine gute schöne Fee gewünscht sein.

Kaito hatte sich eher leger gekleidet und war jetzt schon total gestresst und verärgert, wie sollte er den Abend nur überstehen.

Eine Limousine holte sie pünktlich ab und brachte sie zum großen Anwesen der Takahashis.

Herr und Frau Takahashi erwarteten sie persönlich am Eingang und begleiteten sie in den Empfangsraum, wo zu Kaitos Überraschung bereits Herr Kimura und zwei weitere Männer in Begleitung warteten. »War ja klar, dass er mir das nicht gesagt hat, warum sollte er auch?«, dachte Kaito und wäre am liebsten wieder gegangen.

Frau Takahashi stellte die Anwesenden vor. Der Polizeichef, der die Logistik der Spezialeinheiten koordinierte und ein Professor für Kinderpsychologie, der ihre Tochter behandelte, waren die beiden Männer, die er nicht kannte. Kaito wurde nur kurz, als die Person erwähnt, die den Spezialkräften den Tipp über den Unterschlupf der Geiselnehmer gegeben hatte, worüber Kaito sehr froh war. Frau Takahashi führte alle freudestrahlend in den großen Speisesaal und wies jedem persönlich einen Platz zu. Dawn bekam einen Platz zwischen Mio und Kaito, was zur Überraschung von Kaito anscheinend nur ihn wunderte, denn niemand im Raum wunderte sich, dass eine Katze einen Platz am Tisch bekam. Kaito nahm es hin und freute sich, dass Dawn neben ihm saß, auch wenn er sich seinen Teil dabei dachte.

Etwas später kam Nao, die Tochter der Takahashis und lief zur Überraschung aller direkt auf Dawn zu, streichelte sie, dankte ihr und bedankte sich dann gemeinsam mit ihrer Mutter bei allen Anwesenden. »Tapferes Mädchen«, dachte Mio, als sie Kaito sah und bemerkte, dass er das alles ziemlich gelassen nahm.

Nachdem alle auf Nao und ihre erfolgreiche Rettung angestoßen hatten, gingen sie zu einem gemütlichen Essen über. Kaito saß neben Herrn Kimura, der keine Anstalten machte, etwas zu sagen, was Kaito wiederum sehr entgegenkam. Die Frau des Professors war die erste, die Mio auf ihr Abendkleid ansprach, wodurch Mio indirekt erfuhr, dass dieses wohl einige hunderttausend Yen gekostet haben musste. Mio versuchte glamourös, sich die Neuigkeit nicht anmerken zu lassen, was ihr nur halb gelang und Kaito entschuldigte sich, um kurz rausgehen zu können, bevor er diesmal die Person war, die anfing zu lachen. Kaito ging Richtung Toilette und beobachtete auf dem Weg dorthin Nao und Dawn, die in einer Ecke des Speisesaals spielten. Nao sprach mit Dawn und Dawn miaute zurück. Kaito wusch sich etwas später die Hände und ging zurück, kurz bevor er den Speisesaal erreichte, hörte er eine Stimme neben sich. »Hey Junge.« Kaito schaute dorthin. Herr Kimura stand auf einem Balkon und blickte in die sternenklare Nacht über der Stadt.

»Willst du wieder an den Tisch, obwohl du diese heile Welt der Familientreffen genauso hasst wie ich?«, fragte er Kaito und gab ihm ein Zeichen, ihm Gesellschaft zu leisten.

»Weißt du, dass ich Herrn Tanaka vom Militär kenne?«, fragte er und Kaito wurde sofort klar, dass Herr Kimura wusste, dass Herr Tanaka nicht sein leiblicher Vater war.

»Nein, aber ich dachte mir, dass Sie sich kennen müssen, sonst wäre der Tag anders verlaufen.«

»Verdammt richtig. Du bist wirklich ein schlauer Junge. Dieser Tanaka ist ein echtes Phänomen. Er hat ein Gespür für Situationen und Menschen wie kein anderer. Ich werde ihm nie verzeihen, dass er zu diesem lächerlichen Polizeidienst gewechselt ist, anstatt mit mir zu den Spezialeinheiten zu gehen«, sagte er, sah Kaito an und lachte.

»Du willst sicher nach Hause, ich auch! Es ist schön, dass die kleine Nao wieder lachen kann, aber mit dieser Familienwelt habe ich abgeschlossen. Soll ich dir sagen warum?«, fragte Herr Kimura.

Kaito wollte gerade »Nein« sagen, als Herr Kimura schon anfing.

»Meine Frau ist gestorben, als ich auf einer Mission für unser Land war, das war damals … ach egal, habe ich vergessen. Sie starb in den Armen meiner Tochter, die mich anflehte, zurückzukommen, was ich damals nicht konnte, es ging einfach nicht. Seitdem haben wir kein Wort mehr miteinander gesprochen. Sie hat einen Ausländer geheiratet und das Land verlassen, was ich verteidigt habe und ich habe sie seitdem auch nie wieder gesehen. Was für eine beschissene Welt«, sagte er, leerte das Glas in einem Zug, sah es sich an und sagte, »1000 Yen in einem Zug, nicht schlecht, oder?«

Kaito war ruhig, ihm gingen gerade viele Gedanken und Fragen durch den Kopf, aber er konnte sie weder ordnen noch zu einem Satz formen.

»Du fragst dich wahrscheinlich, warum ich, alter trauriger Mann, dir das erzähle!«

»Ja genau, er hat recht, das ist ihm auch durch den Kopf gegangen«, dachte er.

»Bist du mit der süßen Kleinen zusammen, die du mitgebracht hast?«

»Nein«, sagte er schnell.

»Dann sieh zu, dass es passiert, oder suche dir eine andere Süße. Mit deinen Fähigkeiten wirst du es weit bringen und dann brauchst du jemanden an deiner Seite!«

»Und wenn du eine gefunden hast, dann kümmere dich besser um sie, als ich es getan habe, beschütze sie mit all deiner Stärke«, sagte er und legte Kaito eine Hand auf die Schulter.

»Ich habe schon eine Freundin«, sagte Kaito.

»Dann will ich nichts gesagt haben und wenn es mal Stress in eurer Beziehung gibt, denke an diesen Tag zurück. Das Bild, wie harmonisch die Takahashis jetzt sind und wie zerstritten sie sein werden, wenn wir wieder weg sind und mach es besser. Geh einfach zu Nao, sprich zwei Sätze mit ihr, dann hast du mehr mit ihr geredet als Frau Takahashi an diesem Tag«, sagte er, zwinkerte ihm mit einem Auge zu und ging in Richtung Speisesaal.

»Trauriger alter Mann, das werde ich tun, ganz sicher«, dachte Kaito und folgte ihm.

Mio blühte gerade auf und war der Gesprächstreiber Nummer eins. »Quassele noch ein bisschen mit den anderen«, dachte Kaito und sah zu Dawn, die immer noch mit Nao spielte. Er ging zu Dawn und Nao und sagte in Kindersprache, »Hallo Nao, spielt ihr auch schön?«

»Ja«, strahlte sie zurück, »aber sie ärgert mich.«

»Was macht sie denn?«, fragte er lächelnd.

»Wenn sie etwas von mir wissen will, ist sie ein hübsches Mädchen und bettelt ganz lieb, wenn ich wissen will, wie sie sich verwandeln kann, ist sie wieder eine Katze und sagt immer nur Miau als Antwort.«

Kaito verstummte, was hatte das Mädchen gerade gesagt? Kinder, wie Mios Bruder, konnten Dawn in ihrer göttlichen Gestalt sehen, aber er konnte sie nur in ihrer göttlichen Gestalt sehen und nicht mal so und so.

Er schaute zu Dawn, die grinsend neben Nao saß, die sie umarmte und Kaito begann zu verstehen und flüsterte zu Nao »das ist ein Geheimnis der Katzenwelt, wenn du ganz lieb bist und es für dich behältst, bis du groß bist und sie dann fragst, wird sie dir sagen, wie es geht.«

Er drehte sich um, ging zurück zum Tisch, nahm sich ein Glas mit Alkohol, trank einen Schluck und dachte innerlich triumphierend, »Was für ein perfekter Tag.«

Ein paar Wochen später konnte sich Dawn tatsächlich manifestieren. Zuerst konnte sie diesen Zustand nur ein paar Sekunden halten, dann ein paar Minuten, aber es reichte, dass Mio total ausflippte, im Dauerfotomodus war und Partypläne inklusive Einschulung für Dawn plante, was Dawn natürlich überforderte. Kaito nahm ihr erstmal das Smartphone weg, das sie erst zurückbekam, als sie sich wieder beruhigt hatte.

Dawn konnte sich auf verschiedene Weise manifestieren, als Mensch oder als Katzenmensch, wie sie wollte. Oder sie konnte sich nur kleinen Kindern als Katenmensch zeigen, da diese noch empfänglicher für Spirits waren als Erwachsene, so wie sie es zuerst bei Nao gemacht hatte.

»Sehr praktisch«, dachte Kaito und war selbst begeistert. Mit jeder Stärkung durch die positive Energie würde sich die Dauer ihrer Manifestation verlängern. Es würde nicht mehr lange dauern, bis sie einen oder sogar mehrere Tage durchhalten würde. Alles dank seiner enormen Kräfte, die nicht nur die Geisterwelt so sehr fürchtete.

Kapitel 14 - RABEN

Schon einige Zeit später ging Dawn bereits mit Mio einkaufen, traf sich ab und zu kurz mit Mio und ihren Freundinnen, welche sie als entfernte Verwandte von Kaito bzw. Herrn Tanaka vorstellte, die nun hier in Japan leben und arbeiten würde.

So kam es, dass eines Tages der Bürgermeister, Herr Takahashi, einer sehr hübschen, makellosen Frau eine Einbürgerungsurkunde für besondere Verdienste für das Vaterland überreichte und ihr, Dawn Tanaka, alles Gute für die Zukunft wünschte.

Kaito war ein wenig genervt von Mios Enthusiasmus, nahm es aber für eine Weile hin und war gerade dabei, Mio zurechtzuweisen, als es an der Bürotür klingelte.

Eine adrette Frau mittleren Alters betrat den Raum und stellte sich als Yoko Nishimura vor, Managerin von Star-AA-Sun, einer Management-Agentur. Sie brauchte eine Expertise über ein Problem mit einer Künstlerin. Aber sie verlange Diskretion, erklärte sie, während sie sich im Büro umsah.

Kaito war froh, dass Mio und Dawn zusammen einige neue Dinge im Büro gekauft hatten, aber Frau Nishimura schien es trotzdem nicht zu gefallen.

»Schnepfe«, dachte Kaito und gab ihr einen Vertragstext.

Dann erzählte sie, dass ihre Künstlerin Reiko-Lucie Yoshida nach eigener Aussage von einem Yokai belästigt würde und Kaito der jungen Dame bitte erklären sollte, dass sie sich das nur einbilde, bedingungsweise das Problem aus der Welt schaffen sollte.

Sie erklärte weiter, dass dieser Yokai abends, wenn Reiko-Lucie schlief, in ihr Schlafzimmer kommen sollte und wieder verschwand, wenn sie aufwachte.

»Machen Sie dem ein Ende«, sagte sie. »Schließlich ist Reiko-Y-Lu, wie sie sie nannte, auf dem Höhepunkt ihrer Karriere und da muss man sich ums Geldverdienen kümmern«, fuhr sie fort und fragte einfach in den Raum, wann die Frau und sie zeigte auf Mio, vorbeikommen könne, um das Problem zu lösen.

»Schnepfengulasch«, kam Kaito in den Sinn, »ob das schmecken würde?«, fragte er sich.

Mio grinste in sich hinein, räusperte sich und erklärte Frau Nishimura, wie ein Fall mit einem Yokai im Allgemeinen ablaufen würde. Kaito lehnte sich in seinem neuen Stuhl zurück und dachte an seine Englischlehrerin, »wie hieß sie doch gleich?« Jedenfalls waren die Ähnlichkeiten zwischen den beiden unübersehbar. »Vielleicht hat die Untote ja eine Ururenkelin«, dachte er, ging in Richtung Küche und sagte sich, »Mio wird's schon richten«, da war er sich sicher. Und so kam es schließlich auch. Frau Nishimura unterschrieb den Vertrag, bekam wie üblich eine Kopie und vereinbarte einen Termin, um Reiko-Lucie oder den Yokai einzufangen.

»Gott war ich nervös, jetzt treffen wir das Superidol Reiko-Lucie Yoshida alias Reiko-Y-Lu persönlich«, sagte sie in Richtung Dawn und Kaito, die sich beide etwas merkwürdig ansahen.

»Ihr wollt mir doch nicht sagen, dass ihr Reiko-Y-Lu nicht kennt«, sagte sie lauter.

»Nein«, sagte Kaito. »Ist das was zu essen?«, fragte er sarkastisch.

»Du darfst nur mitkommen, weil ich ihr klargemacht habe, dass nur du das Problem lösen kannst und wehe, du machst uns lächerlich.«

»Tja, das sagt die Richtige«, wollte Kaito sagen, hielt sich aber gerade noch zurück und sagte stattdessen, »Also dann, bis morgen Abend, das könnte echt lustig werden, komm Dawn, lass uns ein Idol kaufen, ... äh, was zu essen«, sagte Kaito, ging zur Tür und aus dem Büro, während Mio ihm hinterher rief, »was zum Teufel soll das heißen, ‚das könnte lustig werden'.«

Am Abend des nächsten Tages standen sie vor der Wohnung von Reiko-Lucie und wurden kurz darauf von Frau Nishimura hereingelassen. Reiko-Lucie war sehr, sehr hübsch und offensichtlich auch sehr charismatisch, ein typisches Idol eben. Selbst ungeschminkt besaß sie eine selbstbewusste, charismatische Eleganz.

Ihre langen, glatten, schwarzen Haare erinnerten Kaito an Dusk, ihre eher leicht grünen Augen an Dawn.

Sie begrüßte Kaito und die anderen eher kühl und fragte Mio zuerst, ob sie auch ein Idol sei oder werden wolle, was sie schnell verneinte, ihr aber sichtlich schmeichelte. Dann blickte sie kurz zu Kaito, dann zu Dawn, dann wieder zu Mio und Kaito dachte »Schnepfe Nummer zwei.«

Reiko-Lucie erklärte dann in Richtung Mio, dass sie abends von Geräuschen in ihrem Zimmer geweckt wurde und dass sie dann jedes Mal ein seltsames Flackern in der Luft wahrnahm, welches dann langsam durch die offene Tür verschwand, die eigentlich verschlossen sein sollte. Sie sei auf dem Land aufgewachsen, wo so etwas schon einmal passierte, kurz bevor sie in die Stadt zog. Sie könnte kaum noch schlafen und wollte, dass das Ding jetzt verschwindet.

»Du bist dir also sicher, Schnepfe, dass er weg muss«, dachte Kaito und grinste.

»Was gibt es da zu grinsen«, sagte sie prompt ohne ihn anzusehen.

»Nun, ich denke es ist ein Ayakashi, er will wahrscheinlich nichts Böses. Könnte es sein, dass sie ein Geschenk von ihm bekommen haben?«, fragte Kaito und versuchte ertappt der eigentlichen Frage auszuweichen, während er Mios böse Blicke auffing.

»Hm, vor ein paar Tagen lag eine schwarze Rose auf meinem Nachttisch, ich war mir nicht sicher, ob ich sie übersehen hatte und habe dann vergessen zu fragen, von wem sie kam.«

»Haben Sie sie noch?«, fragte Kaito und verkniff sich diesmal ein Grinsen.

»Ich werde sie holen, warten Sie.«

»Hier.«

»Dawn, was denkst du?«, fragte Kaito.

Dawn miaute und Mio fragte sich, warum Dawn nicht in ihrer neuen Gestalt zu den Missionen kam. Das wäre doch viel einfacher für alle.

»Frau Yoshida, wie wäre es, wenn sie diesen Ayakashi mal richtig zur Schnecke machen würden?«, fragte Kaito.

»Wie soll ich das verstehen? Er soll verschwinden!«

»Ich werde ihn nicht auslöschen, wenn es eine andere Möglichkeit gibt. Wenn sie es ihm deutlich sagen, wird er sie nicht mehr belästigen. Und wenn doch, dann werde ich mich um ihn kümmern, umsonst«, sagte Kaito.

»Ich kann ihn kaum sehen, was soll ich einer wabernden Luftmasse sagen?«

»Sie werden ihn sehen, wunderbar sogar und dann werden Sie diesen Ayakashi erklären, dass das so nicht geht, für immer!«

»Warum sollte ich das tun?«

Kaito überlegte etwas und sagte dann ziemlich eindrucksvoll in die Runde, »weil es eine Chance, auf eine positive Erfahrung ist, die Sie nie wieder bekommen werden.«

Reiko-Lucie sah Kaito und dann Mio an und sagte zu ihr, »Der will mich doch nicht verarschen, oder?«

Etwas geschockt antwortete Mio, »Er ist ein bisschen seltsam, aber das würde er nicht tun. Seine Kunden sind ihm sehr wichtig« und Mio dachte »Wage es ja nicht du kleines Monster.«

»Wie soll das gehen?«

»Wie besprochen, ich warte hier im Vorzimmer, sie alle in ihrem Zimmer, ich rufe Sie, wenn der Ayakashi gefangen ist«, sagte Kaito.

Es war schon nach 1 Uhr und auch die Stimmen aus dem Schlafzimmer wurden leiser. Kaito saß allein auf dem Sofa und fragte sich, ob der liebestolle Ayakashi heute noch kommen würde. Dawn war bei Mio und den anderen. Kaito hatte ein paar Kreise auf den Boden gemalt. Er war sich zwar gewiss, dass er sie nicht brauchen würde, aber »sicher ist sicher«, dachte er. Dann hörte er, wie sich die Eingangstür öffnete und sagte etwas lauter, »Wie schaffen es Ayakashi immer wieder, eine verschlossene Tür zu öffnen?« und schaltete das Licht ein.

Es war wirklich ein Rabe, so wie er vermutete, jetzt sahen sie sich in die Augen und man sah ihm an, dass er fliehen wollte.

»Wenn du fliehst, schicke ich dich nach oben und jetzt lass uns reden. Mach die Tür wieder zu und komme her«, sagte Kaito.

»Erklär mir, warum sie?«

Die Tür zum Schlafzimmer wurde aufgerissen und Mio kam angerannt, »Hast du ihn?«, fragte sie.

»Er steht vor mir ...«, weiter kam er nicht, denn Reiko-Lucie schrie, »Da steht das Ding, kannst du es sehen Yoko.« Aber Frau Nishimura und auch Mio sahen nichts und Kaito rief in die Runde, dass sie ruhig bleiben sollten und dass der Ayakashi nur von ihm und Frau Yoshida gesehen werden konnte.

»Warum belästigst du diese Frau?«, wiederholte er laut in den Raum und alle Anwesenden verstummten.

Kaito hörte zu, während Frau Nishimura ihn ärgerlich ansah, aber gleichzeitig bemerkte sie auch, dass Reiko-Lucie das wohl nicht als Trick ansah und so ließ sie diese dämliche Aktion über sich ergehen. Etwas später erklärte Kaito den Anwesenden, dass es ein Ayakashi war, der Frau Yoshida mit seiner vor langer Zeit verstorbenen Partnerin verwechselte, da sie die gleiche Aura hatten. Der Rabe widersprach und sagte Kaito, dass Reiko-Lucie wirklich seine Frau sei, aber Kaito brachte ihn zum Schweigen. Dawn und Kaito ahnten dies schon wegen der Rose, die eine ähnliche Aura wie die von Reiko-Lucie besaß, aber dies war nun die endgültige Bestätigung.

Reiko-Lucie wurde extrem wütend und schrie, »ICH SOLL DIE GLEICHE AURA HABEN WIE DAS DING DORT!«

Mio versuchte zu schlichten, indem sie erklärte, dass Auren völlig willkürlich seien, wie Haarfarben und keine Bedeutung hätten, obwohl sie wusste, dass Kaito das anders sah und hoffte, dass er nicht über Mios Aura reden würde.

Kaito räusperte sich und ergriff das Wort, Mio zuckte zusammen, »er wird doch nicht?«

»Was ich ihnen jetzt sagen werde, ist mein voller Ernst. Geben sie dem Ayakashi einen Tropfen ihres Blutes, dann können sie ihn sehen. Wenn sie das tun, dann entscheiden sie ganz alleine, was mit ihm passiert«, sagte Kaito Reiko-Lucie direkt ins Gesicht.

Mio war schockiert, aber so war Kaito eben. Immer für eine Überraschung gut.

Reiko-Lucie schaute diesen Jungen an, den sie durchaus abstoßend fand, aber sie war es, die etwas von ihm wollte und er machte ihr nichts vor, das sah sie selbst. Er sah das Ding vor sich, genau wie sie. Er spielte nicht, er sah es an derselben Stelle wie sie. Ein Betrüger würde versuchen, die Position zu verbergen oder von ihr zu erfahren und dann in diese Richtung zu schauen, aber er hatte von Anfang an in die richtige Richtung geschaut. »Ein Tropfen Blut«, dachte sie, sie hatte viel Schlimmeres ertragen müssen, um dort zu sein, wo sie jetzt war und das würde ihr niemand mehr nehmen, auch kein Ayakashi. Aber trotzdem, so leicht würde sie es diesem arroganten Bengel nicht machen.

»Ich kann ihn schon sehen«, sagte sie zornig.

»Nein, sie sehen nur das Flimmern seiner spirituellen Energie, nicht seinen wirklichen Körper und dieses Flimmern sehen sie auch nur, weil sie zufällig die gleiche Aura haben!«

Sie sah ihn an und sagte, »Wenn Sie lügen, laufen Sie nackt durch die Straßen.«

»Reiko-Lucie«, schrie Frau Nishimura und Mio lachte laut auf und sagte »das will bestimmt niemand sehen«, was Kaito mit einem bösen Blick quittierte.

»Einverstanden«, sagte Kaito und Mio traute ihren Ohren nicht.

»Hol eine Nadel aus dem Erste-Hilfe-Kasten, Yoko«, sagte sie und sah Kaito an, als wäre er ein ekliges Insekt.

»Wie soll das gehen?«

»Stechen Sie sich mit der Nadel und geben Sie sie meiner Kollegin. Mio halte sie dann einen Meter in Richtung Haustür.«

»Ich werde davon nicht verflucht oder so?«

Kaito lachte, »Nein.« »Nicht im herkömmlichen Sinne«, dachte er.

Reiko-Lucie nahm die Spritzennadel aus der Originalverpackung, stach sich in die Seite ihres linken Zeigefingers und reichte sie dann an Mio weiter, die zwei Schritte nach vorne ging und sie dann einen Meter in Richtung Eingangstür hielt.

Alle schauten gespannt auf die Spritzennadel, die Mio in die Luft hielt. Hätte sie nicht schon so viele Aufträge mit Kaito gemacht, wäre sie vor Peinlichkeit im Boden versunken, aber so wartete sie ab, was passieren würde und merkte plötzlich, wie die Spritze, die sie zwischen Daumen und Zeigefinger hielt, herausgezogen wurde und verschwand. Sie erschrak ein wenig, zog die Hand zurück, fasste sich aber wieder und blieb stehen.

Reiko-Lucie und Frau Nishimura starrten weiter auf die Stelle, an der die Nadel verschwand, bis Reiko-Lucie aufschrie und zurückfiel. Mio und Frau Nishimura schauten erschrocken zu Reiko-Lucie. Aber es war nichts Ungewöhnliches zu sehen, außer dass Reiko-Lucie gerade nach hinten umkippte. Mio streckte die Hand aus, um Reiko-Lucie am Fallen zu hindern, aber etwas war schneller und die beiden sahen, wie Reiko-Lucie sich stabilisierte und wie bei einem Zaubertrick kurz in der Luft schwebte und sich dann aufrichtete. Sie starrte deutlich auf etwas, ganz nah, etwas, das direkt vor ihr zu sein schien. »Etwas, das sie aufgefangen hatte«, dachte Mio sofort.

»Darf ich vorstellen, Kurohane, der Ayakashi, der sie nervt, jetzt können sie ihm die Meinung geigen«, sagte Kaito zu Reiko-Lucie und grinste leicht frech.

Doch Reiko-Lucie hörte nicht mehr hin, sondern blickte nur noch in das Gesicht ihrer Träume.

Diese Schönheit und Eleganz, gepaart mit Sanftmut und Ruhe in seinen tiefblauen Augen, war etwas, das sie bisher bei keinem Mann, den sie getroffen hatte, fand.

»Lass mich für immer für dich da sein«, sagte der Mann vor ihr, der sie in seinen starken Armen auffing, als sie erschrocken zurückfiel.

»Ja«, sagte sie, ohne die Welt um sich herum wahrzunehmen.

Frau Nishimura schrie Kaito an, »was haben sie getan, machen sie dem ein Ende, sofort.«

»Soll ich den Ayakashi verjagen, Frau Yoshida?«, fragte Kaito etwas süffisant.

»Hallo Frau Yoshida, Erde an Frau Yoshida«, sagte Kaito etwas zu scherzhaft und Mio schnaubte vor Wut. Reiko-Lucie kam wieder zu sich, richtete sich auf, räusperte sich und sagte zu Frau Nishimura, »Ab morgen mache ich, was Sie wollen, aber jetzt seien Sie still und setzen Sie sich!« Frau Nishimura ging verärgert zu einem Sessel und setzte sich wortlos.

»Herr Tanaka, was genau bedeutet die Situation jetzt für mich?«, fragte Reiko-Lucie, während sie diesen Mann weiter ansah.

»Dieser Ayakashi sieht in ihnen die menschgewordene Reinkarnation seiner vergangenen Liebe, er wird sie beschützen und immer an ihrer Seite wachen, aber niemand außer ihnen wird ihn je sehen. Er wird nie altern, aber er wird immer in Gefahr sein, denn Raben und Krähen werden gerne von Exorzisten zum Training gejagt. Beschützen Sie ihn vor den Menschen, so wie er sie vor Yokais beschützen wird, oder ihre Wege sollten sich hier trennen. Es ist ihre Entscheidung«, sagte Kaito, schmunzelte etwas und ging zur Tür.

»Sie können gerne in ein paar Tagen vorbeikommen und mir ihre Entscheidung mitteilen«, sagte er und öffnete die Tür, während Dawn aus dem Zimmer ging.

»Ach ja, von einem Ayakashi kann man nicht schwanger werden«, sagte er schnell und schloss die Tür, obwohl Mio noch drinnen war.

»DU VERMALEDEITER KLEINER PERVERSER WICHSER. Bleib sofort stehen, damit ich dir eine runterhauen kann«, kam es von Mio, die nun die Tür aufgerissen hatte und ihm hinterher rannte.

Reiko-Lucie kam tatsächlich einige Tage später mit Frau Nishimura in Kaitos Büro. Er hatte nicht damit gerechnet und freute sich über den einfachen und vor allem positiven Fall ohne Ärger und potenzielle Tote oder Gefahren. Er sollte eine Partnervermittlung für Menschen und Ayakashi aufmachen und bei Bedarf auch Paartherapie anbieten, sagte er zu sich selber grinsend. »Hmm, vielleicht sollte Mio das besser machen«, dachte er dann, als Reiko-Lucie Mio erzählte, dass sie und Kurohane jetzt zusammen waren. Frau Nishimura akzeptierte das alles, solange die Auftritte gut liefen und um genau das zu erreichen, hätten sie noch ein paar Fragen. Mio machte Reiko-Lucie klar, dass sie mit Kaito darüber sprechen müsse und sie akzeptierte, wenn auch sichtlich missmutig.

Kaito war von der Einsicht der jungen Frau überrascht. Er erklärte Reiko-Lucie, wie sie sich am besten verhalten sollte, worauf sie achten musste, um die Gefahr von ihr und Kurohane so weit wie möglich fernzuhalten und dass das Zusammenleben mit einem Ayakashi nicht einfach werden würde. Vor allem in Gesellschaft, die nicht in diese Parallelwelt eingeweiht war, müsste man sehr vorsichtig agieren. Auch der Neid und die Angst der anderen müssten berücksichtigt werden.

Als Reiko-Lucie fragte, woher er das alles wisse, stand plötzlich ein wunderschönes Katzenmädchen hinter Kaitos Stuhl, umarmte ihn und sagte, »Weil er schon so lange mit einem super süßen göttlichen Kätzchen wie mir zusammenlebt.«

Diesmal war es Frau Nishimura, die rückwärts vom Stuhl kippte und Kaito dachte, »Wie kann das bei einem 50.000 Yen teuren Bürostuhl passieren?

Mio half Frau Nishimura von Boden auf, die das Katzenmädchen anstarrte, als hätte sie ein Gespenst gesehen, aber Mio wurde klar, »Ja, sie hat gerade ihr erstes Gespenst gesehen.«

Frau Nishimura ging um den Tisch herum zu Dawn, musterte sie von oben bis unten und berührte vorsichtig ihre Ohren, zuckte dann aber zurück und sagte, »Die sind echt.« Dawn war etwas verwirrt und Kaito ahnte schon, was jetzt kommen würde. »Wollen Sie ein Idol werden?«, fragte Frau Nishimura. »Nein, will sie nicht«, sagte Kaito energisch und führte Frau Nishimura wieder auf die andere Seite des Tisches.

Mio wollte etwas sagen, sah aber Kaitos verärgertes Gesicht und beließ es dabei. Frau Nishimura und Reiko-Lucie verließen wenig später fast widerwillig das Büro, aber nicht ohne drei Karten für das nächste Konzert zu hinterlassen, die Mio gerne annahm.

»Hauptsache sie bezahlen die Rechnung«, sagte Kaito hinterher. »Dawn einmal anzufassen kostet hunderttausend extra, schreib es auf die Rechnung.«

Mio verdrehte die Augen, sagte aber nichts.

»Warum hast du das gemacht Dawn?«, fragte Kaito ärgerlich und Dawn miaute traurig.

»Sie wollte Frau Nishimura und Reiko-Lucie zeigen, dass man dir vertrauen kann«, sagte Mio. »Also hör auf damit.«

»Okay, aber verwandle dich nie wieder vor Fremden. Das Risiko ist einfach zu groß. Wir ziehen sowieso schon zu viel Aufmerksamkeit auf uns. Okay?«

»Miau, okay«, sagte Dawn mit hängenden Ohren.

Kapitel 15 - SHY

Kaito schaute aus dem Fenster seines Büros, er langweilte sich, seit zwei Wochen hatte er keinen Kunden mehr. Er fühlte sich wie ein Zahnarzt für Haifischzähne und lachte, als er sich dabei ertappte, wie er daran dachte, Yokais zu den Leuten nach Hause zu schicken, um mehr Aufträge zu bekommen. Er könnte auch Dusk und ihre Untergebenen verwenden. Er verwarf den Gedanken schnell wieder, »das gehört sich nicht«, sagte er sich.

Er dachte dann an das Abendessen mit dem Bürgermeister und Herrn Kimura. Ihm war klar, dass Herr Kimura dieses Gespräch nur auf Wunsch seines Vaters mit ihm geführt hatte. Was wollte sein Vater damit bezweckten? Vielleicht, dass er mit Mio zusammen kam? Das war ausgeschlossen, das musste er doch wissen, viel zu weit waren sie voneinander entfernt, nur diese eine Sache hatten sie gemeinsam. War es seine Fixierung auf Dawn, die ihm nicht passte? Er merkte aber, dass er es nicht herausfinden würde, also beließ er es dabei.

Dawn und Mio waren gerade einkaufen beziehungsweise shoppen gegangen und sollten sowieso gleich zurück sein. Er hatte sich sogar überreden lassen, dass die beiden zusammen mit einer Freundin von Mio auf das Konzert von, wie hieß sie noch mal, ach ja Reiko-Y-Lu, gingen.

Diese lebte nun mit dem Raben Ayakashi zusammen und das ging schon eine Weile gut, hätte er nicht gedacht. Die Liebe muss groß sein, dachte er, als sich das Smartphone meldete. Er schaute auf das Display und sah, dass es Mio war, die versuchte ihn zu erreichen.

»Vermutlich ging es wieder um die Farbe von Möbeln«, dachte er und ging ran.

»DAWN WURDE ENTFÜHRT!«, schrie sie in das Telefon ohne abzuwarten.

Kaito musste die Worte, die sie sagte erst einmal verarbeiten, erstarrte dann und sagte, »Erkläre, was passiert ist.«

»DAWN WURDE ENTFÜHRT! Wir waren auf dem Heimweg, sie war gerade in ihrer Katzengestalt, als ein Mann hinter uns sie mir entriss und in ein neben uns parkendes Auto warf. Dann ist er weggelaufen und das Auto ist losgefahren«, schrie sie fast in ihr Smartphone.

»Ich rufe deinen Vater an«, schrie sie wieder und legte auf.

»Nein, warte«, sagte Kaito, aber es war schon zu spät.

»Verdammt«, dachte er und wählte selbst die Nummer seines Vaters, aber es war schon besetzt.

»Okay, die Zeit scheint gekommen zu sein«, dachte er und schaute wieder aus dem Fenster, diesmal nicht in den Himmel, sondern auf die höheren Gebäude in etwa 500 Meter Entfernung.

»Heute wird jemand sterben, spätestens morgen«, dachte er und sagte, »Shy, sieh dich in den Zimmern des Gebäudes dort drüben mit dem Fenster zu uns um und erstatte mir Bericht.«

Es war unwahrscheinlich, dass jemand Dawn sofort töten würde. Diejenigen, die aus Hass auf ihn sie entführen würden, waren nicht so dumm, das wusste er. Die anderen waren diejenigen, die Dawn besitzen wollten, weil sie wussten, wie außergewöhnlich, begehrenswert und einzigartig sie war. Ein Mann wie Herr Harrington oder Herr Kato waren sicher finanziell dazu in der Lage dazu, aber er traute es beiden nicht zu. Der eine verabscheute alles Spirituelle, der andere würde sich am Ende seines Lebens nicht mit Göttern anlegen, so seine Theorie. Da blieb nur einer übrig. Der schmierige, arrogante Drecksack von damals. Einer, der seinen persönlichen und beruflichen Erfolg über das Recht dieses Landes stellte und in der Position war, das auch durchzusetzen. Wahrscheinlich, wirklich ein Abteilungsleiter einer staatlichen Behörde, so wie er sich Anfang des Jahres hier in seinem Büro vorgestellt hatte, mächtig auftrumpfend, auf Zusammenarbeit drängend, natürlich nur zu seinen Bedingungen.

Kaito suchte nach dem Schlüssel für das Fahrradschloss, fand ihn und steckte ihn ein, als die Bürotür aufflog und Herr Tanaka hereinstürmte.

»Er war schnell, hatte er ein schlechtes Gewissen oder ist es Angst in seinen Augen«, dachte Kaito und setzte sich auf Sofa.

»Kaito, Mio hat mir alles erzählt, ich bin auf der Suche nach Dawn, du brauchst nichts zu unternehmen«, sagte er.

»Im Moment bist du wohl gerade hier bei mir, oder wer sucht gerade nach Dawn?«, fragte Kaito sarkastisch.

»Ich werde ein paar Leute anrufen, dann finden wir sie bestimmt.«

»Ich werde sie auch ohne dich finden«, dachte er und sagte »Ich will sie zurück, bis morgen früh«, denn er wusste, dass es mit jeder Stunde, die Dawn länger in der Gewalt dieses Verrückten war, schlimmer für sie wurde und Kaito hatte gerade von Vater die Bestätigung bekommen, dass die Entführung staatlich war, warum sonst sollte er seine Beziehungen spielen lassen.

»Du machst keine Dummheiten«, sagte Herr Tanaka zu Kaito.

»Das würde ich nie tun«, sagte Kaito und lächelte seinen Vater an.

Herr Tanaka ging auf ihn zu und sagte noch einmal, »Versprich mir, keine Dummheiten zu machen, bitte.«

»Ich verspreche dir, keine Dummheiten zu machen«, antwortete er Herrn Tanaka direkt.

»Warum glaube ich dir diesmal nicht? Wenn du selbst etwas unternimmst, kann ich dir und Dawn nicht helfen«, sagte er und ging zur Tür.

»Morgen früh will ich sie wiederhaben«, sagte Kaito, als Herr Tanaka die Tür öffnete.

»MACH KEINEN SCHEISS!«, befahl er noch einmal und schloss die Tür.

»Ich habe noch nie etwas Dummes gemacht, Vater«, sagte er zu sich selbst, grinste etwas, als er an die Mine in Sakura-Dori dachte und dabei aus dem Fenster sah, wie Herr Tanaka wenig später in ein Auto stieg und davon fuhr.

»Ich hasse Fahrradfahren«, flüsterte er etwas später vor sich hin, während er das Fahrrad aufschloss und in Richtung Ostwald losfuhr.

Mio rief ihn immer wieder an, aber er nahm nur einmal ab und bat sie, nach Hause zu gehen, weil es zu gefährlich für sie sei, dann setzte er sie in seinem Smartphone auf ignorieren.

Es dauerte lange, bis er am Wald ankam und was er dort sah, machte ihn dann richtig wütend. Mio stand da.

Er wollte sie gerade anschreien, als er sah, wie sie tränenüberströmt auf ihn zukam. Sie zitterte und brachte kaum ein Wort heraus außer ‚Entschuldigung' und ‚Es tut mir leid'.

Stattdessen sagte er, »Es ist nicht deine Schuld, es hätte jederzeit passieren können. Ich muss jetzt herausfinden, wo sie ist und wenn du dir weiter die Schuld gibst, lenkt mich das zu sehr ab, also hör auf« und nahm sie in seine Arme. Nach einer Minute stand er auf und ging zum Waldrand. »HIERHER DUSK, SOFORT«, schrie er.

»Miau, was ist denn?«

»Das weißt du ganz genau, geh Dawn suchen.«

»Miau, was kriege ich dafür, wenn ich meine dumme Schwester finde?«, sagte sie und sprang vor ihn.

Mio beruhigte sich ein wenig, als sie verstand, dass er mit Dusks Hilfe Dawn schnell finden konnte.

Kaito war jetzt richtig sauer auf Dusk, er stellte sich in Gedanken vor, wie er Dusk gegen einen Baum presste und ihr die Kehle zudrückte, sie anschrie, dass er ihre Existenz auslöschen würde, wenn er Dawn nicht unversehrt zurückbekommen würde und er fragte sich, ob er das wirklich getan hätte, wenn Mio nicht neben ihm gestanden hätte.

Stattdessen ging er ein Stück auf Dusk zu und sagte leicht verärgert, »Du lebst in meinem Wald, hier bin ich dein Gott und ich befehle dir, Dawn zu suchen, damit du hier weiterhin gut leben kannst und wenn du brav bist, auch immer mal wieder eine Belohnung von deinem Gott bekommst, vor allem, wenn du und Dawn zusammenhaltet und euch versteht. Was sagst du dazu?«, erklärte er leicht drohend, ritzte sich in den Finger, griff nach Dusk, die erschrocken davonsprang und sagte, »Sie ist weit weg.«

»So ist es brav liebes Kätzchen. Shy komm her!«

Dusk, wollte gerade etwas sagen wie »Nicht das Monster …« aber Kaito sagte befehlsartig »Shy, wie besprochen, nimm sie mit, finde zusammen mit ihr Dawns Aufenthaltsort und komm dann zu mir zurück« und Dusk verschwand vor seinen Augen.

Mio hatte sich beruhigt und Kaito erklärte ihr, dass Shy und Dusk nun nach Dawn suchen würden. All das würde länger dauern und sie sollte nach Hause gehen.

Zuerst wollte Mio wissen, was es mit Shy auf sich hatte, aber Kaito ließ sich nicht darauf ein. Er stellte sie auf die Beine und befahl ihr, ihr Fahrrad zu nehmen und mit ihm gemeinsam in die Stadt zu fahren, was Mio dann auch tat.

Immer wieder versuchte Mio herauszufinden, was genau los war und ob ein Kunde dies getan hatte.

Kaito verneinte. Er verstand aber, dass sie ohne eine Antwort nicht aufhören würde zu fragen und sich damit selbst in Gefahr bringen würde. Deshalb erklärte er ihr, dass wahrscheinlich eine Regierungsbehörde dahinter steckte, die Dawns Fähigkeiten erforschen und ausnutzen wollte. Mio hörte zu. Sie wurde wütend, aber verstand jetzt sie die Situation.

»Wie lange haben die uns schon im Visier?«, fragte sie.

»Minumum ein Jahr«, antwortete er und hörte Mio schlucken.

Ob sie nun wütend auf ihn war, weil er nie etwas zu ihr gesagt hatte, fragte er sich. Aber selbst wenn, das hätte Mio nicht davon abhalten, mit ihm an den Fällen zu arbeiten.

Es war schon dunkel und ziemlich kühl. »Herbst eben«, dachte Kaito, als Mio sich verabschiedete und er sich auf den Weg nach Hause machte.

Es war schon lange dunkel, als er müde in seiner Wohnung ankam. Er hätte Dusk hierher bestellen sollen, anstatt dorthin zu fahren, aber egal, in ein paar Stunden würde er wissen, wo sie war und dann hing es von Herrn Tanaka ab, dachte er und starrte an die Decke, aber trotz seiner Müdigkeit konnte er nicht schlafen.

Er konnte nur an das Gesicht dieses widerlichen Mannes denken und daran, was für ein Trottel einen solchen Idioten in eine so mächtige Position gebracht hatte. Sie lebten doch nicht im Mittelalter und auch nicht in einer Diktatur. Je länger er darüber nachdachte, desto ärgerlicher wurde er, bis er bemerkte, dass die aufgehende Sonne sein Zimmer langsam erhellte.

Wo bleiben die, fragte sich Kaito, als er plötzlich ein Miauen neben sich hörte.

Er drehte den Kopf. »War das Dawn?«, fragte er sich und Hoffnung durchströmte ihn.

Es waren Dusk und Shy, natürlich war es nicht Dawn, wie hätte sie es auch sein können.

»Wo ist Dawn?«, fragte er.

»Weit im Norden, sehr weit, tief unter der Erde«, antwortete sie.

»Koordinaten!«, befahl er ärgerlich. Dusk verstand das Wort nicht, aber begann, den Weg zu beschreiben. Es dauerte etwa zwei Stunden, bis er die Stelle auf der Satellitenkarte gefunden hatte. Jetzt wisst ihr, dass ich euch gefunden habe«, sagte er zu sich selbst.

»Willst du zurücklaufen oder soll Shy dich bringen?«, fragte er Dusk, aber die war schon, ohne sich zu verabschieden, aus dem Fenster gesprungen und Kaito dachte, hoffentlich wusste sie noch, dass wir im zehnten Stock waren.

»Komm her Shy! du hast das Gebäude gesehen?«, sagte er fragend und blickte zum Fußende des Bettes.

Eine schwarze Kugel oder runde Scheibe, so genau konnte man es wegen der fehlenden Konturen nicht erkennen, schwebte über dem Ende des Bettes. Es sah aus wie ein schwarzes Loch, wie ein idealer schwarzer Körper ohne jegliche Struktur an der Oberfläche. Selbst für ihn war es nur eine schwarze, kreisrunde Scheibe.

»Ja«, ertönte es in seinem Kopf.

»Dann hör mir gut zu«, sagte er, denn er wusste, dass er diesem Monster alles ganz genau erklären musste. Es war sehr intelligent und sein Wissen übertraf alles bisher Dagewesene, aber es wollte ihn wohl ärgern und einfache Befehle nicht ohne weiteres verstehen. Man musste ihm klare Befehle geben, sonst konnte es gefährlich werden, wie an dem einem heißen Sommertag, als er Shy aus Jux befohlen hatte, ihm etwas zu trinken zu holen und plötzlich ein fremder Kühlschrank von ihm in seinem Zimmer stand. Warum er das so machte, hatte er nie herausgefunden und es war ihm auch egal.

Aber eine Sache musste er vorher noch erledigen. Er musste seinen Vater anrufen und klären, was dieser erreicht hatte, das hatte er ihm versprochen. Er wählte ihn an »Hallo Vater«, meldete sich Kaito.

»Du rufst früh an«, sagte Herr Tanaka.

»Ich habe dir doch gesagt, dass ich Dawn morgen früh wieder bei mir haben möchte. Hast du sie?«

»Ich bin noch dran Kaito.«

»Was weißt du bis jetzt?«

»Wie gesagt, ich bin noch dran.«

»Du hast noch nichts erreicht, gib es zu Vater.«

»So einfach ist das nicht«, fuhr ihn Herr Tanaka an.

»Vater, Menschen in diesem Land, auf das du so stolz bist, haben ein Verbrechen begangen und die Verfassung gebrochen, die sie schützen sollten. Geh zum Bürgermeister, er soll seine Kontakte spielen lassen. Er schuldet Dawn viel. Mach ihm das klar«, provozierte er ihn.

»Das ist nicht so einfach Kaito, was glaubst du, was ein einfacher Bürgermeister tun kann. Hör zu, gib mir noch etwas Zeit, ich kriege das hin«, sagte er leicht aufbrausend.

»So viel Zeit hat Dawn nicht.«

»Kaito, was soll das?«

»Tut mir leid, Vater«, sagte Kaito und legte auf.

»Es wird nicht lange dauern«, dachte er und blickte auf die runde schwarze Scheibe, die immer noch regungslos über dem Fußende seines Bettes vor ihm schwebte und vor wenigen Minuten mit »Ja« in seinem Kopf geantwortet hatte.

»Das Gebäude, das Dusk dir gezeigt hat, in dem Dawn festgehalten wird, ist ein Gebäude, in dem Menschen ihrer Arbeit nachgehen. Um das Gebäude herum ist ein Zaun gespannt, zwischen dem Gebäude und dem Zaun sind knapp hundert Menschenschritte, für den Befehl den ich dir jetzt geben werde, gilt nur der Bereich innerhalb dieses Zaunes, sowie 100 Schritte unter dem Zaun und darüber in Richtung Himmel und Erde. Verstanden?«

»Ja«, erklang es in seinem Kopf.

»Gut«, dachte er, die genannten Entfernungen spielten keine Rolle, aber das Wesen kannte nun den Bereich, in dem es wüten und seine Befehle ausführen konnte. Das war wichtig, denn der Schaden musste begrenzt werden.

»Dawns Sicherheit hat oberste Priorität. Bring sie mir unversehrt zurück. Dafür wirst du in das Gebäude eindringen und auf dem Weg zu Dawn jeden fressen, der sich dir in den Weg stellt oder Dawn gefährlich werden könnte. Dabei darfst du Dawns Sicherheit niemals gefährden. Daher wirst dich auf dem schnellsten Weg zu ihr durchfressen und wenn du sie gefunden hast, wirst du sie sofort zu mir bringen und auf weitere Befehle warten und jetzt erfülle deinen Auftrag«, sagte Kaito zu der schwarzen Scheibe, die vor seinen Augen verschwand.

Wahrscheinlich würde Vater, wenn er wollte, in einer Stunde oder eher in einer halben Stunde bei ihm sein, aber Shy würde das Problem bis dahin gelöst haben. Shy, das einzig wahre Monster. Hunderte von Dämonen sind nichts gegen dieses Wesen. In der heutigen Zeit nannten die wenigen, die dieses Wesen überhaupt kannten, es ‚Schöpfergott', vor knapp tausend Jahren war es der Name ‚Weltenwandler'. Dieser alte Name, so fand Kaito, passte viel besser zu diesem Wesen, denn es erklärte seine unvorstellbare Macht mit einem einzigen Wort.

Ihm war klar, dass er ab jetzt sowieso nichts mehr tun konnte, also schloss er die Augen und schlief ein.

Kaito hatte einen Traum, den er eigentlich vergessen wollte, warum gerade heute, dachte er, als er sein altes Ich mit sechs Jahren sah, wie es zu seinem Vater rannte und schrie, »Vater, Vater hilf mir, die Monster.«

Vater holte aus und schlug Kaito mit voller Wucht ins Gesicht, der rückwärts hinfiel und liegen blieb.

Dann eine andere Szene. Er sah, wie seine Mutter auf sein Ich zuging und sagte, »dein Vater kommt nie wieder und zwar wegen dir, wegen dir allein. Sie holte aus und schlug so hart zu, dass er benommen zu Boden fiel. Sie ging ins Bad und ließ Wasser ein, das hörte er noch, aber er konnte nicht mehr aufstehen, alles drehte sich. Da kam

Mutter zurück, nahm den benommenen Jungen und trug ihn ins Bad.

»Was machst du, Mutter?« fragte er. »Wir baden«, sagte sie und ließ ihn fallen. »Sieh mein schönes Kleid, das mir dein Vater geschenkt hat, du hast es mir versaut« und drückte ihn unter Wasser.

Er erwachte in einem weichen weißen Bett, Krankenschwestern, die er aus dem Fernsehen kannte, kamen und gingen, flüsterten über ihn.

Kaito stand da und betrachtete diese Szenen mit völliger Kälte. Er kannte sie, er hatte sie schon so oft gesehen, dass es ihn schon langweilte. Er wusste, was als nächstes kommen würde und dachte, »warum lässt du mich nicht aufwachen?«

»Lauf um dein Leben, du Dreckskerl«, sagte eine Stimme hinter ihm und sein 13-jähriges Ich rannte los, hinter ihm drei Jugendliche aus seiner Schule. Es war kalt und auf der verschneiten Wiese kam er nur schwer voran. Plötzlich fiel er, aber es gab keinen Boden und er fiel immer weiter. Irgendwann schlug er auf dem Boden auf. Er wusste nicht wie tief er gefallen war. Er konnte sich nicht bewegen, alles tat ihm weh.

Wie lange er da lag, hatte er vergessen, irgendwann gewöhnten sich seine Augen an die Dunkelheit. Er konnte sich wieder etwas bewegen, aber jede Bewegung tat ihm weh. Er fokussierte seine Augen und sah eine schwarze Scheibe die sich vom dunklen Hintergrund abhob, etwa zwei Schritte von seinem Kopf entfernt und er hauchte »ihr dreckigen Yokai warum könnt ihr mich nicht in Ruhe sterben lassen.«

»Du kannst mich sehen Mensch?« sagte die Scheibe.

»Natürlich kann ich euch abscheulichen Wesen sehen, lasst mich in Ruhe.«

»Noch nie konnte mich ein Lebewesen sehen, wenn ich es nicht wollte, in all den Äonen. Gib mir dein Blut und ich diene dir.«

»Ich sterbe gerade, du nichtsnutziger Bastard, falls du das nicht bemerkt hast« und er war auf einmal froh, dass er wenigstens einen Yokai anschreien konnte, bevor er starb.

»Warum stirbst du?«, kam es zurück.

»Ach du mich auch, hole es dir doch und dann verschwinde.«

»Ich werde dir Wissen und Stärke geben. Ich werde deine Befehle in der Menschenwelt ausführen, tausend eurer Leben lang.«

»Du bist ein Trottel, nimm dir mein Blut doch einfach«, kam es gerade noch heraus.

»Komm zu mir, das ist der einzige Befehl, den ich dir je geben werde.«

Kaito lachte, die Kälte hatte wohl den Schmerz eingefroren, aber sein Körper war fast steif. Er sagte, »das klingt gut du dummes Vieh«, spannte seine Muskeln noch einmal an, versuchte sich zu drehen und rollte ein Stück in Richtung des schwarzen Loches. Selbst die Schmerzen, die ihm sein Vater in all den Jahren zugefügt hatte, waren nicht so groß wie diese. Er schrie so laut, wie er noch nie geschrien hatte, er wusste nicht, wie lange, er wusste nur, dass er ohnmächtig wurde und erneut in einem Krankenzimmer aufwachte.

«Alabasterfarben«, dachte er, als er die Wand sah. Seltsam, woher kannte er dieses Wort? Eine Krankenschwester sagte zu einem Arzt, »Multiple Knochenfrakturen, pulmonale Lazeration zusätzlich noch eine Heparperforation, ist alles versorgt.« Der Arzt schaute erstaunt, sagte »Okay« und verließ mit der Krankenschwester den Raum.

»Hey, warum kann ich alles verstehen, was die sagen?«, sagte Kaito, der sehr geschwächt in einem Bett lag und zu dem schwarzen runden Ding hinaufblickte, das über ihm schwebte.

»Wissen und Stärke sowie 1000 euerer Leben werde ich dir in der Menschenwelt dienen, das war der Pakt zwischen uns.«

»Du weißt, dass ein Mensch nur ein Leben hat.«

»Nein, aber ich werde deine Befehle 1000 Leben lang ausführen.«

»Du willst es nicht verstehen, egal, kannst du den einen Jungen finden, der mich in das Loch getrieben hat?«

»Ja.«

»Ich will, dass er verschwindet, mach das!«

»Ja«, sagte das Monster und verschwand.

Kaito wusste nicht, wie oft er diese Szene schon gesehen hatte, »wach auf, wach auf«, sagte er sich und dachte, »ist das die Strafe für meine unüberlegte Rache von damals? »Es tut mir leid, Junge, dessen Namen ich schon längst vergessen habe, das hätte ich damals nicht machen sollen.« Dann erinnerte er sich daran, wie er Shy einst befohlen hatte einem Dämon zu fressen und Shy ihn daran erinnerte, dass er ihm nur in der Welt der Menschen dienen würde und nicht in der Geisterwelt.

»Es wäre alles so einfach, wenn es diese Beschränkung nicht gäbe. Warum hatte Shy das damals so formuliert, gab es einen tieferen Sinn dahinter und warum nicht umgekehrt? Keine Menschen, aber Dämonen? Warum hatte er dem damals zugestimmt ..., naja, er hatte damals wohl keine andere Wahl. Aber ärgerlich war es schon. Wenigstens hatte er später für weiteres Blut ein paar kleine Ausnahmen aushandeln können, sagte er sich und schrie erneut »WACH AUF! WACH AUF!«

Währenddessen stand Herr Nakajima im untersten Stockwerk eines neu gebauten Hochsicherheitslabors einer Forschungseinheit des militärischen Geheimdienstes im nördlichsten, unbewohntesten und unzugänglichsten Teil des Landes und schrie zwei seiner Wissenschaftler in einem Labor an.

»Zum letzten Mal. Diese Katze hier ist ein Ayakashi, der sich in einen Menschen verwandeln kann und ihr werdet es beweisen. Bringt es dazu, sich zu verwandeln, oder ihr seid in diesem Land nicht mehr willkommen«, sagte er, drehte sich um und ging durch das Schleusentor, dessen riesige, tonnenschwere Stahltüren sich hinter ihm schlossen. Damit war den beiden Wissenschaftlern klar, dass sie diesen Raum nicht verlassen würden, bevor sie ihre Arbeit getan hatten und dass es Herrn Nakajima ziemlich egal war, ob es sich um eine gewöhnliche Katze oder einen echten Ayakashi handelte. Kazuo und Satoshi sahen sich an und dachten, »Du alter Mistkerl, leck mich am Arsch.«

Sie gingen zu der Katze, sahen sich wieder an und Satoshi fragte »Was können wir noch tun?« Kazuo war ratlos und zuckte mit den Schultern. Alle Untersuchungen waren fehlgeschlagen, auch die vom Boss verlangten Elektroschocks hatten ebenso wenig etwas gebracht wie gutes Zureden. Der Katze den Hals umdrehen, konnten auch die vier Wachen dort hinten am Tor, die ständig dumme Bemerkungen machten und über sie lachten. Einer sagte, »Schieß ihr ins Bein oder hack es ab.«

Kazuo war wütend, so hatte er sich das alles nicht vorgestellt. Er dachte daran, wie er als Kind all die Monster gesehen hatte, Ayakashi, Geister und so viele andere und wie sie ihn damals ängstigten und ärgerten und wie er froh war, dass sie eines Tages einfach verschwanden. Und dann, in der ersten Klasse der Oberschule, erinnerte er sich wieder und in ihm wuchs das Interesse, was es damit auf sich hatte? Waren es Träumereien oder eher Albträume eines Kindes oder war das damals wirklich real, war die Welt doch größer oder anders als gedacht. Das wollte er nun wissen. Nach dem Studium traf ihn eine Stellenanzeige wie ein Blitz

‚Probanden für parawissenschaftliches Experiment gesucht'. Er war sofort Feuer und Flamme und meldete sich freiwillig für ein Experiment einer staatlichen Organisation eines Staates, den er zutiefst verehrte, eines Staates, der ihm so viel gegeben hatte und dem er und seine Familie so viel zu verdanken hatten. Er blieb dort und sein erster Arbeitsplatz war auf einer Farm tief im schönen, warmen Süden. Dort hatten sich verschiedene Geisterjäger versammelt. Die, die sie sehen konnten und die, die es nur vorgaben. Es war eine amüsante Zeit, diesen Parteien beim Kämpfen untereinander zuzusehen und dabei zu lernen. Kurz, ganz kurz, hatte er das Gefühl, die Geister erneut zu sehen, aber dann verließ der alte Chef die Abteilung und Herr Nakajima kam und die guten Geisterjäger gingen auch. Sie schienen klüger gewesen zu sein als er. War er einfach zu ehrgeizig oder zu einfältig? Spätestens vor einem halben Jahr, als er in dieses schnell hochgezogene und streng geheime Hochsicherheitslabor wechseln sollte, hätte er kündigen müssen. Warum! Warum hatte er das nicht getan? Jetzt hatte er dieses Arschloch als Chef, war am Ende der Welt und musste sich von ihm anschreien lassen. Sein alter Chef hätte das nie gemacht, der hätte nie einem jungen Mädchen ihre Katze aus der Hand reißen lassen und sich auch noch damit gebrüstet. Er schämte sich und sagte, »Na, Kätzchen, jetzt haben wir wohl beide ein Problem.« Kazuo und Satoshi stellten allerlei Technik vor einen massiv wirkenden Kasten aus mehrfach gehärtetem Sicherheitsglas, der aus verschiedenen Teilen bestand, die sehr stabil ineinander gesteckt und mit einem Schloss gesichert schienen. In diesem Kasten lag eine Katze zusammengekauert in einer Ecke und rührte sich nicht. Kazuo startete verschiedene Messungen vom langwelligen Bereich über IR bis hin zum Röntgenbereich, schaute sich die Ergebnisse an und sagte, »Mieze, die Geräte sagen ganz klar, dass du eine Katze bist und nichts anderes als eine Katze. Wenn du also keine Katze bist, dann sollten wir zusammenarbeiten und uns gegenseitig helfen« und lachte über sich selbst.

Die Katze sah ihn stoisch aus der Ecke an. »Es hat keinen Sinn«, sagte er. Er sah zu den Wachen, die ihn auslachten und zu seinem Kollegen, der mit den Schultern zuckte.

Er zog sich einen Stuhl heran und sagte, »Ich weiß auch nicht weiter, ich will dir nicht wehtun, Kätzchen. Kannst du dich nicht einfach in Luft auflösen und verschwinden, das könnt ihr doch normalerweise, dann wäre uns allen geholfen«, setzte sich auf und hoffte, dass die Katze einfach vor seinen Augen verschwand.

Zur gleichen Zeit standen zwei bewaffnete Wachmänner vor dem Eingangstor eines großen, abgelegenen Gebäudes irgendwo im nördlichen Nirgendwo. Sie lachten und scherzten. Der eine sagte, »Mir ist langweilig, ich habe die Schnauze voll von dieser Einöde. Vor 3 Jahren konnte ich noch auf Feinde schießen ‚Tack, Tack - Tack, Tack' und vier weniger. Das hat echt Spaß gemacht, denen beim Fallen zuzusehen.«

»Yoo«, sagte der andere, »aber ich werde langsam alt und merke es im Kreuz und auch das Töten macht kaum noch Spaß. Deshalb bin ich froh, dass der Alte seine Beziehungen spielen ließ und unsere Söldnertruppe hier unterbringen konnte. Jetzt stehen wir hier, bewachen Geister und verdienen damit richtig viel Geld und Freizeit haben wir auch mehr als genug.«

»Glaubst du an diesen Ayakashi-Quatsch?«, fragte der Jüngere.

»Bei dem Gehalt glaube ich auch, dass der Chef ein Außerirdischer ist, wenn er das will.«

»Ja«, dachte der Jüngere, »das Gehalt ist unschlagbar und zusammen mit der Menge an Freizeit kann man auch noch viel Spaß haben, also warum nicht und sah zu seinem Kumpel hinüber, der einen Stuhl mitgebracht hatte. Er hatte es sich darin bequem gemacht, obwohl es schon kalt war, saukalt und schaute in den Himmel, wo Schneeflocken herunterfielen, die von der Sicherheitsbeleuchtung am Tor goldgelb angestrahlt wurden und zu Boden sanken.

»Wenn nicht bald etwas passiert, schläft er noch ein und ich muss allein Wache schieben«, dachte er und sagte, »Hey, ich habe ...«, als ein dumpfer Schlag zu hören war.

Es dauerte etwa fünf Sekunden, bis der Ältere die Augen aufschlug, den Jüngeren ansah und sagen wollte, »Bist du ausgerutscht, du Idiot, was wolltest du ...«, aber so weit kam er nicht, er blickte auf zwei einzelne Beine, die nun vor ihm im Schnee standen, wo vorher sein Kumpel gestanden hatte. Vor Schreck fiel er rückwärts vom Stuhl, schlug dabei mit seiner rechten Hand auf das Funkgerät an seiner Brust und brüllte »ANGRIFF! ANGRIFF! ANGRIFF! Unbekanntes Objekt am Haupteingang! Wir werden angegriffen!«

»Was war das«, dachte er und sah wie das massive Tor am Zauneingang, das selbst Fahrzeuge aufhalten konnte, sich vor seinen Augen verformte, nein, es wurde zusammengezogen, löste sich auf und verschwand. Der Raum um das Tor rückte an die Stelle nach, wie konnte das sein, alles war massiv, es sah aus wie Gummi, das zusammengedrückt wurde. Dann sprang plötzlich alles wieder in seine ursprüngliche Position zurück, aber in der Mitte, wo das Tor war, war ein Loch, ein Loch von etwa sechs Metern Durchmesser. War es ein Feind mit einer Tarnkappe oder einer anderen neuartigen Waffe? Er nahm sein Sturmgewehr und verschoss das Magazin in Richtung des Lochs. Zur gleichen Zeit, als der Mann in der Zentrale das Wort ‚Angriff' vernahm, schaute er auf die Monitore für das Haupttor und sah ein riesiges Loch im Eingangsbereich des Zauns und einen der Sicherheitsmänner, der in Richtung Loch schoss. Er dachte noch »Was zum Teufel macht er da?«, als die Wache vor seinen Augen verschwand und auf dem Bildschirm eine Art Verzerrung zu sehen war, die nach einer Sekunde wieder verschwand.

Intuitiv drückte er auf den Alarmknopf. Es dauerte nur eine Sekunde, bis der Alarm im ganzen Gebäude bis hinunter in den zehnten Stock des Hochsicherheitslabors zu hören war.

»ANGRIFF! ANGRIFF! ANGRIFF! DIES IST KEINE ÜBUNG!«

»ANGRIFF! ANGRIFF! ANGRIFF! DIES IST KEINE ÜBUNG!«

hämmerten die Stimmen durch die Räume und die Alarmsirenen heulten unüberhörbar.

»GEFECHTSBEREITSCHAFT HERSTELLEN«

»GEFECHTSBEREITSCHAFT HERSTELLEN«

wechselte die Durchsage, nur um wieder von vorne zu beginnen.

Der Sicherheitsmann im Hauptquartier blickte auf die Monitore im Eingangsbereich des Gebäudes und sah im selben Moment, wie sich die Gebäudestruktur am massiven Haupttor, das sie alle von der Außenwelt abschirmte, zusammenzog. Das Tor verkrümmte sich, nein, es wurde zusammengedrückt, es verschwand und der Beton außen herum nahm den Platz des Tores ein und plötzlich sprang alles in seine ursprüngliche Position zurück, als wäre der Raum aufgefressen und dann wieder gefüllt wurde mit … NICHTS.

Das Telefon klingelte, während er ungläubig auf die Monitore blickte. Es war Herr Nakajima, »WAS ZUM TEUFEL IST HIER LOS«, schrie er.

»Wir werden angegriffen«, sagte der Sicherheitsmann ohne nachzudenken und starrte weiter auf das surreale Bild auf den Monitoren.

Kazuo im zehnten Stock sprach gerade mit der Katze, als er den Alarm hörte und zusammenzuckte. Er überlegte und dachte, »Das kann nicht sein, wir sind in Japan, in einem weit abgelegenem Forschungslabor am Arsch der Welt, sehr weit weg, ein Labor, das niemand kennt und selbst wenn, wer sollte so dumm sein, uns hier anzugreifen, das wäre Selbstmord. Das Labor wird von einer Spezialeinheit bewacht und ist atombombensicher. Wenn fremde Mächte oder Feinde spionieren wollen, dann über Satelliten oder Überflüge mit Spionageflugzeugen oder ein Agent versucht in der nächsten Stadt Informationen zu bekommen. Mehr nicht.«

Er sah zur Katze, dann zur Tür, dann wieder zur Katze und sagte, »Hast du etwas damit zu tun, hat deine Besitzerin etwas damit zu tun?«

Die Katze starrte ihn an. Die Wachen im Raum waren in heller Aufregung, verbarrikadierten das Tor und nahmen Positionen ein, in denen sie schwerer zu treffen waren.

Wieder kam es aus den Lautsprechern.

»DIES IST KEINE ÜBUNG, EIN UNBEKANNTES OBJEKT GREIFT DEN STÜTZPUNKT AN.«

»ATTACKIEREN SIE ALLES, WAS NICHT HIERHER GEHÖRT«, ertönte ein weiterer Befehl aus den Lautsprechern.

Die Wachen wurden nervös und starrten die Katze an.

Kazuo stellte sich demonstrativ vor die Katze und sagte, »Lasst sie in Ruhe, sie gehört hierher. Das war der ausdrückliche Befehl von Herrn Nakajima, er hat sie persönlich hierher gebracht.«

Die Wachen wandten sich wieder dem Tor zu, als erneut Lautsprecherdurchsagen ertönten.

»OBJEKT IST IN DEN STÜTZPUNKT EINGEDRUNGEN. ES BEFINDET SICH AUF DER VIERTEN EBENE UND BEWEGT SICH GRADLINIG NACH UNTEN.«

Eine Wache rief, »Was zum Teufel heißt ‚bewegt sich geradlinig'? Es gibt nur einen Aufzug zwischen den Ebenen und der ist bei Alarm blockiert« und sie schauten wieder zur Katze.

»OBJEKT IST AUF DER SIEBTEN EBENE UND BEWEGT SICH GERADLINIG NACH UNTEN.«

»Verdammt, was zum Teufel ist da oben los, tötet es«, schrie einer der Wachen in sein Funkgerät.

»Was glaubst du, was wir machen, wir schießen mit allem, was wir haben auf ein unsichtbares Ziel. Die Schüsse gehen einfach durch. Wir können es nicht einmal sehen. Das Einzige was wir wissen ist, dass es wahrscheinlich nicht durch feste Wände gehen kann, es muss durchbrechen, es ...«, war das letzte was die Wachen hörten, bevor die Übertragung in Rauschen überging. Jetzt war jedem im Raum klar, es kamen keine Soldaten eines fremden Landes auf sie zu und das bedeutete, dass sie nicht gegen Menschen kämpfen würden, dachte Key.

Er, Key, Truppführer seiner Vier-Mann-Einheit, war heute hier unten mit diesem Haufen verblödeten Wissenschaftler. Wissenschaftler waren lustige Idioten, sie quiekten immer so schön und im Gegensatz zu den Tieren genügte es, wenn er ihnen drohte. Was wohl passieren würde, wenn er auf sie schießen würde, überlegte er ab und zu. Eigentlich hatte er sich darauf gefreut, diese Kerle waren einfach zu lustig. Mit ihnen verging die Zeit schneller und es war warm hier unten. »Und nun so was«, schnaubte er. Hier unten waren sie wie Ratten in einer Falle. Key dachte, dass die Situation etwas von einem Horrorfilm hatte. Ein Gegner ohne Körper, ohne Masse, aber dennoch in der Lage, seine Feinde zu vernichten. Was war die Schwachstelle dieses Dings, die man, wie immer in Horrorfilmen, suchen musste, wenn es überhaupt eine gab. Sie hatten vielleicht noch zehn Sekunden oder weniger, um sie zu finden. Oder war es doch eine Übung und gleich würde die Tür aufgehen und seine Kameraden würden ihn auslachen? Nein, sicher nicht, denn was er hörte, ließ ihn erschaudern.

Sie befanden sich auf der zehnten Ebene und hörten die Schüsse schwerer Maschinengewehre, die auf Beton trafen, obwohl sie hinter einem Meter Stahlbeton eingeschlossen waren. Das war die Einheit von Coo, nur sie benutzte solch schwere Waffen. Sie waren stark, sie waren schnell. Im Söldnerkrieg vor zehn Jahren hatten sie ganze Einheiten ausgelöscht und was jetzt, sie waren auf der neunten Ebene und absolut wehrlos, dachte Key und starrte auf die riesige, massive Schleuse vor ihm.

Es wurde ruhig.

Key blickte zu seinen Männern, die alle im Raum die beste Position für einen Nahkampf eingenommen hatten. Für einen Nahkampf gegen Menschen.

»Etwas stand vor dem massiven Tor. Aber es war kein Mensch«, sagte er sich.

Das Tor war massiv, atombombensicher, würde es halten?

Er schaute zurück, zu den beiden Wissenschaftlern, die immer noch vor der Katze in dem Glasverlies standen und auf sie einredeten. Am liebsten hätte er die beiden Hampelmänner erschossen, aber die würden wahrscheinlich sowieso mit ihm draufgehen. Am besten wäre es, die Katze rauszuholen und sie dem Monster vorzuhalten, aber er hatte keinen Schlüssel, den hatte Herr Nakajima. Die Scheiben des Kastens waren kugelsicher, er konnte es versuchen, aber was, wenn das Ding genau in diesem Moment attackierte? Besser in Position bleiben, dachte er und fragte sich, wie es eindringen würde, sagte »ALLE DURCHLADEN« und man hörte das Durchladen der Maschinenpistolen.

Ob das Ding wie in Horrorfilmen das Tor nach innen sprengen würde, wie ein Drache alles einschmelzen oder wie ein Alien alles mit Säure zersetzen würde.

»Komm her, du Schweinehund«, schrie er in Richtung Tor, als es zu flackern begann und kleiner und kleiner wurde und der Raum um das Tor mit den Betonwänden sich krümmte und verformte und am Ende nur noch Beton den Platz des Tores einnahm. Bis plötzlich die Betonwände wie ein gedehntes Gummiband in die Ausgangsposition zurücksprangen und dort, wo vorher das 40 Tonnen schwere Tor stand, ein etwa sechs Meter großes Loch klaffte. Ein gewaltiger Schlag donnerte durch den Raum.

Aufgewirbelter Staub schien, aus welchem Grund auch immer, ein Objekt an dieser Stelle zu zeigen und Key verstand, dort war der Feind.

Egal ob Schüsse nichts brachten, was sollten sie anderes machen. »FEUER«, schrie er.

Die Schüsse prallten wirkungslos an die Wand auf der anderen Seite des verschwundenen Tores.

»Verdammt«, dachte Key und schaute, ob er das Ding noch sehen konnte, »wo ist es hin?«, sagte er zu sich selbst und schoss in verschiedene Richtungen, um Staub aufzuwirbeln.

Er sah nach rechts und begann zu lachen. Tai war verschwunden und von Tac waren nur noch die Beine übrig. Er sah zu Gos. Von ihm war nur noch eine Hand übrig.

Er zielte auf die Katze, jetzt war ihm alles egal, die beiden Hampelmänner würden das sowieso nicht überleben. Kazuo schrie »NEIN« und Key drückte ab, aber da war nichts mehr, seine Hand, sein Unterarm, alles weg, mit der Waffe. Er zog mit der anderen Hand seine Reservewaffe, wollte zielen und Kazuo sah, wie der Mann, mit dem er bisher nicht mehr als drei Sätze gesprochen hatte, vor seinen Augen verschwand. Er schaute zu der Katze und sagte, »Ich würde dich gerne rauslassen, aber ich habe den Schlüssel nicht, dann ging er zur Wand und setzte sich.«

Er hörte Satoshi noch schreien, »JETZT WISSEN WIR ES! WIR SIND NICHT ALLEIN!« und sah, wie er mit erhobenen Fäusten in den Raum rannte. »Das ist dumm von dir«, dachte Kazuo, aber er hatte nicht die Kraft ihn aufzuhalten und sah wie Satoshi ebenfalls mit einem dumpfen Schlag verschwand. Er war mehr als nur ein Kollege, sie hatten zusammen angefangen, er liebte Science-Fiction und wie er noch das Mystische und jetzt war er einfach weg. Er hielt es nicht mehr aus, schloss die Augen und legte den Kopf auf die Knie.

Er dachte an seine Mutter, an seinen Vater, die so viel für ihn getan hatten, an seine Freundin, die er an der Uni kennengelernt hatte, er wollte nicht sterben, was sollte er tun und fing an zu weinen.

Er hörte wieder einen leisen Knall, wie bei den anderen Malen, wo Menschen verschwanden, er wusste, was das war. Diese Kreatur fraß den Raum auf. Bei jedem Biss bog sich der Raum, der nicht gefressen wurde, um den Raum, der gefressen wurde und als das Ding abbiss und den Raum verschluckte, sprang alles andere zurück und an der zurückbleibenden Stelle entstand eine Art Vakuum, der sich schlagartig mit Luft füllte und einen Knall verursachte, fast wie der Donner bei einem Gewitter.

Er hörte die Katze miauen und fauchen, offenbar war sie aus dem Glaskäfig entkommen. Hatte das Ungeheuer ihn zerstört? Was das Fauchen für ihn bedeutete, war ihm klar. Er begann zu beten und zu warten, aber nichts geschah, außer dass die Katze weiter fauchte. War er schon tot? Er öffnete die Augen. Nein, er war nicht tot, die Katze fauchte, sie fauchte wie verrückt, aber nicht zu ihm, sondern in die andere Richtung. Sie stand zwei Meter vor ihm entfernt und fauchte in Richtung Tor.

Wollte die Katze ihn retten, beschützen. Was hätte sie davon? Er dachte, »Warum fliehst du nicht, Katze«, aber sie schien nicht in Gefahr zu sein. Sie fauchte das Monster an, das wahrscheinlich keine drei Meter von ihm entfernt war. Die Katze schien es auf Abstand zu halten, indem sie links und rechts im Kreis um ihn herum lief, als ob sie versuchte, das Monster aus jeder Richtung von ihm fernzuhalten, während es versuchte, an der Katze vorbeizukommen.

»Lass ihn in Ruhe«, schrie Dawn ihn an, aber Shy wollte nicht hören, er versuchte weiter an den Menschen hinter Dawn heranzukommen, ohne Dawn anscheinend zu verletzen.

»Lass ihn in Ruhe, verdammt, was hat dein Herr dir befohlen«, schrie sie weiter und schützte den jungen Mann vor der Auslöschung seiner Seele.

»Du sprichst nicht mit mir. Gut, dann sage ich dir eines. Wenn du den Befehl deines Herrn missachtest, wird das Konsequenzen haben.«

Doch Shy wollte nicht auf sie hören. Dawn wusste genau, dass Kaito als oberste Direktive ihren Schutz ausgesprochen hatte, das war klar, aber was dann. Was war sein nächster Befehl. Er würde Shy nicht wahllos Menschen fressen lassen, während sie hier in Gefahr war, er würde sie sofort zurückholen, da war sie sicher.

»Also gut«, dachte Dawn und schrie ihn an, »erfülle den Befehl deines Herrn und bringe mich sofort zu ihm zurück.« So oder so ähnlich musste Kaitos Befehl gelautet haben, da war sie sich sicher.

Shy blieb stehen und Dawn wurde ruhiger. Kazuo sah, dass die Katze sich setzte, aber sie starrte immer noch auf einen Punkt vor ihm.

»War das ein gutes oder schlechtes Zeichen, würde er das doch überleben?«, dachte er und blieb wie versteinert.

Kazuo starrte weiter auf die Katze und als er blinzelte, war sie verschwunden. Er fing an zu schreien und drückte sich nach hinten, aber da war die Wand, also rutschte er an der Wand entlang hinter den Glaskasten. Er schrie weiter, er hatte gerade noch so viel Hoffnung gehabt, aber jetzt war er in der Ecke, weiter ging es nicht, er fing an zu lachen, schloss wieder die Augen, sagte »Danke Kätzchen, für die paar Sekunden mehr« und dachte an die, die er liebte.

Kaito erwachte von einem leisen Miau, schaute auf und sah Dawn neben sich ankuscheln und die Decke über sich ziehen. Er fühlte ihre Wärme, legte seine Hand auf ihren Kopf und streichelte sie, während er dachte, »Immer wieder dieser blöde Traum.« Er schaute nach links, dort schwebte Shy neben seinem Bett und er dachte »Du bist wirklich das einzig unheimliche Ding auf dieser Welt« und blickte auf die dunkle, tiefschwarze, kreisrunde Fläche.

»Shy, Anfang des Jahres, kurz bevor der letzte Schnee geschmolzen war, kamen zwei Männer in mein Büro. Der eine erklärte mir, dass ich ihm bedingungslos zu gehorchen hätte, bedrohte mich und der andere zerstörte währenddessen einiges Inventar. Erinnerst du dich daran?«

»Ja«, kam es als Antwort in seinem Kopf.

»Beide Männer sollten im Gebäude sein, in dem Gebiet, den ich für Dawns Rettung festgelegt hatte. Hast du einen oder beide gefressen?«

»Nein.«

»Geh zurück in den Raum, suche nach den beiden, wenn du sie findest, vertilge sie und komm zurück, wenn du sie nicht findest, komm ebenfalls zurück und gehe in beiden Fällen in Warteposition. Beweg dich«, sagte er und sah Shy verschwinden.

Kaito bemerkte, wie Dawn ihn fester umarmte, streichelte sie noch einmal und sagte, »Schön, dass es dir gut geht.« Er schloss die Augen und schlief wieder ein.

Wenig später wurde er von einem Poltern geweckt, das vermutlich aus dem Treppenhaus kam. Er wusste nicht genau, wie lange er geschlafen hatte. »Das ging schnell, mal sehen, wer es ist«, dachte er. Die Tür zu seiner Wohnung wurde aufgerissen. Zum Glück hatte er sie nicht abgeschlossen und Kaito dachte, »Wer wird es wohl sein? Ein Idiot, sein Vater oder sein idiotischer Vater?

Zu seiner Erleichterung stürmte Herr Tanaka herein.

»Was hast du getan?«, schrie er ihn direkt an.

»Was soll ich getan haben?«, kam als Antwort.

»Dawn ist wieder da, sehe ich. Also weißt du genau was du getan hast.«

»Was glaubst du denn, was ich getan habe, erkläre es mir.«

»Du weißt es ganz genau.«

Kaito lachte und sagte, »Seit wann müssen Angeklagte gestehen, bevor man ihnen die Anklage vorliest, oder leben wir jetzt schon in einer kafkaesken Welt?«

Kaito merkte, dass Vater die Anspielung nicht verstanden hatte, aber er wartete.

»27 Tote. Das ist die Anklage«, sagte Herr Tanaka.

»Wow, da hat er aber ganz schön gewütet«, dachte Kaito.

»Du hast ab heute 27 Menschen auf dem Gewissen.«

»Das sind nicht die einzigen auf dieser Welt, leider«, dachte Kaito und sagte, »Gut, sag mir, wer dir das gesagt hat und ich sage dir, was du wissen willst, Vater.«

»Herr Kimura hat mich angerufen.«

»Oh, ich hoffe er lebt noch, das wäre schade, er war eigentlich ganz nett«, sagte Kaito locker.

»Er hat nichts damit zu tun. Er hat einen Anruf bekommen, weil jemand wusste, dass er mit dir in Kontakt steht und dieser Mann ist ein hoher Beamter des militärischen Geheimdienstes, der erfahren hat, dass eine seiner Abteilungen angegriffen wurde.«

»Wow, du kennst aber hohe Tiere und erzählst mir das alles hier und jetzt in diesem Raum. Einem Oberschüler. Vater.«

»Nenn mich nicht Vater, du Monster. Sie werden dich verhaften und anklagen.«

Kaito musste lachen, so laut, dass sein Vater sich fragen musste, ob er den Verstand verloren hatte.

»Verhaften, wofür?«, fragte er seinen Vater.

»Wegen Mordes an 27 Menschen!«, sagte er laut.

»Eigentlich hätte ich von einem Polizisten erwartet, dass er versteht was alles nötig ist, um Entführer zur Strecke zu bringen. Du solltest noch einmal die Polizeischule besuchen.«

Herr Tanaka war außer sich und stürmte auf Kaito zu.

»Shy blocke ihn«, sagte Kaito und eine schwarze Wand tauchte vor Herrn Tanaka auf. Er erschrak und fiel rückwärts zu Boden.

»Shy zurück.«

Herr Tanaka rief, »was zum Teufel ist das?«

»Darf ich vorstellen ‚Shy'.«

»Was ist das?«

»Du hast mich damals kurz vor dem Auftrag von Frau Kato gefragt, ob es etwas Mächtigeres als Götter oder Dämonen gibt. Genau das ist es, ein Weltenwandler.«

»Du hast damals gesagt, dass die Wahrscheinlichkeit so gering ist, dass es noch nie zu einem Kontakt mit Menschen gekommen ist.«

»Ich merke, dass dein Gedächtnis Lücken hat. Ich sagte 1 zu 100 Milliarden für ‚relevante Berührungspunkte' und auf unserer schönen Erde lebten bis heute ungefähr 100 Milliarden Menschen.«

Herr Tanakas Augen wurden immer größer, »Du hast einen Pakt mit so einem Monster geschlossen?«

»Sei ein bisschen netter zu Shy. Er ist der Garant dafür, dass ich ganz normal meiner Arbeit nachgehen und den Menschen helfen kann, die Hoffnung in mich setzen, ohne Angst haben zu müssen, dass mir das, was mir wichtig ist, von Schmarotzern weggenommen wird, die glauben, über dem Gesetz zu stehen. Dass es der Staat selbst ist, der gegen seine eigenen Gesetze verstößt, hätte ich jetzt nicht erwartet, ich hätte eher an einen Kunden oder Bekannten gedacht. Aber jetzt ist es so und ich habe mich nur an die Worte von Herrn Kimura gehalten, die er mir in deinem Namen gesagt hat ‚Schütze das, was dir am wichtigsten ist'.

Glaubst du wirklich, dass ich so blöd, so dumm bin, dass ich sehenden Auges durch die Weltgeschichte laufe, überall etwas so Begehrenswertes wie Dawn präsentiere, mit Mafiosi verhandle, mit den Reichsten dieser Welt, die mit einem Fingerschnippen einen Menschen auslöschen könnten, ohne dafür belangt zu werden und ohne dass ich etwas in der Hinterhand habe, um das zu schützen, was mir so wichtig ist? Glaubst du wirklich, Vater, dass du einen Sohn hast, der so dämlich ist?«

Herr Tanaka brauchte lange, um diese Worte zu verstehen, aber er verstand sie.

»Wenn du so mächtig bist, warum hast du sie getötet?«

»Ach Vater, das solltest du doch wissen.«

»Nenn mich nicht Vater, du Monster.«

»Was passiert, wenn man sich von einem Tyrannen sein Eigentum zurückholt, das er sich einfach genommen hat?«

»Hör mit den Spielchen auf.«

»Nun, was passiert, wenn man in den schwer bewachten Palast des Tyrannen eindringt, spurlos und ohne eigene Verluste 27 seiner Wachen tötet und sich dann sein Eigentum zurückholt?«

Die Augen von Herrn Tanaka weiteten sich wieder und er schrie, »Du hast diese Menschen nur getötet, nur um ein Exempel zu statuieren?«

»Niemand wird mich anklagen, oder glaubst du, sie werden zugeben, dass es eine Parallelwelt gibt, aus der ich ein Monster geholt habe, dass das getan haben soll. Wie lächerlich klingt das in deinen Ohren? Kannst du dir vorstellen, was dann in unserem Land, in unserer Welt los wäre?«

»Sie werden dich töten!«

Wieder lachte Kaito. »Der arrogante, dumme Lackaffe, der noch von der Vorgängerregierung in dieses Amt gehievt wurde, hätte das vielleicht getan. Aber den gibt es nicht mehr. Weißt du, wer sein Stellvertreter ist?«

»Nein, sag du es mir«, sagte Herr Tanaka frustriert am Boden sitzend.

»Ich weiß es auch nicht, ich habe alle öffentlich zugänglichen Regierungsdokumente nach seiner Ernennung durchsucht. Das Einzige, was ich finden konnte, war ein einzelner Buchstabe ‚Q' und ein Datum, das auf seine Ernennung zum Stellvertreter der militärischen Forschungsabteilung vor 30 Jahren hinweist. Dieser Buchstabe ist wahrscheinlich der einzige subtile Hinweis, den er uns über seinen Charakter gegeben hat. Zusammen mit seinen 30 Jahren als Stellvertreter wird klar, dass dieser Mann zugleich gefürchtet und respektiert wird. Er ist der wahre heimliche Mann hinter dieser Abteilung und dank seiner Intelligenz ist er es bis heute geblieben. Niemals würde so jemand sein Lebenswerk aufs Spiel setzen«, erklärt Kaito dem nun recht passiv und schwach wirkenden Herrn Tanaka.

»Soll ich dir sagen, was passieren wird? Nichts wird passieren. Es wird vertuscht und in ein paar Jahren wird sich einer dieser Herren bei mir melden, er wird einen Wunsch an mich äußern und ich werde ihn annehmen, mich entschuldigen und das war es dann. So funktioniert die Welt der Macht. Stärke ist alles«, sagte Kaito.

Herr Tanaka stand auf, ging zur Tür und sagte, »Ich denke, wir sollten uns in nächster Zeit nicht mehr sehen, du bist alt genug, um alleine zu leben und du stehst schon auf eigenen Beinen. Leb wohl!« und verließ die Wohnung.

»Ich werde dich und deine Familie trotzdem beschützen, das bin ich dir schuldig«, sagte Kaito, wohl wissend, dass Herr Tanaka es nicht mehr hören konnte.

Zur gleichen Zeit, weit weg in einem abhörsicheren Raum eines Regierungsgebäudes, saß Präsident Matsumoto, sah sich auf einem Notebook ein Video an, in dem Menschen in einem Labor von einem unsichtbaren Gegner verschlungen wurden, ohne dass sie etwas dagegen tun konnten und dachte, »Und so einen FX-Scheiß soll ich glauben, ihr könnt mich alle mal, ich habe Besseres zu tun« und wollte gerade aufstehen, als ein Mann den Raum betrat. Herr Matsumoto sah ihn an und dachte, »Was für ein widerlicher kleiner Kerl mit einem schmierigen Gesichtsausdruck und einer lächerlich kleinen Brille auf seinem viel zu großen Kopf, die seine viel zu kleinen Augen auf das Doppelte vergrößern, wenn man sie durch sie sieht. Allein die Art, wie er sich mir nähert, ist schon abstoßend genug.«

»Ist das nicht ein schöner Tag, die Sonne scheint, die Vögel zwitschern, die Kinder spielen leicht und fröhlich im Park und dann dieses erfolgreiche Projekt, von dem ich erzählen möchte. Haben Sie es schon gesehen?«, sagte der Mann und zeigt auf das Notebook.

Herr Matsumoto ärgerte sich über diesen lächerlichen Zwerg und sagte, »Es regnet in Strömen, wir haben zwei Grad Celsius und der Scheiß hier kann doch nicht echt sein« und zeigt ebenfalls auf das Notebook.

»Sie müssen Ihre Gefühle sprechen lassen, Herr Präsident, darf ich mich vorstellen?«

»Nein, die graue Eminenz ‚Q', nehme ich an und jetzt erklären Sie mir diesen Scheiß hier« und deutete erneut auf das Notebook.

Der Mann nickte und lächelte ihn an, wobei Herrn Matsumoto ein Schauer über den Rücken lief.

»Kein Wunder, dass ihn seit 32 Jahren niemand als Abteilungsleiter haben will«, dachte er.

»Was sie da sehen, ist genau so passiert, nichts ist geschönt, ist das nicht wunderbar?«

»Verdammt, sie wollen mir sagen, dass es solche Monster hier in unserer Welt, in unserem schönen Land Japan gibt. Wie soll ich das den Menschen erklären, die schon wegen einer Straßenumleitung protestieren? In einem Jahr sind Wahlen und jetzt haben wir 27 Tote in einem Labor, das mein Vorgänger für viel Geld aufgebaut hat.«

Der Mann neigte den Kopf nach links und sagte, »von Ihrem Vorgänger, genau!« Er neigte den Kopf nach rechts und sagte »wie auch diesen Trottel Herr Nakajima, meinen verflossenen Abteilungsleiter.«

Herr Matsumoto fand diese Geste äußerst widerwärtig, sagte aber nur, »Was wollen Sie mir damit sagen?

»Es gab einen Unfall im Forschungslabor, bei dem 27 Menschen starben, leider auch der unfähige Abteilungsleiter, den der unfähige letzte Präsident durchgedrückt hat. Er hat alles verbockt. Jetzt kommen Sie als Retter und veröffentlichen diese schwachsinnige Geldverschwendung, erklären öffentlich, dass Herr Nakajima sich über alles hinweggesetzt hat und Steuergelder für gefährliche Experimente rausschmiss und dass sie das jetzt nach drei Jahren endlich beenden können, als dieser Trottel es zu weit getrieben hat. Die Beweise sind alle da, wir müssen sie nur nach draußen tragen« und schob Herrn Matsumoto einen Zettel zu.

»Wissen Sie, was uns das kosten wird?«, fragte Herr Matsumoto.

»Das Projekt ist fünf Jahre vorher erfolgreich abgeschlossen, da bleibt genug Geld übrig, um jedem der zu viel weis zu entschädigen oder ...« der Mann hält inne und lacht.

»Was heißt erfolgreich?«, ruft Herr Matsumoto.

»Das Projekt hatte das Ziel übernatürliche Wesen nachzuweisen, besser als das hier geht es wohl kaum« und der Mann deutete wieder auf das Notebook vor ihm.

»Herr Nakajima hätte sich über dieses Ende riesig gefreut. Leider, leider ist er bei diesem krönenden Abschluss verstorben und kann nicht an der Siegesfeier teilnehmen. Ich bin sicher, dass er sein Leben gerne dafür gegeben hat, so war er immer schon. Gott sei seiner Seele gnädig«, sagte er im traurigen Ton und lächelte.

Herr Matsumoto versuchte sich nicht aufzuregen und sagte dann, »Wie geht es weiter?«

»Nach Integration der restlichen Projektgelder in den Haushalt und die Begleichung von Schweigegeldern, ähm ich meine nachdem die Gelder für die Opfer und Hinterbliebenen bezahlt sind, bleibt noch einiges übrig, um Teile der Wählerschaft ruhig zu stellen. Verteilen Sie Orden ich hätte da ein paar Namen für Sie, von Wissenschaftlern, die alles belegen können, wie schrecklich der Abteilungsleiter gehandelt hat.«

»Du bist selber ein ekelerregender Drecksack«, dachte Matsumoto, wusste aber, dass es kein schlechter Plan war, das Gesagte noch einmal zu überdenken.

»Wenn das, was auf dem Video zu sehen wahr ist, was sollen wir dann mit dem Jungen machen, der das Monster geschickt hat, oder ist das eine Lüge?«, sagte Herr Matsumoto und zeigte wieder auf das Notebook.

»Nein, nein, sie sind gut informiert. Nichts machen wir, ist doch klar.«

Herr Matsumoto schluckte etwas und fragte, »Wie soll ich das verstehen, er scheint doch eine Gefahr zu sein, sollten wir ihn nicht besser ausschalten?«

»Der Junge ist ein schlauer Bursche. »Ach, wäre ich doch an seiner Stelle«, seufzte der Mann.

»Klar du widerwärtiges Etwas, damit du noch mehr Macht hättest, als du ohnehin schon hast«, dachte Herr Matsumoto.

»Der Junge tat genau das, was man von einem jungen Mann erwartet. Er hat das beschützt, was ihm wichtig ist. Damit sowas in Zukunft nicht wieder so endet wie vor ein paar Tagen, werden wir ihn in Ruhe lassen und ihn selbst beschützen und natürlich auch überwachen«, sagte er lächelnd.

»Ich werde ihm helfen, seinen Traum zu verwirklichen, einen Ayakashi-Wald und einen Schrein für seine geliebte süße Katze finden und wenn wir ihn wirklich brauchen, werde ich ihm sagen, was wir alles für ihn getan haben, mich bei ihm entschuldigen und er wird den Auftrag annehmen, um den ich ihn bitten werde, zum Wohle dieses Landes, das seinem geliebten Katzenmädchen die Freiheit verspricht.«

»Warum nicht ausschalten?« fragte Herr Matsumoto, dem das Ganze nicht geheuer war.

»Haben sie noch etwas Zeit, Herr Präsident?«

»Fangen sie schon an!«

Als der Junge sechs Jahre alt war, hatte seine Mutter versucht, ihn in der Badewanne zu ertränken, die Nachbarn hörten die Schreie und informierten die Polizei, die die Mutter mit dem Kopf nach unten ertrunken in der Badewanne fand. Die Deckenlampe, die normalerweise mit drei Schrauben befestigt wird, fiel herunter und traf die leicht betrunkene Frau so am Hinterkopf, dass sie ohnmächtig mit dem Kopf in der Wanne liegen blieb. Nun, diese Lampe war wohl nur mit einer Schraube befestigt. Trotzdem ein merkwürdiger Zufall, vor allem, dass der Junge wiederbelebt werden konnte und die Mutter nicht. Nicht wahr?

In der Mittelschule wurde er von Mitschülern gemobbt, die ihn immer wieder in den Wald jagten, wo er eines Tages im Winter in ein tiefes Loch fiel. Wäre an diesem Tag nicht ein Mann namens Herr Tanaka wegen einer kurzen Umleitung dort entlang gefahren und dabei in einen Wildunfall verwickelt worden, der ihn aus dem Auto aussteigen ließ und dann die Schreie eines Kindes hörte, nun, diesen Jungen hätte man erst wieder im Sommer gefunden, wenn er gestunken hätte.

Bei Herrn Tanaka blühte der Junge auf und setzte seine Kräfte für die verschiedensten Menschen ein, auch solche mit zweifelhaftem Ruf, ohne die geringste Furcht zu zeigen. Irgendwo dazwischen hatte dieser sehr freundliche Junge einen Pakt mit diesem Monster geschlossen, einem Monster, das ihm als Gegenleistung, die wir nicht kennen, vielleicht sagte ‚Ich diene dir 1000 Jahre'. Verstehen Sie jetzt, warum ich denke, dass wir ihn hegen und pflegen sollten?«

Herr Matsumoto verstand noch nicht ganz, aber er hatte ein sehr ungutes Gefühl in der Magengegend.

»Erklären sie weiter«, sagte er.

»Dieser Junge, der so freundlich zu allen ist und so viel über sich ergehen lässt, viel mehr als er müsste, befehligt das Monster mit einem Ton, als wäre es eine Maschine. Warum?«

»Sagen sie es mir.«

»Weil es dem Monster egal ist, es dient ihm nun 1000 Jahre lang, egal was kommt.«

»Spätestens in 90 Jahren ist er tot.«

»Ja, aber das Monster nicht« und der Magen von Herr Matsumoto meldete sich stärker als bisher.

»Wollen Sie damit sagen, dass er dem Monster befohlen hat …«, fragte Herr Matsumoto.

«…, dass es nach seinem Tod jeden vernichten soll, der für seinen Tod verantwortlich ist. Ja, so könnte es sein. Eine Theorie, aber eine mögliche. Der Junge ist nicht dumm, Herr Matsumoto.«

Herrn Matsumoto wurde übel, als er an die Konsequenzen dachte.

»Dann tun Sie doch etwas«, schrie er den Mann fast schon an.

»Genau das habe ich ihnen doch gesagt, wir holen ihn auf unsere Seite, auf die Seite des Lichts. Das sagt man so im Science-Fiction Genre, Herr Präsident«, sagte er und lachte ihn an.

»Wenn Sie mich heute auch nur mit einem Wort belogen haben«, drohte Herr Matsumoto.

Der Mann stand auf, er wusste, dass das Gespräch beendet war, klappte das Notebook auf dem Tisch zusammen, nahm es an sich und sagte, »Niemals, Herr Präsident und das hier nehme ich wieder mit.« Während er zur Tür ging, dachte er an die 26 Söldner, die er für seinen großen Plan geopfert hatte. Die Söldner, die immer nur Ärger gemacht hatten, waren perfekt für so etwas. Den Rest von denen würde er schon loswerden oder in die neue Einheit integrieren, die bereits in den Startlöchern stand. Alles für seinen Plan, der die Welt verändern könnte und Kaito Tanaka würde ein Teil davon sein, ob es ihm passte oder nicht. Schade war es nur um den einen wirklich engagierten Wissenschaftler, der der Science-Fiction so fanatisch liebte, wirklich schade, aber da konnte auch er nichts mehr machen.«

»Einen Moment«, sagte Herr Matsumoto und der Mann antwortete, ohne sich umzudrehen, mit der Türklinke in der Hand, »was kann ich sonst noch für Sie tun?«

»Man munkelt, dass jemand Herrn Nakajima diese Flusen von Geistern in den Kopf gesetzt hat. Wer könnte das gewesen sein?«

»Keine Ahnung, Herr Präsident, keine Ahnung.«

»Herzlichen Glückwunsch zur Beförderung. Wehe wir treffen uns jemals wieder!«

»Vielen Dank«, sagte der Mann und schloss die Tür hinter sich.

Einige Tage später lag Kaito mit Dawn auf dem Bett und sah sich die Abendnachrichten an, in denen ein erster Bericht über den Unfall in einem Forschungslabor mit 27 Toten zusammengefasst wurde.

Der damalige Abteilungsleiter, Herr Nakajima war nach Meinung aller Befragten der Hauptschuldige an dem Unfall, und der Präsident beklagte sich im Fernsehen lautstark darüber, dass Herr Nakajima in der letzten Legislaturperiode über die Köpfe des Parlaments hinweg eingesetzt worden sei und betonte nun, dass mit der Zustimmung des Parlaments der Stellvertreter kommissarisch das Amt übernommen hatte und zusammen mit der Kommission die Aufklärung des Unfalls vorantreibe.

Kaito schrieb Mio eine Nachricht, »Es ist alles in Ordnung, willst du wieder dabei sein?«

»Ja und lass uns unsere Geburtstage feiern«, kam eine schnelle Antwort zurück. Kaito lächelte und streichelte die miauende Dawn.